Toute la ville en
JAZZ

Toute la ville en
Jazz

STANLEY PÉAN

ÉDITIONS TRAIT D'UNION

Conception graphique et couverture : Emmanuel Aquin
Photographie de couverture : Annie Roussel
Photographie de l'auteur : Denis Lebrun
Mise en page : Josée Robitaille, Jean-Denis Rouette
Révision et correction : François Roberge

Données de catalogage avant publication (Canada)

Péan, Stanley, 1966-

Toute la ville en jazz

(Collection Topo)
Comprend des réf. bibliogr.

ISNBN 2-922572-05-6
1. Jazz - Québec (Province) - Histoire et critique. 2. Jazz - Québec (Province) - Répertoires. I. Titre. II. Collection.

ML3509.C3P35 1999   781.65'09714   C99-940875-5

Éditions Trait d'union
428, rue Rachel Est
Montréal (Québec)
Canada
H2J 2G7
Téléphone : (514) 985-0136
Télécopieur : (514) 879-8373
Courrier électronique : traitdunion@pierreturgeon.net
Site internet : www.pierreturgeon.net/traitdunion

DISTRIBUTION

Prologue
Téléphone : (450) 434-0306/1-800-363-2864
Télécopieur : (450) 434-2627/1-800-361-8088

Distribution en Europe

Librairie du Québec
30, rue Gay-Lussac
750005 Paris
France
Télécopieur : 43 54 39 15

ISBN 2-922572-05-6

MONTRÉAL JAZZE-T-ELLE?

Montréal, autrefois ville la plus importante du Canada, aujourd'hui métropole de la belle Province. On la prétend francophone – *la plus grande agglomération urbaine de langue française* – ce dont doutent fort les intégristes de la langue de Molière qui lui trouvent de trop nombreux accents. Qu'à cela ne tienne! La ville-île demeure néanmoins l'épicentre culturel du Québec, noyau autour duquel gravitent tels des satellites des villes de banlieue qui abritent près de la moitié de la population québécoise. Montréal, P.Q. / Montreal City, ville bicéphale, siamoise à deux têtes et à deux langues officielles, pour emprunter ce truisme cher au vieux Godbout. Ce microcosme de ce mal-aimé Canada est sillonné en son milieu par une artère à la réputation autrefois peu enviable, le boulevard Saint-Laurent / St. Lawrence Boulevard, qui depuis toujours fait office d'axe de migration des populations accueillies, les Néos, visibles ou pas. Des berges du fleuve à celles de la rivière des Prairies, du Vieux-Port au boulevard Gouin, du Vieux-Montréal à Ahuntsic en passant par le Chinatown, le centre-ville et ses bars de danseuses nues, la Place du Portugal, le Mile-End et la Petite Italie, le boulevard Saint-Laurent offre au promeneur l'occasion de mater les visages multiples de ce Québec en perpétuelle mutation, pluriethnique et multiculturel.

Montréal, cité métissée. Car c'est bien de cela dont il s'agit, n'en déplaise aux *nationaleux* à l'esprit obtus qui rêvent encore de pureté en cette époque impure. Il faudra pourtant qu'ils s'y résignent: le métissage sera sans contredit le maître mot du millénaire qui se presse à nos portes, bogue informatique ou pas. À l'instar de toutes les métropoles de l'Occident, Montréal affiche désormais sans vergogne sa foncière impureté, tel un drapeau ou un blason. Et cela ne la rend que plus attachante aux yeux de ceux qui l'aiment et qui l'habitent pour de vrai. Certes, on peut lui préférer la morgue architecturale, le calme bourgeois et le charme Vieille Europe de la Capitale. Mais privés de nos ailes d'ange, on revient invariablement à Montréal, comme le chantait autrefois Robert Charlebois.

7

MONTRÉAL JAZZE-T-ELLE ?

Ville de festivals et de musiques, Montréal ne vit que l'été, quand les conflits entre les cols bleus et l'Hôtel de ville n'empêchent pas les citoyens de circuler dans les rues. L'hiver, le maudit hiver est si long qu'à tous les ans on redoute qu'il ne prenne jamais fin. Le paysage urbain émerge si lentement de sa torpeur cryogénique, revêt des couleurs qui se voudraient vives mais resteront pour un temps ternies et délavées. À Montréal, c'est connu, le printemps est gris, infiniment plus gris qu'en Estrie ou qu'au Royaume des Bleuets. Ce qui n'empêche pas de se réjouir béatement du vert des parcs, de rêver du turquoise de la mer si loin, si inaccessible.

L'hiver, le maudit hiver nous a tant assommés, emmitouflés, asphyxiés qu'on n'arrive pas tout à fait à s'enthousiasmer pleinement à la vue des bourgeons, du fleuve en débâcle. Le ciel est-il réellement plus bleu? Pas sous nos latitudes en tout cas. Alors on se prend à fantasmer d'un verre de pastis et de paysages à la Pagnol? On pense à Jacques Brel *et ton cœur et mon cœur repeints au vin blanc*. On pense à Paul Piché, heureux du printemps qui lui chauffe la couenne. On pense à Nat King Cole, aux amours perdues et aux sourires non vivaces qui n'écloreront plus.

Est-il possible de vivre les saisons autrement qu'en musique et en chansons?

Sur les terrasses, on trinque à la perspective des vacances, on fait des projets, on s'invente des départs, on recommence à croire en la vie... L'hiver, le maudit hiver haïssable nous consent enfin un répit. Finis la neige, le vent du Nord, les avertissements de froid intense, les tempêtes et la poudrerie. Vivement les bains de foule, la musique dans nos rues et nos têtes, la blonde mexicaine avec son quartier de citron plus légère et rafraîchissante que le Perrier, les jambes de femmes épilées et dénudées, la chair qui dore au soleil au mépris de la couche d'ozone devenue passoire, les blues langoureux aux petites heures de la nuit, la petite musique du désir. Des premiers jours de juin à la mi-septembre, le pouls de la métropole se met à battre aux rythmes de la musique, de toutes les musiques du monde:les Nuits d'Afrique, les Francofolies, les concerts de la Saint-Jean... et le Festival de jazz.

Car Montréal jazze aussi. Ça lui arrive parfois.

Et quand Montréal jazze, toute la ville en jase, si vous me pardonnez le mauvais jeu de mots. Chaque année, depuis vingt ans, la métropole québécoise est le théâtre de l'un des plus grands, sinon le plus grand, festival de jazz au monde. Pendant dix jours, le quadrilatère de la Place des Arts prend ses allures de Cannes du jazz, de New Orleans by the Saint-Lawrence. Le gens marchent et remuent des hanches au son du jazz, mangent hot-dogs et hamburgers au son du jazz, boivent bière et boissons gazeuses au son du jazz, soupirent, transpirent et ne vivent plus qu'au son du jazz

Le reste du temps…

Le reste du temps, il faut bien le dire, c'est l'encéphalogramme plat ou presque pour le jazz dans la métropole. Pourtant, il n'en fut pas toujours ainsi. Au fil de mes recherches en vue de la rédaction de cet ouvrage, j'ai découvert un Montréal jazz extrêmement vivant et dynamique entre la fin des années quarante et le début des années soixante-dix. Et puis, la ville n'a-t-elle pas donné naissance à deux des pianistes les plus influents de l'histoire du jazz contemporain, Oscar Peterson et Paul Bley?

Cependant, avec l'avènement de l'ère du rock et de la pop au cours des années soixante, le jazz s'éclipse pendant un moment. Pas juste chez nous, il faut le dire, mais à l'échelle planétaire. À Montréal, des boîtes de jazz prestigieuses, qu'on croyait immortelles tellement elles étaient parties intégrales du *night-life*, s'éteignent une à une faute de pouvoir attirer un minimum de public : fini le Black Bottom, le New Penelope Café, l'Esquire, la Bohème, le Milord, le In Concert, la Jazzthèque. C'est fini, tout ça, c'est fini. Plus de musique. *Mais pourtant… pourtant c'était beau*, comme aurait dit Léo Ferré. De ces boîtes au passé légendaire il ne reste plus que la légende, le souvenir de soirées inoubliables avec les plus grands, et quelques photos en noir et blanc.

Et rien d'autre…

Oh, le drame d'être né à la mauvaise époque.

9

... ma première fois au Festival international de jazz de Montréal?

Bien sûr que je m'en souviens! Oublie-t-on son premier baiser, sa première cuite, son premier chagrin d'amour?

Je m'en souviens comme si c'était hier. Je nous revois, ma sœur Mie-Jo et moi, perdus dans la foule qui avait envahi le Quartier Latin, tentant désespérément de nous frayer un chemin vers le théâtre Saint-Denis. C'était un vendredi soir de 1985, bien avant que le Festival déménage ses pénates vers le quadrilatère de la Place des Arts. À l'affiche au théâtre Saint-Denis pour un concert surprise en fin de soirée, Miles Davis et son groupe qui à l'époque incluait le merveilleux guitariste John Scofield.

Il faisait une chaleur digne des nouvelles africaines d'Ernest Hemingway. Sur le trottoir devant le théâtre, un clochard éméché s'était fracassé le crâne en tombant par terre. Les responsables de la sécurité tentaient en vain d'éloigner les badauds, de libérer le passage pour les ambulanciers dépêchés sur les lieux.

— Comment? Il s'est-tu pété la tête sérieusement? avait demandé un guichetier du Saint-Denis, estomaqué.

— Ah, parce que vous pensez qu'il y a des manières pas sérieuses de se péter la tête!

Mais Miles Davis, tout de même.

Miles, vous imaginez?

J'avais dix-neuf ans et je m'en allais à un concert de Miles Davis.

Le jeune Haïtien du Saguenay, qui avait passé maintes soirées à écouter les émissions de Gilles Archambault à la radio de Radio-Canada dans sa chambre au sous-sol de la maison familiale à Jonquière, allait enfin voir en chair et en os sa Majesté le Prince des Ténèbres, l'artiste de jazz le plus influent des quatre dernières décennies.

Oh, certes, ce n'était pas le grand Miles de **Kind of Blue** ou de **Nefertiti**, en complet trois pièces taillé sur mesure, ni même le démon du jazz-rock aux yeux dissimulés derrières des verres extravagants qui triturait les sons de sa trompette à l'aide d'une pédale wah-wah. C'était le Miles de la dernière période, le Miles "Radio FM" aux allures d'extraterrestre en habits flamboyants, qui grapillait des hits à Michael Jackson ("Human Nature") et Cindy

10

Lauper ("Time after Time"), fréquentait Prince, Cameo et les gars du groupe rock Toto, le Miles qui courtisait sans vergogne la musique pop – au grand désespoir des puristes, dont le conservateur auto-proclamé du jazz, Wynton Marsalis – afin d'élargir son public restreint.

Qu'importe. C'était Miles, le Miles Davis de mon époque, celui que j'avais appris à connaître et aimer dans les studios de la radio communautaire jonquiéroise CHOC-FM avec mon pote Jean Proulx ou sur les disques de mon ami Sylvain Bolduc.

C'était Miles. Et Miles, c'est Miles.

Il était déjà venu à Montréal, à plusieurs reprises – j'étais trop jeune à l'époque. Il y reviendrait encore quelques fois. Entre Miles et Montréal, y avait-il une sorte d'histoire d'amour? Libre à ses fans d'ici de le penser. Ça nous flatte l'ego d'imaginer que le demi-Dieu que nous vénérions ne nous méprise pas. N'a-t-il pas retenu une prestation de son groupe enregistrée à Montréal pour figurer sur son album *Decoy* (Columbia, 1983)? "Pour que Miles Davis vienne trois fois, c'est qu'il y a quelque chose", fera un jour remarquer le contrebassiste québécois Michel Donato à un journaliste de *Voir*.

À la télévision, une couple d'années après, j'ai revu le spectacle en question. Avec le recul, j'ai été bien forcé de reconnaître que ce n'était pas le spectacle du siècle. So What? C'était Miles. Et Miles, c'est Miles, que vous voulez-vous? C'est comme la mer et le ciel : peut-on vraiment s'opposer à leurs épousailles au large d'une île des Caraïbes?

Entre Miles et moi, c'est une histoire problématique, comme le sont toutes les histoires d'amour. *Comment peut-on aimer Miles Davis*, à la lumière des révélations sur ses rapports avec les femmes contenues dans son autobiographie? m'a demandé un jour une féministe, qui me soupçonnait de machisme latent. *Comment peut-on admirer ce batteur de femmes égocentrique?* insistait-elle, en feignant peut-être d'ignorer que les œuvres existent indépendamment des hommes et des femmes qui les ont conçues. Cette réplique ne tient pas la route, je le sais bien ; l'Art n'excuse pas tout, diable, mais s'il existe une seule personne sensée capable d'é- couter **Kind of Blue** sans en être ému aux larmes, je suis bien prêt à brûler ma discothèque complète…

11

MONTRÉAL JAZZE-T-ELLE?

Vous m'avez peut-être entendu à la radio ou à la télé parler de mon amour pour le jazz. Ce livre n'est au fond que ça : une lettre d'amour personnelle à cette musique qui me fait vibrer depuis l'enfance, depuis la première fois où j'ai entendu les disques de Ray Charles ou de Louis Armstrong de ma mère. Je ne suis pas théoricien de la musique, mais simplement mélomane. Ce que je vous propose dans cet ouvrage ne relève pas du traité de musicologie ni de l'essai historique... Pensez plutôt à une dérive. Une rêverie, faite de survols historiques, de fictions, d'extraits de conversations avec quelques musiciens de jazz montréalais connus ou moins connus, de commentaires sur des artistes de jazz et sur leurs œuvres, ou encore sur des bouquins qui traitent du jazz.

En ma qualité de musicien frustré (une couple de mois de piano, un bref apprentissage demeuré sans lendemain en raison de ma paresse), j'ai voulu faire de ce livre quelque chose qui ressemble un tantinet à un solo de jazz, où le musicien butine, enfile les accords à une vitesse vertigineuse, change la tonalité brusquement, part dans toutes les directions, explose et défigure la mélodie initiale sans jamais renoncer au lyrisme qui nous remue tant.

À quel solo est-ce que je veux faire allusion ? N'importe lequel qui vous a touché. À vous de choisir : serait-ce encore Miles en 1958, interprétant "My Funny Valentine" au Plaza Hotel de New York devant les gros bonnets de Columbia Records, avec Bill Evans si émouvant penché au-dessus de son clavier; ou Coltrane en transe, tout de bruit et de fureur, décortiquant les accords, défigurant la mélodie de "My Favorite Things" ? Ce solo n'est pas forcément celui d'un musicien de réputation internationale ni même tiré d'un disque. Contrairement à ce que prétend cet ami jazzophobe qui y voit une "musique de croque-morts", le jazz est une musique de l'instant, la musique *live* par excellence puisque la partition s'écrit en partie au moment même où elle parvient à nos tympans. Alors il peut s'agir du solo d'un musicien parfaitement inconnu, par exemple les merveilleux chorus d'un saxo dont vous ignorez le nom entendu dans un piano-bar de province, ou encore des acrobaties vocales de l'époustouflante chanteuse Sylvie Desgroseillers (membre du Montreal Gospel Jubilation Choir) qui par un soir de Festival en 1998 mettait le feu au Pub Quartier Latin avec la complicité de mes potes du combo montréalais Lili's Tigers et du clarinettiste fou Matthieu Bélanger. *Amazing Grace*, en effet!

N'importe quel solo, je vous dis…

Alors, prêts à jammer? À mon signal, alors… *One, two, one, two, three, four*…

JAZZ 101

QU'EST-CE QUE LE JAZZ ?

Question piège, s'il en est une. Car si les définitions abondent – et varient peu ou prou selon la source – , il est assez difficile d'en trouver une qui fasse l'unanimité et qui réussisse à englober précisément tous les styles de jazz. Les rédacteurs du _Petit Larousse_, grâce leur soit rendue, n'y vont pas par quatre chemins. Ils définissent le jazz comme une "musique afro-américaine, créée au début du XXe siècle par les communautés noire et créole du Sud des États-Unis, et fondée pour une large part sur l'improvisation, un traitement original de la matière sonore et une mise en valeur spécifique du rythme, le swing."

D'un point de vue plus poétique – donc plus près de la vérité du jazz –, j'aimerais illustrer cette définition académique avec trois préceptes énoncés par des jazzmen, et non des moindres.

À propos de l'_improvisation_ : "_I don't want to hear you play what you know; I want to hear you play what you don't know._ / Je ne veux pas t'entendre jouer ce que tu connais, mais plutôt ce que tu ne connais pas !" (Miles Davis, s'adressant à un musicien de son band)

À propos du _traitement original de la matière sonore_ : "_It ain't what you do, but the way that you do it._ / Ce qui compte, ce n'est pas tant ce que vous faites que la manière de le faire." (Louis Armstrong, dans la chanson qui porte justement ce titre)

Enfin, à propos de la _mise en valeur du rythme_ : "_It don't mean a thing, if it ain't got that swing doo wop doo wop doo wop_ / Ça ne veut rien dire si ça ne swingue pas !" (Duke Ellington, d'après le titre de l'une de ses plus célèbres compositions)

Né du croisement de traditions musicales de l'Afrique occidentale avec les formes musicales développées sur le sol américain par les esclaves nègres et leurs descendants, et celles héritées de l'Europe des XVIIIe et XIXe siècles, le jazz est au cœur même de la culture étasunienne. En un sens, il est le résumé emblématique de l'histoire de ce pays sans mémoire, ainsi que ne cesse de le répéter le trompettiste et chef d'orchestre Wynton Marsalis. Aussi ne s'étonnera-ton pas si la plus importante contribution des États-

Unis au patrimoine culturel mondial (selon les critiques européens) fait dans son pays natal figure de laissé-pour-compte.

Monsieur et Madame Toulemonde n'aiment pas le jazz, pas vraiment, ou plus précisément s'en méfient. Le paradoxe : on lui reproche d'être une musique à la fois trop savante (du moins, dans ses avatars modernes) et dégénérée…

UNE MUSIQUE DE NÈGRES ?

Dans son fameux monologue *Nigger Black*, entaché par une regrettable controverse il y a quelque temps, l'humoriste Yvon Deschamps déplorait qu'il n'y avait que les nègres qui étaient authorisé a jouer dans les orchestres de nègres…

Blagues à part, si le jazz est historiquement associé à la communauté afro-étasunienne (ne le qualifie-t-on pas de *black man's classical music?*), il s'est néanmoins universalisé et démocratisé au fil des ans. Si bien qu'on ne s'étonne plus, et depuis des lustres, d'entendre parler de musiciens et de musiciennes de jazz issus des quatre coins du monde. Musique du métissage par excellence, le jazz a su tirer profit de son cosmopolitisme intrinsèque et s'ouvrir à toutes les influences. Bien avant que le vocable *world music* ne passe dans le langage courant, Duke Ellington avait su s'inspirer de musiques traditionnelles tenues pour "exotiques".

Prenant exemple sur lui, le trompettiste Dizzy Gillespie a puisé dès la fin des années quarante aux sources des musiques latino-américaines afin d'enrichir ce be-bop que lui et ses frères d'armes dits "modernes" avaient réussi à imposer. Concession à la mode pour certains, seule forme de jazz charriant encore la sensualité des origines pour d'autres, le jazz latin a aujourd'hui pour champions des artistes venus d'Amérique latine, tels le pianiste cubain Chucho Valdés et son groupe Irakere, le trompettiste cubain Arturo Sandoval (d'ailleurs transfuge d'Irakere), le pianiste panaméen Danilo Perez, le saxophoniste portoricain David Sánchez ou la pianiste-chanteuse brésilienne Eliane Elias.

Au Québec, de nombreux artistes de jazz se sont fait les chantres de ce métissage musical : les saxophonistes Dave Turner et Jean-Pierre Zanella, les pianistes Louise Denson et François Marcaurelle, pour ne nommer qu'eux, affichent une saine fascina-

16

tion pour les musiques latino-américaines et tropicales. De même que Sonny Rollins n'avait pas hésité à retrouver la calypso des îles d'où sont originaires ses parents, des musiciens issus de la Caraïbe, tels le bassiste et vibraphoniste Éval Manigat, le guitariste Harold Faustin et les pianistes Eddy Prophète et Dinah Vero, puisent dans leur culture d'origine les épices qui assaisonnent leur jazz. Véritable "orchestre des Nations Unies", le combo Lili's Tigers, dirigé par le pianiste d'origine croate Antòn Rozankovic, comptait jusqu'à tout récemment parmi ses membres un bassiste islandais, un guitariste argentin, un percussionniste brésilien et un batteur français… et leur musique, aux accents de funk-soul, reflétait la diversité de leurs héritages culturels.

Plus éclectique encore, le saxophoniste Michel Dubeau, armé de sa collection de flûtes venues de partout, intègre non seulement dans les compositions qu'il endisque avec sa formation Gakki des éléments empruntés aux musiques de l'Asie et de l'Indonésie, mais également de l'Espagne et de l'Amérique centrale. Animé du même esprit d'aventure, son ancien compagnon d'armes dans le groupe Noir sur Blanc, le bassiste Sylvain Gagnon, enregistre en compagnie du chanteur indien O. S. Arun l'album *New Friends* (Lost Chart, 1999), qui propose à travers des pièces provenant du répertoire carnatique ou de celui de la musique populaire occidentale, une rencontre fraternelle entre jazz et musique indienne. Cependant, la palme d'or de l'éclectisme montréalais revient à la chanteuse Karen Young, qu'une curiosité constante a amenée à visiter toutes les cultures dans une démarche quasi encyclopédique qui confère à ses albums des allures de panorama de la musique mondiale.

Musique de nègres, le jazz?

Allons donc. Visiblement, il ressemble de plus en plus au petit oiseau de toutes les couleurs de la chanson de Gilbert Bécaud.

IMPROVISATION = CHAOS?

La blague n'est pas de moi et je l'ai déjà citée ailleurs, à plusieurs reprises. Mais pour paraphraser André Malraux, il est évident que tout a été dit… mais puisque personne n'écoutait, il va falloir répéter.

"Combien compte-t-on de musiciens dans un quintette de jazz moderne standard?

– Un quintette de jazz moderne standard se compose de six musiciens: un trompettiste, un saxophoniste, un pianiste, un bassiste, un batteur... et un membre surnuméraire affecté au radar et chargé d'avertir le reste du band si jamais ils approchent de la mélodie qu'ils sont censés jouer!"

Peu importe le style qu'ils privilégient, les musiciens de jazz improvisent conformément à certaines conventions, à défaut de quoi ce serait le chaos total. Remarquez qu'à l'oreille du profane, le solo de jazz ressemble parfois à du bruit. Règle générale cependant, les jazzmen fondent leurs improvisations sur la succession des accords du morceau interprété, qu'il s'agisse d'une pièce empruntée à la chanson populaire ou d'une composition originale, en tenant pour acquis qu'un nombre infini de mélodies peuvent se greffer à une même grille harmonique. Dans le cas de thèmes de jazz dit "modaux", qui comportent un nombre restreint d'accords, le soliste improvisera cette fois en fonction des modes ou gammes imposés par l'auteur du thème.

Plutôt que le désordre total, la plupart des jazzmen – même les plus radicaux d'entre eux – préconisent une manière d'ordre dans le désordre apparent. En d'autres termes, bien que plus libertaire que les formes figées de la musique écrite, le jazz ne propose pas du *n'importe quoi* et vise plutôt à l'agencement artistiquement valable de ce prétendu *n'importe quoi*.

JAZZ ET BLUES : FAUSSE QUERELLE?

Il suffit de prononcer le mot "jazz" pour qu'aussitôt Monsieur et Madame Toulemonde froncent les sourcils ou esquissent une moue. Conciliants, ils concèdent parfois éprouver un brin d'affection pour le blues, notamment dans sa variante vocale, sur fond de guitares électriques, d'harmonica et de batterie. L'amateur de jazz sourit invariablement en entendant ce lieu commun.

Mélopée venue de l'Afrique ancestrale, le blues se caractérise par sa qualité proprement hypnotique, attribuable sans doute à sa formule harmonique simple et relativement constante ainsi qu'à son rythme régulier. Au fil des années d'esclavage et au contact de

18

la culture blanche anglo-saxonne, le blues s'est modifié et codifié, adoptant la structure traditionnelle qu'on lui connaîtra d'abord : trois phrases de quatre mesures autour de trois accords (tonique, sous-dominante, dominante) avec altérations des troisième et septième degrés (*blue notes*). Omniprésent dans la culture négro-américaine, le blues donnera naissance au *work song,* au gospel, au jazz puis, par le biais du boogie-woogie et du rhythm and blues, au rock'n'roll.

"Les blues sont presque toujours des chansons tristes, écrivait l'auteur afro-américain Langston Hughes. Pourtant, leurs paroles comportent des éléments comiques. Au-delà de la tristesse du blues se cachent l'humour et la force. Ce sont probablement ces qualités, que le jazz a hérité du blues, qui ont fait aimer cette musique au monde entier." Entre jazz et blues, il y a donc un mariage de raison, d'autant plus incestueux que le premier est en quelque sorte le rejeton du second. Les organisateurs de tous les festivals de jazz au monde l'ont bien compris, puisque ces manifestations comportent généralement un volet blues. Parallèlement au jazz à proprement parler, le public québécois, très friand de guitare électrique et de rock, a vu émerger avec plaisir une scène blues très développée, en un sens mieux implantée que le jazz. En matière de blues local, la Belle Province est relativement choyée, car elle compte une pléthore de bluesmen qui n'ont pas grand-chose à envier à leurs modèles américains, notamment les guitaristes Steve Hill, Bob Harrison, Jimmy James et Bob Walsh ; les harmonicistes Carl Tremblay et Jim Zeller et l'organiste Denis Lepage.

D'aucuns ont beau reprocher au jazz son côté "savant", toute la sophistication du monde — les audacieuses successions d'accords, quintes diminuées et autres acrobaties héritées du be-bop, les transes hypnotiques des improvisations modales de John Coltrane et de ses émules, les dissonances de l'avant-garde — ne pourra défaire les liens qui unissent le jazz au blues. En témoignent ces beaux moments de blues dont avaient le secret Charlie Parker et ses disciples.

Quant aux autres flirts qu'entretient depuis des années le jazz avec le rock, les musiques latino-américaines et les nouveaux avatars de la musique populaire afro-américaine (funk, soul, rap et hip-hop), ils prouvent surtout que ce rejeton putatif du blues a conservé la nostalgie des rues et des bas-fonds dont il est issu.

19

Abécédaire des écoles du jazz

Chaque fois que Monsieur ou Madame Toulemonde affirme ne pas aimer le jazz, l'amateur de jazz a toujours envie de répondre : "Ah bon, mais lequel au juste ?" Car le jazz est divers, protéiforme et il y a autant de différence entre un disque de New Orleans enregistré par Louis Armstrong et un album free de Pharoah Sanders qu'il y en a entre une sonate de Chopin et une composition de Boulez.

Histoire de se dépatouiller un peu dans toutes les écoles du jazz, je propose ici un abécédaire expéditif. Une remarque s'impose cependant; tout pratique que soit la classification du jazz en écoles successives ou contemporaines, elle ne rend pas compte de la complexité des musiques et des artistes. En effet, de nombreux jazzmen ont évolué au fil des époques, fréquentant plusieurs écoles, rompant avec l'une et embrassant l'autre, si bien qu'on en est arrivé aujourd'hui à des pratiques métissées, tout à fait à l'image de notre époque post-moderne.

Je me suis donc limité ici aux courants principaux, présentés dans l'ordre alphabétique plutôt que chronologique.

Be-bop

Drôle de nom, tout de même, pour un mouvement musical qui se voulait respectable, artistique, sérieux! Mais qu'on l'appelle be-bop, bop ou même rebop, une rose n'est jamais rien qu'une rose, même quand elle a pour horticulteurs des hommes tels que le saxophoniste Charlie Parker, le trompettiste Dizzy Gillespie, le guitariste Charlie Christian, le pianiste Thelonious Monk, le bassiste Oscar Pettiford et le batteur Kenny Clarke. Nourris de la musique d'Igor Stravinsky, désireux de rompre avec la tradition de l'*entertainment* et l'obligation de faire danser les gens, ces musiciens se réunissent dans des clubs tels le Minton's de Harlem après leurs engagements réguliers. Ces jam-sessions informelles servent de labo à leurs expérimentations. Ils remettent tout en question et développent une musique étonnamment complexe pour l'époque, axée sur le raffinement mélodique, harmonique et rythmique et nécessitant une très grande virtuosité.

Encore aujourd'hui, la maîtrise de ce mode d'improvisation dit "moderne" demeure un *must* pour les aspirants musiciens, qu'ils pratiquent les styles dérivés du be-bop ou le jazz-fusion. Increvable, le be-bop s'est réinventé au fil des ans, engendrant une série de styles dérivés tels le cool, le hard bop, le free-bop et le néo-bop.

Cool jazz

Quoique certains critiques contestent l'existence d'une école "cool" à proprement parler, la plupart tendent à utiliser ce terme pour désigner la musique d'une génération de jazzmen, majoritairement blancs, qui dès la fin des années quarante intégrèrent les trouvailles du be-bop à une musique plus sophistiquée, méditative, refusant de surcroît l'agressivité sonore. Comble du hasard, c'est néanmoins un noir associé au be-bop, Miles Davis, trompettiste du combo de Charlie Parker, qui passe pour l'initiateur du mouvement. Groupe de jeunes loups qui cherchaient un après-bop dans le cadre de séminaires informels tenus chez l'arrangeur Gil Evans, le Miles Davis Nonet présente en 1949 au Royal Roost cette musique aux orchestrations extrêmement élaborées. L'engagement est de très courte durée, mais Capitol décide néanmoins d'enregistrer la formation. Jointe aux recherches parallèles du pianiste Lennie Tristano et à l'héritage du saxophoniste Lester Young, dont la succession spirituelle est nombreuse, la douzaine de morceaux endisqués et recueillis ensuite sous le titre prétentieux de **The Birth of the Cool**, fera école.

Sous cette bannière, on regroupe généralement les saxophonistes Stan Getz, Gerry Mulligan (membre de la coterie Evans-Davis et auteur de quelques-uns des arrangements du nonette) et son partenaire le trompettiste Chet Baker, le Modern Jazz Quartet, le quartette du pianiste Dave Brubeck ainsi que diverses formations basées en Californie, comme celles du trompettiste Shorty Rodgers et du batteur Shelley Manne.

Free jazz ou New Thing

Apparu vers 1960, le free jazz ou la New Thing correspond au climat politique de l'époque : opposition à la guerre du Vietnam, nationalisme afro-américain, émeutes raciales, profonde crise des valeurs traditionnelles. Poussant jusqu'aux extrêmes les innova-

21

tions des compositeurs inclassables que sont Mingus et Monk, le free jazz semble rejeter toutes les conventions que l'on prétendait issues de la musique occidentale – l'harmonie, la mélodie, la conception formelle même d'un morceau – et n'hésite pas à recourir aux bruits et aux effets parasites jusqu'alors considérés comme laids ou du moins étrangers à la musique.

L'expression "free jazz" est empruntée au titre d'un disque du saxophoniste Ornette Coleman, qu'on tient pour le fondateur de ce mouvement. Mais si les disques et les spectacles de Coleman furent les déclencheurs de la guerre du free jazz, il n'en demeure pas moins que d'autres jazzmen travaillaient parallèlement à lui sur des propositions également radicales, notamment le pianiste Cecil Taylor et le chef d'orchestre Sun Ra. Au fil des années soixante, les saxophonistes Archie Shepp, Albert Ayler et Pharoah Sanders et l'orchestre appelé Art Ensemble of Chicago suivront dans leur sillage, bientôt rejoints par le John Coltrane de la dernière période. Cependant, les tempéraments et les musiques des prétendus artisans du free jazz étant à ce point différents, il nous est permis de contester l'existence d'un réel mouvement cohérent et circonscrit dans le temps.

Free-bop

Assez peu usité, ce terme désigne une musique acoustique qui emprunte autant au be-bop, au jazz modal qu'au free jazz et qui fut pratiquée notamment pendant les années soixante par les membres du Second Quintette Classique de Miles Davis (Herbie Hancock, Ron Carter, Wayne Shorter et Tony Williams), avec le Sombre Mage ou sur leurs propres disques, la plupart publiés par la firme Blue Note. On regroupe aussi sous cette bannière les albums d'Eric Dolphy, de Joe Henderson, d'Andrew Hill, de Bobby Hutcherson et de quelques autres jazzmen également publiés par l'étiquette Blue Note, de même que la musique de leurs fils et filles spirituels contemporains parmi lesquels le trompettiste Wallace Roney.

22 Hard bop

Ce "bop dur" désigne le style de jazz apparu vers le milieu des années cinquante, en réaction au style cool, jugé froid, pas assez fringant. Associée principalement aux jazzmen noirs de la Côte est, cette musique alliait les audaces harmoniques du be-bop à des mélodies simples et dansantes, inspirées du gospel et du rhythm and blues. Parmi les leaders les plus représentatifs de cette école, on compte : le batteur Art Blakey, qui a présidé pendant près de quarante ans aux destinées du groupe phare du mouvement, les bien-nommés Jazz Messengers ; le batteur Max Roach qui, après son passage chez Charlie Parker à la fin des années quarante, codirigea avec le virtuose absolu de la trompette hard bop Clifford Brown le deuxième combo le plus célèbre du mouvement ; et le pianiste Horace Silver qui, après avoir cofondé les Messengers avec Blakey en 1955, connut beaucoup de succès à la tête d'un combo de même type.

On parle aussi de jazz funky (à ne pas confondre avec le funk, extension noire et dansante du rock) ou même de soul jazz.

Jazz-fusion ou jazz-rock

Apparu à la fin des années soixante comme une possible solution au déclin du jazz, ce terme désigne un jazz qui emprunte à la musique rock son instrumentation électrique et électronique, de même que son rythme binaire martelé. Ce mouvement donnera d'abord naissance à un jazz funk, dont les plus illustres représentants furent Miles Davis dans sa période dite électrique et les groupes de ses disciples et anciens compagnons Herbie Hancock (Headhunters), Tony Williams (Lifetime), Wayne Shorter et Joe Zawinul (Weather Report). Plus tard, viendra un jazz-fusion ouvert aux influences les plus diverses venues de partout dans le monde (on pense à John McLaughlin et son Mahavishnu Orchestra). Abâtardie par des artisans au talent moins grand et aux ambitions musicales limitées, et les stratèges d'une industrie du disque obnubilés par la rentabilité, cette musique donnera naissance à la fin des années soixante-dix à ce que les mauvaises langues appellent la "fuzak", amalgame de "fusion" et de "muzak", dont le saxophoniste frisé Kenny G est le champion incontesté.

Jazz modal

23

Ce style de jazz commence avec les théories développées par le chef d'orchestre George Russell dans sa thèse intitulée *The*

Lydian Chromatic Concept of Tonal Organization for Improvisation (1953), qui propose à l'improvisateur d'utiliser des paramètres autres que les gammes classiques mineures et majeures. Harmoniquement, le jazz modal emploie de longues séquences basées sur un ou deux accords et utilisant un même mode. Historiquement, quelques incursions dans la modalité avaient été tentées, notamment par Jerry Roll Morton ("Jungle Blues", 1927), Duke Ellington ("Koko", 1940) puis Oscar Pettiford ("Bohemia After Dark", 1955). C'est néanmoins à Miles Davis que revient le mérite d'avoir su tirer le maximum des théories de Russell, avec la pièce "Milestones" (1958) mais surtout sur le magistral album **Kind of Blue** (1959), enregistré en compagnie du pianiste Bill Evans et du saxophoniste John Coltrane, deux solistes très différents auxquels la modalité conviendra parfaitement. Tout au long des années soixante et soixante-dix, les thèmes fondés sur un minimum d'accords vont proliférer, si bien que le jazz modal finira par se confondre au free jazz apparu à la même époque – notamment dans les œuvres de John Coltrane à sa dernière période.

Jazz traditionnel ou New Orleans

New Orleans est quasiment devenu un synonyme de jazz. Et pourtant, il s'agit d'abord du nom d'une ville. Territoire français depuis le début de la colonisation de l'Amérique, la Louisiane est cédée aux États-Unis en 1803. Adossée aux berges du Mississipi et ouverte sur la Caraïbe et l'Amérique latine, la ville de New Orleans deviendra le creuset de cette nouvelle musique qui naîtra du mélange des *work songs* des esclaves afro-américains, des chants sacrés (gospel) et profanes (blues), des airs de parades, du folklore espagnol et de l'opérette française. Musique impure donc, dès ses origines, le jazz se caractérise à cette époque par la polyphonie : dans une formation traditionnelle, la trompette énonce le thème, brode quelques variations, le trombone l'épaule par des basses et des glissandos et la clarinette enrobe le tout avec des harpèges. À cette section mélodique s'ajoute une section rythmique composée à l'origine d'un banjo, d'un tuba et d'un tambour – qui sera remplacée par le piano et la contrebasse quand le jazz quittera la rue pour s'installer dans les boîtes et les salles de concert.

Le plus célèbre représentant de ce style est sans contredit le trompettiste et chanteur Louis Armstrong, mais il ne faudrait pas oublier les clarinettistes Sidney Béchet et Johnny Dodds, le tromboniste Kid Ory, les pianistes Jerry Roll Morton et Earl Hines. À leur suite, une génération de jazzmen blancs issus de Chicago (d'ailleurs surnommés *Chicagoans*) serviront de passeurs vers le prochain style de jazz, le swing. Parmi eux, il faut citer le trompettiste d'origine allemande Bix Beiderbecke, seul rival sérieux d'Armstrong et précurseur du cool.

On parle aussi parfois de Dixieland, quoique la majorité des critiques réservent le terme Dixieland à la musique des musiciens blancs qui initieront au cours des années quarante un *revival* de la musique New Orleans.

M-Base

Acronyme de *Macro-Basic Array of Structured Extemporizations*, inspiré en blague du jargon informatique, ce terme désigne une musique qui tentait d'échapper au label trop restrictif de "jazz" pour rejoindre plutôt le vaste continuum de la Great Black Music dont rêvaient les jazzmen de l'avant-garde. Sur un fond rythmique qui renvoie au hip-hop et aux autres avatars de la musique populaire afro-américaine, le M-Base proposait un amalgame très diversifié d'influences de rhythm and blues, de be-bop, d'improvisation free, de musiques latino-américaine, afro-cubaine et antillaise, de mélopées arabisantes, de sonorités *jungle* – enfin, une synthèse de tous les héritages de la musique noire, juxtaposés à des éléments pigés chez Bartok et dans des musiques ethniques (bulgares). C'est de ce milieu qu'émergera la chanteuse Cassandra Wilson, mais ses principaux chefs de file demeurent le saxophoniste Steve Coleman, le cornettiste Graham Haynes, le bassiste Lonnie Plaxico, le guitariste David Gilmore. Si le terme n'a plus grande signification aujourd'hui, après la dissolution du collectif, il reste attaché à la musique de Steve Coleman, qui poursuit ses expérimentations avant-gardistes.

Néo-bop

De la même manière qu'une génération de musiciens réfractaires au be-bop ont ressucité à la fin des années quarante le jazz traditionnel, une génération de jeunes loups apparus à la fin des années soixante-dix exprimèrent leur rejet du jazz-rock et du free jazz, en reprenant là où le fil de l'évolution du jazz s'était selon eux rompu, c'est-à-dire vers le milieu des années soixante. Aidés par le boom de rééditions massives sur CD des chef-d'œuvres du hard-bop (principalement chez Blue Note) et suivant les leçons du vétéran batteur Art Blakey, qui n'avait pas encore donné son dernier coup de cymbale, les néo-boppers entreprirent de singer la musique des Lee Morgan et consorts, convaincus qu'ils pourraient être califes à la place du calife. Le mouvement ne survécut pas à la décennie qui l'avait vu naître et les plus doués parmi ces jeunes loups — notamment leur leader Wynton Marsalis mais aussi les trompettistes Terence Blanchard et Roy Hargove et les saxophonistes Donald Harrison et Antonio Hart — ont tous évolué vers d'autres styles, laissant à d'autres, moins talentueux, l'imitation servile du passé.

Swing ou middle jazz

Entendons-nous bien : il y a *swing* et il y a *swing*. Car le terme désigne à la fois cette oscillation rythmique typique au jazz et la forme de jazz classique qui s'épanouit au cours des années trente, entre le règne du jazz New Orleans et l'avènement du be-bop. À cette époque triomphent dans les salles de bal de Harlem et de partout aux États-Unis de grands orchestres noirs (Duke Ellington, Count Basie, Cab Calloway, Fletcher Henderson) ou blancs (Benny Goodman, Artie Shaw, Glenn Miller, Tommy et Jimmy Dorsey, Harry James). À cette génération appartiennent les noms légendaires qui, même pour le profane, sont emblématiques du jazz. Outre les chefs d'orchestres susmentionnés, citons les saxophonistes Coleman Hawkins, Ben Webster, Benny Carter, Johnny Hodges et Lester Young, les trompettistes Cootie Williams, Roy Eldridge et Doc Cheatham, les pianistes Art Tatum, Teddy Wilson et Errol Garner, le vibraphoniste Lionel Hampton et les chanteuses Billie Holiday et Ella Fitzgerald. Leur musique intemporelle a su faire aimer le jazz au monde entier parce qu'elle n'avait qu'une ambition : celle de faire danser... ou plus précisément, de faire swinger!

PRÉCIS D'HISTOIRE DU JAZZ À MONTRÉAL

DU SWING AU ROCK

Ne nous méprenons pas : la véritable histoire du jazz à Montréal reste à écrire et ce ne seront certainement pas ces quelques pages qui épuiseront le sujet. Il faudra se presser cependant, les témoins s'éteignent tour à tour. Que reste-t-il de ces beaux jours ? Une chanson, jolie chanson de longtemps, bien longtemps avant ma jeunesse... Tiens, j'entends encore la voix grave et sensuelle de King Cole :

> They tried to tell us we're too young
> Too young to really be in love

Mais on n'est jamais trop jeune pour aimer, pas vrai Nat ? Qu'il s'agisse du jazz ou d'un autre objet d'adoration ne change rien à l'affaire.

Je n'ai évidemment pas connu la scène jazz des années trente et quarante, l'ère du swing, à Montréal ou ailleurs, autrement que par le biais du témoignage des autres. Que faire alors ? S'en remettre aux rêves, qui sont toujours les meilleurs substituts au souvenir, le seul remède contre l'oubli. En effet, la vie jazz a tout de même laissé des artéfacts à Montréal. Les Archives de l'université Concordia regroupent un nombre impressionnant de fonds et de collections de documents liés au passé du jazz montréalais : photos, enregistrements rares, partitions d'arrangements originaux publiées ou inédites, revues, catalogues et monographies annotées. Parmi les plus intéressants de ces fonds, mentionnons celui de Joe Bell, un musicien qui s'illustre sur la scène jazz des années trente et quarante, au sein de l'orchestre de Charles Kramer et de plusieurs autres formations qui s'étaient donné la responsabilité de faire swinguer le Montréal de la Belle Époque. Joe Bell a fini par abandonner le jazz au profit de la musique classique dès le début des années quarante, mais lèguera à sa mort ce scrapbook fait de matériel promotionnel, de menus pris dans les divers clubs où il a joué, ainsi que de photographies des musiciens locaux ou de passage qu'il a eu l'occasion d'accompagner.

De même, le fonds Mynie Sutton regroupe les souvenirs du leader de la formation Canadian Ambassadors, un orchestre de swing très en vogue au cours des années trente, et le fonds Johnny Holmes, soit ceux du leader du big band le plus populaire des années quarante et cinquante, au sein duquel le célèbrissime Oscar Peterson fit ses débuts, entre 1942 et 1947. Tous ces *scrapbooks* ont été restaurés et sont actuellement en cours de transfert sur cédéroms pour en faciliter la consultation. Qui plus est, les voûtes de l'université renferment davantage de trésors, puisque plusieurs autres musiciens et personnalités de la scène jazz de l'Entre-deux-guerres ont confié aux soins des archives de Concordia toute cette memorablia qui témoigne d'un Montréal swing dynamique, pour emprunter le nom d'une formation contemporaine...

Souvenirs, souvenirs... Ami du jazz depuis 1947, comme il se plaît à le rappeler en signant ses articles et chroniques, le photographe, animateur de radio et mélomane montréalais Len Dobbin évoque cette période de l'après-guerre avec un brin de nostalgie tout à fait charmant. Depuis le début des années quarante, quelques stations de radio diffusent la musique de cet Oscar Peterson, prodigieux pianiste noir de la formation de Johnny Holmes, en vedette au Victoria Hall. Issu de la Petite Bourgogne, Peterson impressionne d'autant plus que les Montréalais sont relativement peu nombreux à faire leur marque dans cette forme de musique nouvelle pour le Québec. Tout de même, il y a cet autre pianiste, un jeune homme d'origine hongroise dénommé Vic Vogel que l'on peut entendre à l'antenne des radios locales. Et aussi cet étourdissant virtuose de la trompette, Maynard Ferguson, qui dirige ses premiers groupes dès 1943 et tourne à Montréal et dans la région de Québec.

Mais en définitive, ce sont les expatriés américains qui dominent la scène, comme ce Louis Metcalf, natif de Saint-Louis, qui fut un temps membre du prestigieux orchestre de Duke Ellington et dont l'International Band anime les soirées du Café Saint-Michel. Cette formation, pour laquelle le saxophoniste ténor Herb Johnson signe les orchestrations originales et progressistes, contribuera largement à introduire dans la métropole ce be-bop qui déclenche dans le milieu du jazz new-yorkais une véritable guerre de tranchées. La *Big Apple* n'étant pas si loin de Montréal, tout ce qui s'y passe a des répercussions ici. En fait, le milieu de l'industrie du spectacle est particulièrement propice à un trafic d'influences qui préfigure le pacte de libre-échange commercial qu'instaureront entre le Canada et les États-Unis nos gouvernements au cours des années quatre-vingt.

Nous sommes alors en 1948. Maynard Ferguson entre dans l'orchestre de Boyd Raeburn avec qui on l'entend aux États-Unis. Installé à New York, notre prodige de la trompette (et du saxophone alto et du trombone) joue au Café Society avant d'être engagé successivement par Jimmy Dorsey, Charlie Barnet puis Stan Kenton, dont l'orchestre avait fait un malheur au Forum de Montréal deux ans plus tôt. Entre-temps, dans la métropole canadienne débarque cette même année un jeune Noir originaire de la Pennsylvanie. Son nom : Charles Biddle. Né en 1926 à Philadelphie, où il a vécu jusqu'à l'âge de seize ans, Charles Biddle avait commencé par apprendre le piano, mais ses doigts trop larges pour le clavier l'empêchent de poursuivre et il adopte la contrebasse par

Charlie Biddle

défaut. Après la mort prématurée de sa mère, il travaille dans des friperies pour subvenir aux besoins des siens puis, entre dans l'armée américaine. Son service militaire terminé, Biddle décide de poursuivre des études universitaires à la faculté de musique de l'Université Temple et à l'École de musique de Salacandro.

Dégoûté par le racisme endémique dans son pays natal, il monte vers le nord et s'établit dans les quartiers juifs de la métropole canadienne. Très tôt après son arrivée, il se voit offrir une place au sein de l'Orchestre symphonique de Sherbrooke, place qu'il occupera pendant plusieurs années – en même temps qu'il sera contrebassiste à la Société orchestrale de Montréal. Au début des années cinquante, sa carrière de jazzman prend son envol. On le retrouve au Top Hat, au Montmartre, au Rockhead's Paradise Café, au El Morocco, Chez Parée où il accompagne les Art Farmer, Bennie Golson, Jimmy Heath, Pepper Adams et Thad Jones et

29

autres compatriotes américains de passage à Montréal. Il héberge même pendant un temps le saxophoniste Charlie Parker, dans son appartement rue Dorchester.

De belles années, manifestement, où il est possible de voir et d'entendre Chez Parée lors d'une même invraisemblable journée de 1953 Charlie Parker en matinée et le chanteur Frank Sinatra en soirée. De belles années où un autre saxophoniste, le Texan Illinois Jacquet, met littéralement le feu à la glace lors d'un passage au Forum. De belles années où un autre encore, Jackie McLean, prend l'habitude de se produire à Montréal régulièrement. De belles années où, en février 1954, le Quartier Latin, rue de la Montagne, présente une édition peu connue du quartette de Milt Jackson avec deux musiciens issus de Détroit, inconnus pour le moment mais pas pour longtemps, le batteur Elvin Jones et le pianiste Tommy Flanagan, ainsi qu'Alvin Jackson, frère du vibraphoniste, à la contrebasse.

Chez nos voisins du Sud, Oscar Peterson triomphe désormais aux côtés des plus grandes stars qui comme lui appartiennent à l'écurie de la firme Verve, créée par Norman Granz : Fred Astaire, Louis Armstrong, Count Basie, Roy Eldridge, Ella Fitzgerald, Coleman Hawkins, Stan Getz, Dizzy Gillespie, Stéphane Grappelli, Billie Holiday, Charlie Parker, Clark Terry, la liste est beaucoup trop longue pour la décliner intégralement. En faisant de lui le pianiste maison des disques Verve, Granz contribuera à imposer Peterson au monde entier. Ce succès, inouï pour un musicien canadien, semble trouver écho dans la ville natale du pianiste. En effet, le jazz à Montréal traverse un véritable âge d'or. Les clubs sont nombreux et portent des noms qui invitent à la rêverie : le Vieux Moulin, la Tête de l'art, Lindy's, le Black Bottom, le café La Bohême, le café Lantern, le café Saint-Jacques, l'Esquire Showbar, Dunn's Birdland, l'El Morocco, le Studio, le Her Majesty's Theatre, L'Échourie, le Chanteclerc, l'All American, Chez Parée, l'El Cortigo, la Salle Gesù, le Little Vienna.

Beaucoup de ces clubs présentent des revues où les musiciens de jazz ne sont qu'une part du spectacle, et pas nécessairement la plus prisée du public, puisqu'on y va aussi pour voir les danseuses, sexy à souhait. Dans son moyen métrage documentaire **Show Girls** (1998), Meilan Lam donne la parole à quelques Noires montréalaises, aujourd'hui mères de famille, qui racontent leur carrière à cette époque antérieure à l'avènement du maire Drapeau. Toujours aux archives de l'université Concordia, on peut consulter le fonds Tina Brereton, legs de cette danseuse membre de la première *chorus-line* entièrement constituée de Noires canadiennes, véritable attraction du Café St-Michel.

Quoi qu'il en soit, les boîtes de nuit du centre-ville font office de véritables pépinières pour les talents locaux qui n'en finissent plus de bourgeonner et d'éclore : le pianiste et bassiste Stan Patrick, les bassistes Carl Palmus, Bob Rudd, Frank Vogel (frère de Vic) et Charlie Biddle, les batteurs Roger Jacobs, Paul Lafortune, Guy Nadon et Guy Lachapelle, les chanteuses Eve Adams et Elaine Kirby, les pianistes Roland Lavallée, Art Roberts, Oliver Jones et Charles Coleman, le saxophoniste Léo Perron, le percussionniste Leroy Mason, le vibraphoniste Yvan Landry, le violiniste Willy Girard, et j'en passe. Tous des noms connus à l'époque par tout jazzophile qui se respecte, si l'on en croit Len Dobbin, mais qui hélas ne laisseront que très peu de traces phonographiques...

Qu'à cela ne tienne! En avril de 1958, à l'initiative de l'incontournable Dobbin et du jazzman hollandais John Cordell, naît la Montreal Jazz Society qui organise tous les lundis des jam-sessions d'abord à l'Échourie, puis à l'El Cortigo à partir du mois d'août, puis encore au Café Saint-Jacques à compter du mois de septembre. La scène est dynamique et vivante et nos clubs accueillent de plus en plus de jazzmen américains : le big band de Woody Herman, le Modern Jazz Quartet, le trompettiste Maynard Ferguson qui joue la scène du retour de l'enfant prodigue et, en première à Montréal, Thelonious Monk avec son quartet, incluant à ce moment le saxo Charlie Rouse et le batteur Elvin Jones. Anecdote amusante, Monk commence son spectacle avec un retard pour une fois involontaire : à ce qu'il paraît, la buanderie de son hôtel n'arrivait pas à retrouver le pantalon qu'il avait envoyé presser...

Non seulement les étrangers multiplient leurs visites chez nous et choisissent parfois même d'y rester : outre le Hollandais Cordell, le guitariste belge René Thomas et son pote d'enfance, le batteur José Bourguignon; le trompettiste Buddy Jordan et ses potes brooklynois, le batteur Walter Bacon et le saxophoniste

B. T. Lundy; enfin, le saxophoniste Gladstone Scott, qui poussera littéralement son dernier souffle sur scène, au beau milieu de la jam-session hebdomadaire au Café Saint-Jacques, le lundi 29 décembre 1958.

Mais toute bonne chose a une fin, dit-on.

Et le jazz a mauvaise réputation....

Les Montréalais viennent d'élire un nouveau maire, le pittoresque Jean Drapeau, qui consacre les premiers temps de son règne à une croisade anticrimes et anti-vices qui fera énormément de tort à la scène jazz. Le déclin sera progressif, cependant. Et durant quelques années encore, les clubs continueront de présenter des soirées très *hot*, comme celles auxquelles participe à partir de 1958 un nouveau venu appelé à devenir une gloire locale et une véritable légende en son propre temps, Nelson Symonds. S'il est vrai que la flamme décline, ce formidable guitariste originaire de la Nouvelle-Écosse joint néanmoins ses efforts à ceux du bassiste Charles Biddle pour empêcher les braises de s'éteindre définitivement.

Michel Donato

Au début des années soixante, émerge un nouveau prodige, lui aussi promis à une très belle carrière dans la musique d'ici : le contrebassiste Michel Donato. Fils d'un saxophoniste et chef d'orchestre relativement connu, Donato s'illustre d'abord auprès des chansonniers qu'il accompagne à La Butte à Mathieu, célèbre boîte à chansons de l'époque : Claude Gauthier, Pierre Létourneau et Jean-Pierre Ferland requièrent ses services pour leurs tours de chant. François Dompierre l'invite à l'accompagner sur un de ses tous premiers microsillons, **Intimité** (1960). Passionné de jazz, Donato ne se contente pas de ces expériences musicales fort enrichissantes et intègre rapidement la scène jazz en jouant avec le tentette de Lee Gagnon et avec le quintette de Nick Ayoub, qui enregistre un disque justement intitulé **The Jazz Scene** (RCA, 1963).

Bientôt, Donato forme avec le pianiste Pierre Leduc et le batteur Émile Normand un premier trio de jazz qui anime les belles soirées du Jazz-Hot à l'hôtel Casa Loma, dont Donato garde un souvenir agréable : "Les trois jeunes moineaux, on est devenu le trio *hot* de l'époque, racontera-t-il lors d'une entrevue avec Patrick Marsolais de *Voir*. On a fait un album. Avec l'avènement du Jazz-Hot, au Casa Loma à Montréal, tout a démarré. Le propriétaire était un monsieur Cobetto qui, à la limite, se foutait un peu du jazz; l'important étant que sa salle soit pleine. Il nous demandait qui il devait faire venir. Nous, on lui disait : *Ben, appelez Thelonious Monk, appelez Charlie Mingus, Miles Davis...* Merde, ils sont tous venus! C'est à cette occasion que j'ai joué pour la première fois avec Zoot Sims, Sonny Stitt et Carmen McCrae."

Parmi les autres invités prestigieux qui feront escale au Casa Loma, impossible de passer sous silence le big band de Duke Ellington, avec en vedette l'altiste Johnny Hodges, qui donne en 1964 un concert heureusement préservé pour la postérité par la télévision de Radio-Canada. De même, la société d'État ne manquera pas d'inviter le chef d'orchestre Woody Herman à se produire dans le cadre de l'émission *L'heure du concert.*

Le jazz n'a pas encore dit son dernier mot à Montréal, n'en déplaise à la Mairie. Malgré les efforts de l'administration Drapeau pour discipliner ce *night-life* encore trop *hot*, la métropole jouit toujours de sa réputation de cosmopolitisme qui en fait une destination de choix pour les artistes noirs américains – en particulier à l'époque très mouvementée de l'Exposition universelle de 1967. Nommé responsable des concerts de jazz présentés au Pavillon de la jeunesse de l'Expo, Charles Biddle y invite des jazzmen tels que Pepper Adams, Thad Jones et John Coltrane, lesquels remportent encore bien du succès. Et même en dehors du cadre de l'Expo, au Black Bottom où travaille Biddle, les vedettes noires américaines continuent d'affluer. Attirés par la relative harmonie interethnique et la popularité dont jouit leur musique chez nous, les plus grands noms continuent à visiter la ville fréquemment et à dynamiser le milieu par leur présence. Au centre-ville, dans les clubs de jazz, les cafés de folk et les bars à spectacles s'entassent un public toujours nombreux et démonstratif. Pour se faire une idée de cette ambiance, on peut toujours écouter les disques de la série 'Collector's Classics' publiés par la firme montréalaise Justin Time, transcriptions des spectacles de légendes du blues : Muddy Waters, James Cotton, Reverend Gary Davis.

PRÉCIS D'HISTOIRE DU JAZZ À MONTRÉAL

Le jazz n'a pas encore dit son dernier mot, mais il commence néanmoins à perdre un peu de son auditoire. Les amateurs ont vieilli, se sont quelque peu rangés, deviennent pantouflards. Et le jeune public semble lui préférer le rock, variante domestiquée du rhythm and blues torride des orchestre noirs, dont l'hégémonie ne cesse de s'accroître depuis l'avènement d'Elvis Presley. Le coup de grâce a été l'arrivée d'un quatuor issu de la ville ouvrière de Liverpool, quatre garçons dans le vent qui se font appeler les Beatles, et qui déclencheront une véritable révolution musicale et sociale. En rupture de ban, la jeunesse blanche occidentale, née du *baby-boom* de l'Après-guerre, avait besoin de quelque chose de neuf, qui n'ait rien à voir avec la musique de ses aînés. Quelque chose de bien à elle qu'elle pourra acheter avec cet argent de poche abondant dont elle est la première génération d'adolescents à disposer.

Le soleil se lève sur le jazz

Au fur et à mesure que le rock confirme sa suprématie sur les autres formes de musique populaire, le jazz et, dans une moindre mesure, la chanson se voient progressivement marginalisés. Peu à peu, les boîtes de jazz, qu'on prenait pour des institutions immuables, ferment leurs portes, faute de pouvoir attirer le public jeune – celui qui sort, qui boit et permet aux clubs de faire leurs frais. Cette situation prévaut dans tout l'Occident, mais plus particulièrement aux États-Unis où le jazz, issu des communautés nègres, a toujours été vu comme un mouton noir…

À cet égard, Montréal suit la tendance générale. Au fil des années soixante-dix, la désaffection du public pour le jazz est telle que la plupart des clubs, les prestigieux comme les moins prestigieux, disparaissent tour à tour… Si bien qu'au printemps de 1975 un nouvel établissement devient le seul et unique lieu de diffusion de cette musique en ville. À l'origine salle de répétition pour les artistes de jazz locaux, le Rising Sun (ou Soleil Levant, loi 101 oblige) se métamorphosera en moins d'un en station d'arrêt obligée des grands noms du jazz et du blues de passage à Montréal, dotée d'une véritable programmation internationale.

Situé au 286 Sainte-Catherine Ouest, en biais avec la Place des Arts – surplombant donc le site de l'actuel Festival international de jazz de Montréal –, ce tout petit "trou de jazz" à la décoration modeste, voire crapoteuse, est la création et la propriété d'un Montréalais d'origine guyanaise dénommé Roué Boicel (Doudou pour les intimes). Né à Cayenne en 1938, Roué Boicel bourlingue à travers l'Europe depuis l'âge de vingt ans, y tâte des beaux-arts et du théâtre. Par l'entremise de Gilles Vigneault, dont il fait la connaissance à Paris, il apprend l'existence d'une communauté francophone des plus dynamiques au Québec. Il débarque à Montréal en pleine Crise d'octobre 1970 et se sent d'emblée solidaire de ces "Nègres blancs d'Amérique" dont les aspirations à la souveraineté nationale correspondent aux siennes.

Boicel choisit donc de s'établir au Québec et fraie avec la faune artistique montréalaise, au sein de laquelle il noue des liens, notamment Michèle Rossignol, Michel Garneau et Marie Savard. Marié à une travailleuse sociale, il contribue à la mise sur pieds d'un centre d'orientation pour la jeunesse, puis d'une auberge de jeunesse. En mai 1975, il rachète pour une bouchée de pain le Bar des Arts, bar de danseuses nues fréquenté par une clientèle louche, avec la volonté d'y inaugurer un club à l'image de ceux de la Rive gauche parisienne. Le projet est accueilli avec suspicion par les autorités. La police le prend pour un prête-nom au service de la petite pègre; la Commision des alcools fait du chichi avant de lui accorder un permis d'alcool. "Le jazz a une triste histoire à Montréal", lui fait-on savoir.

Mais Boicel refuse de se laisser dissuader. Au terme de cinq mois de batailles juridiques, le Rising Sun obtient finalement le permis d'alcool sans lequel il est impensable d'envisager de continuer ses opérations. Amateur plus que spécialiste, Boicel ne possède pas de réelles connaissances en jazz, mais il offre néanmoins aux jazzmen locaux un lieu où se faire entendre. À cette époque, il faut le dire, les musiciens québécois qui s'intéressent au jazz ou qui le pratiquent ne sont pas légion. En dehors des vétérans de la génération précédente, on ne recense que des groupes comme Maneige, Aquarelle, Zac, l'Orchestre Sympathique ou Nebu (avec l'iconoclaste claviériste Pierre Saint-Jak), des formations qui œuvrent dans le créneau populaire du jazz-rock plutôt que celui de l'orthodoxie acoustique du bop que contribuera à ré-imposer dans quelques années le trompettiste Wynton Marsalis.

35

Pour consolider la réputation de sa boîte, Boicel doit absolument y attirer, ne serait-ce que sporadiquement, des grands noms susceptibles de faire courir les foules. Qu'à cela ne tienne! Boicel invite des grands noms à venir se produire chez lui. Ainsi, le Rising Sun accueille d'abord Art Blakey et ses Jazz Messengers, puis le multisaxophoniste Roland Rashaan Kirk. Bien reçus et littéralement traités aux petits oignons, les premiers invités de Doudou n'hésitent pas à passer le mot à leurs collègues. À ces premières têtes d'affiche succèdent une pléiade de vedettes américaines du jazz et du blues, dont le batteur Elvin Jones, la pianiste et chanteuse Nina Simone, les pianistes Cecil Taylor et McCoy Tyner, le saxophoniste Archie Shepp, le trompettiste et chanteur Chet Baker; sans oublier les bluesmen John Lee Hooker, Lightnin' Hopkins et Taj Mahal. Par bonheur pour les amateurs trop jeunes tels que moi, les meilleures de ces soirées seront immortalisées grâce aux merveilles de la technologie et feront l'objet d'édition sur CD dans une collection essentielle du label montréalais Justin Time, d'ailleurs baptisée "The Rising Sun Collection".

Grâce à sa programmation impeccable, le Rising Sun prospère vaille que vaille. Cependant, s'il ne veut pas que sa boîte connaisse le même sort que ses prédécesseurs, Doudou Boicel doit maintenir une programmation solide qui réponde aux besoins de sa clientèle. Et le jazz a beau être une musique des bas-fonds, les coûts d'opération d'un club sont substantiels : il faut défrayer les coûts de transport, d'hébergement et de subsistance des artistes invités, en plus des cachets de plusieurs milliers de dollars qu'ils exigent — en argent *US, please*. De plus, le cachet des artistes étrangers est assujetti à une taxe gouvernementale qui en retranche près du quart (15% au fédéral, 9% au provincial) — ce qui a pour effet de les dissuader de venir jouer chez nous. "Les grands noms comme McCoy Tyner, Gillespie travaillent déjà suffisamment aux États-Unis; s'ils viennent à Montréal, c'est tout simplement parce qu'ils aiment la ville et le public, sauf que la fameuse taxe commence à en refroidir plusieurs", confie Boicel au *Devoir*.

Heureusement pour Doudou, le vent commence à tourner dès la fin des années soixante-dix. Le succès phénoménal que remportent certains jazzmen qui flirtent avec la musique pop – George Benson, Herbie Hancock, le groupe Weather Report et quelques autres – provoque un regain de popularité pour tout le jazz. D'ici le milieu des années quatre-vingt, le nombre de festivals de jazz ne cessera d'augmenter de par le monde, de Montreux à Berlin – et jusqu'en Russie, où cette "musique de nègres" est depuis longtemps considérée comme décadente. Par effet d'entraînement, les clubs de jazz se mettent à ressusciter. Si la situation du jazz reste précaire dans le reste du Canada, il semble que Montréal tire admirablement bien son épingle du jeu. Des concerts de jazz recommencent à être présentés régulièrement dans plusieurs salles de la métropole. En dehors du Rising Sun, on pourra désormais compter sur le Café Campus, les théâtres Outremont ou Saint-Denis pour accueillir les virtuoses et les amateurs de la note bleue. Même l'El Casino, club plutôt associé à la musique rock, n'hésite plus à programmer

Doudou Boicel en compagnie de Willie Dixon, Muddy Waters, et John Lee Hooker

des artistes tels que le vibraphoniste Gary Burton, dont le groupe inclut un jeune trompettiste d'origine japonaise du nom de Toru Okoshi (dit "Tiger"), destiné à gagner la faveur du public québécois auprès des virtuoses du groupe Uzeb et de la pianiste Lorraine Desmarais.

Oui, le jazz reprend du poil de la bête. Et tout le monde s'en mêle. Jusqu'au Musée des Beaux-Arts de Montréal qui présente des concerts du pianiste de free jazz Cecil Taylor en 1977 et de l'altiste Lee Konitz l'année suivante. Signe manifeste de vitalité, en mai 1978, le même soir, pas moins de quatre concerts de jazz tiennent l'affiche simultanément dans la métropole : le Preservation Jazz Band à la Place des Ars, le trompettiste Freddie Hubbard et son groupe à l'El Casino, le guitariste Larry Coryell et le pianiste Dave Brubeck en programme double au théâtre Saint-Denis, sans oublier le saxophoniste Archie Shepp au Rising Sun... Et le plus formidable, c'est que tout ce beau monde joue devant des salles combles!

37

Décidé à profiter de la vague, Boicel décide de travailler à la concrétisation d'une idée qui lui trotte dans la tête depuis une discussion avec le pianiste McCoy Tuner, de passage au Rising Sun. Très engagé dans la promotion de la culture afro-américaine, le pianiste encourage Boicel à fonder un festival de jazz à Montréal. L'idée fait son chemin : enthousiasmé par une visite qu'il fait au Festival de jazz du Vermont, Boicel met en branle le processus qui mènera à la tenue du premier Festijazz de Montréal, du 21 au 23 juillet 1978.

Inspiré par l'exemple du Vermont, Doudou envisage d'abord d'organiser son festival en banlieue, à Bromont très précisément. Mais les dépenses astronomiques reliées à l'organisation d'un tel événement extérieur, jumelées aux impondérables de la température ont vite fait de le dissuader. Il se ravise et prend alors contact avec ses voisins d'en face, les dirigeants de la Place des Arts, et tentent de les intéresser à l'aventure. La très auguste direction hésite, effarouchée à l'idée de voir un public en jeans et aux cheveux longs, qui boit et fume durant le spectacles, endommager la très auguste institution. Après trois mois de tergiversations, il obtient le feu vert. À propos de la programmation, Boicel avoue au *Devoir* n'avoir "pris que des valeurs sûres, des grands noms du jazz et du blues : Sarah Vaughan, Muddy Waters, Dexter Gordon, Hubert Laws, B. B. King. Je ne pouvais pas me permettre le moindre risque, pas au prix que ça coûtait. "

Pour l'organisation de cet événement, Boicel ne reçoit aucune aide gouvernementale. Au ministère des Affaires culturelles et du tourisme, on lui répond que son projet relève de la "culture américaine". Argument absurde s'il en est : aurait-on jamais reproché à l'Orchestre symphonique de Montréal de faire la promotion des cultures allemande ou italienne avec l'inclusion d'œuvres de Beethoven ou Vivaldi dans son répertoire ? Outré, Boicel décrie cette aberration dans les pages de *La Presse*, en faisant remarquer que Montréal compte pourtant bien "des restaurants chinois, ou indiens ! Eh bien moi, je sers du jazz. C'est une façon de promouvoir la culture afro-américaine, y compris celle des nègres qui vivent ici. Et le jazz, de toute façon, c'est international et populaire. Ce sont les médias qui en ont fait une chose à part, étrangère et sophistiquée."

Sans la moindre subvention, le premier Festijazz de Montréal se tient tel que prévu à la Place des Arts. Le public est au rendez-vous – 11 000 spectateurs en trois jours – ce qui étonne d'autant plus que la fin juillet est assez peu propice à la présentation de spectacles au centre-ville montréalais. Et malgré quelques incidents de parcours, le bilan dans la presse locale fait état d'une réussite tant financière que culturelle qui permet de mesurer la popularité grandissante du jazz et du blues dans la métropole.

D'ici la prochaine édition, Montréal accueille Paul Bley, l'enfant prodige, qui passe au Musée des Beaux-Arts fin octobre, le temps d'un de ses trop rares concerts de l'époque. Quelques jours après, début novembre, Vic Vogel se produit à l'auditorium du Cégep du Vieux-Montréal avec son orchestre de dix-neuf musiciens. En février 1979, c'est au tour de Carla Bley de rendre visite à la ville natale de son ex-mari, à la tête de son orchestre pas ordinaire constitué de neuf musiciens. Outrageuse, excessive, irrévérencieuse, la musique de la belle sorcière blonde – qui oscille entre le minimalisme contemporain, la musique de chambre, le rock et le funk – laisse pantois les spectateurs au théâtre Outremont.

En mai, tandis que le groupe fusion Aquarelle, fort de son passage à Montreux l'été précédent, où il représentait le Québec, lance un album (***Live à Montreux***, WEA), la galerie Optica présente une exposition de photos du photographe, peintre et cinéaste américain (de souche québécoise) Bob Parent portant sur les années d'or du jazz, de King Oliver à Clifford Brown. Mais l'événement jazz du printemps 1979 demeure l'annonce par Doudou Boicel du retour de son festival de jazz et de blues – "le plus important jamais réalisé au Canada", clame-t-il avec pompe.

Enorgueilli par le succès remporté par la première édition, le coloré propriétaire du Rising Sun dévoile les détails d'une programmation où domine le blues : B.B. King, Dutch Mason Blues Band, John Lee Hooker, Lightnin' Hopkins, Clifton Chénier, Eddie Cleanhead Vinson, Big Mama Thornton – seul le nom d'Oscar Peterson, le grand pianiste natif de Montréal, est associé au jazz proprement dit. Malgré des promesses informelles de soutenir la deuxième édition de cet événement qui semble avoir assez bien marché, ni le Ministère des affaires culturelles, ni celui du

39

Tourisme ne se manifestent:on ne subventionne pas la culture américaine, explique-t-on encore à Boicel, malgré son intention d'ajouter en complément de programme des artistes québécois forcément moins connus que les grandes pointures afro-américaines. Le jazz et le blues, lui répète-t-on implicitement, ne font pas partie des moeurs locales. Mais Boicel persiste:"Contrairement à ce que pensent bien des gens, il y a une clientèle de jazz à Montréal, beaucoup plus importante qu'on ne le croit, déclare-t-il à *La Presse*. Si des boîtes de jazz ont fermé, c'est tout simplement parce que le jazz a vécu les problèmes que connaît la chanson aujourd'hui. C'est uniquement une question de mauvaise administration, c'est aussi parce que les producteurs d'ici n'ont jamais cessé de se manger entre eux la laine sur le dos et enfin, comme dans le cas de la chanson, à cause d'un manque tout à fait inexplicable de politique gouvernementale en matière de spectacle "

Le Ministère des Affaires culturelles a beau faire la sourde oreille aux remontrances de Boicel, il consent néanmoins à favoriser la tenue d'un festival de jazz québécois sans accorder de subvention directe mais en mettant à la disposition de ses organisateurs la salle de l'Expo-Théâtre pour la somme symbolique d'un dollar par soir. Organisé par le bassiste Charlie Biddle, le festival "Jazz de chez nous" se tient du samedi 23 au lundi 25 juin. Au programme de cette Saint-Jean jazzée, les jazzmen locaux les plus connus:les groupes Nebu, Solstice et Tasman, le quintette d'Yvan Landry, le trio de Stan Patrick, le septette de Guy Nadon, le combo de Nelson Symonds, l'*Orchestre Sympathique* et, pour terminer le tout en beauté, une jam-session réunissant Charlie Biddle et ses potes, vieux routiers du jazz montréalais (Al Cowen, Buddy Jordan et Kenny Alexander).

Peut-être soucieux de faire quelques concessions pour flatter le "nationalisme" des subventionneurs, Doudou Boicel consacre l'ouverture et la clôture de son deuxième Festijazz aux artistes "d'ici" (ou presque). En effet, il convie le Dutch Mason Blues Band, groupe issu des Maritimes, à donner le concert inaugural et confie au pianiste montréalais Oscar Peterson le soin de terminer en beauté la manifestation qui se tient, comme l'année précédente, à la salle Wilfrid-Pelletier. Bilan positif, encore une fois, pour cet événement qui, souhaitent les journalistes, devrait se répéter l'année d'après.

Faut-il établir un rapport de cause à effet entre la popularité grandissante du jazz à Montréal et la fuite des sièges sociaux? se demande avec ironie l'écrivain et amateur de jazz Gilles Archambault dans le cadre de sa chronique du *Devoir*, alors que les métropolitains continuent de voir défiler chez eux les Keith Jarrett, Sarah Vaughan et Stéphane Grappelli, pour ne nommer que trois des stars qui passent chez nous entre le Festijazz et la fin de 1979. À l'université Concordia, on présente du 26 octobre au 23 novembre une série de quatre soirées hebdomadaires consacrées aux films de jazz. À l'Uqam, le 12 novembre, la salle Marie-Gérin-Lajoie est le théâtre de l'"Événement Cadence", du nom de la maison de disques québécoise de l'époque, un concert en plusieurs actes mettant en vedette les groupes Nebu, Solstice, l'*Orchestre Sympathique* et le pianiste Pierre Moreau.

S'il n'est pas évident d'établir un rapport entre la popularité grandissante du jazz à Montréal et la fuite des sièges sociaux vers Toronto en cette fin de décennie, une chose reste sûre:non seulement le jazz et le blues font désormais partie des moeurs montréalaises à nouveau, mais leur emprise sur le public d'ici ne cessera pas de s'affirmer au fil des deux prochaines décennies, avec l'avènement du nouveau Festival international de jazz de Montréal.

DU SOLEIL LEVANT AU SPECTRE LUMINEUX

Tout est au beau fixe pour le jazz au Québec en ce début de 1980. Au théâtre Outremont, en mars, le sextette jazz-rock Maneige livre une prestation qui témoigne de la maîtrise acquise au fil de ses huit ans d'existence, malgré une industrie qui n'a pas toujours favorisé l'émergence de la jeune musique québécoise. Le trompettiste Maynard Ferguson, qui lui a su s'adapter aux profonds bouleversements qui ont affecté le monde du jazz au cours des deux dernières décennies, fait escale à la Place des Arts au début de juin. Puis à l'approche de l'été, coup de théâtre, on apprend que Spectra Scène, jeune boîte de production de spectacles dirigée par Alain Simard et André Ménard, inaugurera du 2 au

41

10 juillet à Terre des Hommes un Festival international de jazz de Montréal qui entre en concurrence avec le troisième Festijazz du Rising Sun.

L'Équipe Spectra

En 1976, Alain Simard et André Ménard fondent sous le nom de Spectra-Scène une entreprise de production de spectacles. En moins d'un quart de siècle d'existence, la compagnie rebaptisée Équipe Spectra devient l'un des chefs du showbiz québécois, en créant le Festival international de jazz de Montréal puis les Francofolies, deux événements annuels d'envergure qui comptent parmi les plus importantes manifestations du genre au monde. Prospère, l'Équipe Spectra regroupe cinq divisions outre celles qui gèrent les deux festivals, soit une agence de représentation d'artiste, une compagnie de production de spectacles exploitant trois salles majeures à Montréal, une autre de production d'émissions de variétés pour la télévision, un important studio d'enregistrement et une firme spécialisée dans la commercialisation de produits dérivés.

Déjà, en 1974, Alain Simard, alors membre des productions Kosmos, rêvait d'une telle manifestation. En compagnie de son associé André Ménard, il se rendait au Vermont Jazz Festival de 1977 dans le but d'y étudier la faisabilité d'une telle réalisation dans la métropole québécoise. Après avoir tâté de la production de spectacles de jazz en 1977-1978 aux théâtres Saint-Denis et Outremont, le tandem Simard/Ménard envisageait d'abord de tenir son festival en mai 1979, mais se ravisa et attendit l'année suivante pour mettre en branle ce projet un peu moins ambitieux de sept spectales sur l'Île Sainte-Hélène. Sans bénéficier du support des organismes subventionnaires, l'équipe de Spectra Scène, qui l'année d'avant produisait un spectacle réunissant le groupe rock Offenbach et l'orchestre de Vic Vogel au Spectrum, souhaite voir son ambitieuse foire musicale se classer parmi les plus grands événements du genre, aux côtés de Newport et Montreux.

En plus d'un volet international mettant en vedette des stars telles que Ray Charles, Ramsey Lewis et Chick Corea, la programmation annoncée par Spectra Scène comprend un volet québécois avec une quantité égale de groupes et d'artistes locaux tels que l'*Orchestre Sympathique*, les groupes Nebu et Solstice. Pour une première fois, les médias électroniques manifestent un intérêt concret pour ce type d'événement puisque Radio-Canada compte enregistrer les prestations québécoises présentées au Kiosque international pour radiodiffusion tandis que Radio-Québec enregistrera celles de Maneige, de Ramsey Lewis et de l'orchestre de Vic Vogel pour télédiffusion à l'automne suivant. Autre première, le Festival international de jazz de Montréal invite le public à assister gratuitement aux spectacles destinés à la télé-vision et met en circulation un millier de cartes de membre qui, pour la modique somme de 25 $, donnent accès à tous les autres spectacles.

Mais l'ambition, la bonne volonté et les précautions ne sont pas une garantie de succès. Après un faux départ (le concert de Ray Charles, gâché par d'insurmontables problèmes de sonorisation), les choses ne s'arrangent guère et le bilan sera plutôt négatif : mal publicisé, mal organisé et, surtout, mal programmé, le Festival international de jazz n'attire qu'un petit nombre d'amateurs perdus sur les vastes étendues de Terre des Hommes.

Nullement menacé par la compétition – du moins, pour l'instant –, le Festijazz du Rising Sun prend le relai tout juste une semaine après, pour sa troisième édition. D'une durée augmentée à quatre jours cette année-là, du 17 au 20 juillet, l'événement s'ouvre avec une soirée consacrée aux "Grands rois du Mississippi Blues" (Taj Mahal, Sonny Terry et Brownie McGhee, Louisiana Red et Lightnin' Hopkins) puis se poursuit avec Nina Simone le 18, une autre soirée de blues le 19 (Willie Dixon, Big Mama Thornton, Luther Allison, Memphis Slim, Buddy Guy et Junior Wells) et se termine enfin avec les "Géants du jazz" (le quartette de Gerry Mulligan et le big band de Woody Herman).

Mi-août, la fièvre du jazz et du blues gagne la Capitale, théâtre de la première édition du festival "Murs de sons" auquel participent notamment Oscar Peterson, Larry Coryell, Big Mama Thornton, Willie Dixon, James Cotton, des artistes folk tels les sœurs McGarrigle, Richard Séguin et Jim Corcoran de même que le groupe de rock progressif Deep Purple. De festival en festival, le jazz au Québec continue d'afficher un sain dynamisme, ainsi qu'en témoigne la " Semaine du jazz " organisée par Radio-Canada au bar l'Imprévu de l'hôtel Iroquois de Montréal à l'automne, au cours de laquelle s'illustrent l'orchestre de Vic Vogel et le groupe jazz-rock Tasman. Au Musée des Beaux-Arts, on n'a pas encore perdu l'habitude d'honorer le jazz et la musique improvisée dans le cadre d'un mini-festival qui fera découvrir au public montréalais

43

la chanteuse Jeanne Lee, qui s'y produit en duo avec le vibraphoniste et clarinettiste allemand Gunther Hampel. Au même programme:un concert en duo du pianiste Jean Beaudet et du saxophoniste Robert Leriche et une prestation en quintette du saxophoniste américain Steve Lacy.

Histoire de finir l'année en beauté, le groupe Nebu lance en novembre un microsillon, son deuxième et son plus mémorable, intitulé *Motus*, dont chaque exemplaire du pressage initial est orné d'un dessin original signé de la main de Jean Derome. De son côté, Doudou Boicel, dont la modestie n'est pas la vertu principale, présente le 26 novembre à la Place des Arts "le plus grand spectacle de jazz de tous les temps", un hommage à Charlie Parker réunissant les vétérans du be-bop Dizzy Gillespie, Milt Jackson, Ray Brown, Hank Jones et Philly Joe Jones, qui ne tient hélas pas ses promesses, s'il faut en croire Nathalie Petrowski du *Devoir*.

Même s'ils ont failli laisser leur peau l'année précédente, les gens de Spectra Scène iront de l'avant en 1981 avec une deuxième édition de leur Festival international de jazz de Montréal. Ayant retenu les leçons de leur semi-échec, ils ont décidé de relocaliser leur événement vers trois sites plus accessibles:le Club de Montréal (autrefois le cinéma Alouette), le Transit et l'Expo-Théâtre (mis à la disposition du Festival par le Ministère des Affaires culturelles pour la somme symbolique de 1$). Après un concert pré-festival du guitariste Pat Metheny au Club de Montréal, le 28 juin, le festival s'ouvre officiellement le 3 juillet avec un spectacle de Weather Report et se clôt le 12 avec un concert de Mingus Dynasty, deux formations plutôt avares de prestations scéniques. Entre les deux, le public montréalais aura pu entendre Art Blakey et ses Jazz Messengers, Arthur Blythe, Gary Burton, Dave Brubeck, Dizzy Gillespie, Gerry Mulligan, Lew Tabackin, le groupe de fuzak indigeste Spyro Gyra et, apparente incongruité dans un festival dit de jazz, le chanteur Tom Waits. "Il ne faut pas considérer le jazz comme une forme fixe mais comme une musique large et ouverte ", explique le directeur de la programmation André Ménard au *Devoir*. D'autre part, il ne cache pas que la proximité du festival de Newport a considérablement aidé Spectra a bâtir sa programmation, plusieurs musiciens invités

44

à l'événement américain ayant accepté de faire un détour par Montréal.

Comme l'année précédente, les vedettes internationales côtoient les gloires locales comme Nelson Symonds, le Vic Vogel Big Band, l'ensemble Positive Vibrations (avec Charles Ellison et Michel Donato), le groupe de Sayd Abdul Al Khabyyr (avec son hommage à Duke Ellington) ou les groupes fusion Agharta et Transit. Particularité intéressante, tous les spectacles sont présentés gratuitement, à l'exception de ceux de Metheny, de Weather Report et de Mingus Dynasty. Deux types de cartes de membres (honoraire ou participant) offrent différents privilèges à leurs détenteurs, notamment un accès prioritaire aux spectacles.

Au lendemain du triomphe de Mingus Dynasty, les organisateurs du festival se réjouissent d'avoir rejoint près de 20 000 amateurs. Et même s'ils reconnaissent volontiers que plusieurs détails de logistique sont à revoir (système de billetterie inutilement compliqué, absence d'une ligne téléphonique d'information), ils espèrent que leur réussite convaincra les gouvernements de la valeur du projet et de la nécessité de le soutenir pour en faire un événement véritablement international.

Coïncidence ou signe du destin, Ray Charles se produit en marge du Festival, à la salle Wilfrid-Pelletier, le 10 juillet. Mais somme toute, l'année 1981 signale le début de la mainmise de Spectra sur le jazz à Montréal, d'autant plus évidente que Doudou Boicel semble se désintéresser progressivement du jazz pour se tourner davantage vers la musique soul et le reggae. Heureusement, d'autres prennent la relève du Rising Sun... Par exemple, le bar Emery (connu des familiers sous le nom de Chez Dumas) met à l'affiche des musiciens locaux tels que le quartette de Guy Nadon, le Roi du Drum en chair et en os, qui occupe la petite scène du Quartier latin le 19 août.

En outre, du 11 au 20 septembre, la fondation Saint-Denis, un organisme de promotion des arts et de la culture, propose "un rendez-vous de jeunes auteurs-compositeurs, interprètes et musiciens, au cœur même du Quartier latin" qui permet aux amateurs d'applaudir entre autres les jazzmen québécois. L'événement mobilise quatre salles, chacune vouée à un style musical particulier. En jazz, cela se passe au bar Emery, où se suc-

Jazz TV

Au fil des ans, la division vidéo de l'Équipe Spectra, Spectel Video, a pris l'habitude d'enregistrer pour la télévision nationale et internationale certains des concerts présentés dans le cadre du Festival international de jazz de Montréal. Chez nous, ces captations d'une durée d'une heure sont diffusées à l'antenne de Radio-Canada ou du Canal D. Parmi ces prestations mémorables enregistrées pour la postérité, par ordre alphabétique celles de : Luther Allison (1997), Art Blakey et ses Jazz Messengers (1981), Carla Bley (1980), Dee Dee Bridgewater (1995), Charles Brown (1998), James Cotton Blues Band (1980), Miles Davis (1983), Cesaria Evora (1995), Bela Fleck & the Flecktones (1998), Egberto Gismonti (1998), Stéphane Grappelli (1984), D. D. Jackson (1996), Oliver Jones & Friends (1990), Joe Lovano (1995), Christian McBride (1995), Wynton Marsalis (1983), Keb' Mo' (1998), John Pizzarelli Sings The Beatles (1998), Joshua Redman (1995), Ginette Reno & Oliver Jones (1993), Brian Setzer (1995), Cassandra Wilson (1995).

cèdent au fil des soirs Vic Vogel en sextette, Nelson Symonds en quatuor, l'ensemble latin Kines, le trio du bassiste Michel Donato et du pianiste Jacques Labelle, le groupe outaouais de Steve Burman, le sextette Pollution de sons du batteur Guy Nadon et bien d'autres.

Et puis, en novembre, le Musée des Beaux-Arts poursuit son travail de diffusion des musiques improvisées dans le cadre de son mini-festival annuel où s'illustrent notamment cette année-là les multi-saxophonistes Julius Hemphill et Oliver Lake, le duo belge constitué du pianiste Fred Van Hove et du violoniste Phil Washmann, le flûtiste Jean Derome et le trio EMIM (Ensemble de musique improvisée de Montréal) composé de Robert Leriche au sax alto, Claude Saint-Jean au trombone et Raymond Houle à la batterie.

Événement exceptionnel dans les annales du jazz d'ici, un groupe local revient couvert de lauriers d'une tournée qui l'a mené dans six pays européens en trois mois. Invité au Festival de jazz de Paris en novembre, l'*Orchestre Sympathique* devient le premier groupe québécois à triompher ainsi devant les publics français, allemand, danois, suisse, belge et britannique qui se sont entassés au pied de la scène pour danser. La presse étrangère ne tarit pas d'éloges:"un son unique à

46   mi-chemin entre les influences occidentales et le free jazz" (*Detroit Free Press*); "une musique toujours intéressante à écouter" (*Le Soir* de Bruxelles). Ainsi, le jazz québécois serait exportable, se réjouissent

nos commentateurs culturels qui semblaient en douter jusqu'alors. Faut-il croire que le vieil adage se vérifie à tout coup:nul n'est prophète en son pays.

Pour le jazz québécois, il s'agit d'une première qui ne restera pas sans lendemain. À la fin de 1981, le groupe fusion Uzeb continue son ascension vers la gloire, amorcée aux côtés de la chanteuse Diane Tell. Né dans les cafés estudiantins de Drummondville, ce trio acoustique composé du guitariste Michel Cusson, du bassiste Alain Caron et du batteur Paul Brochu se convertit à l'électricité et s'adjoint momentanément le claviériste Jeff Fischer qui contribue au son plus funk que privilégie alors le groupe.

L'année 1982 s'ouvre sur une visite à la Place des Arts de Keith Jarrett, dans l'un de ces concerts solo conforme à la formule un rien académique qu'il a développée au fil des années soixante-dix. Sur le front des boîtes de nuits, le tout nouveau Club des musiciens fait salle comble avec le big band de Denny Christianson puis reçoit la visite de Bobby Watson (ex-Jazz Messenger) à la mi-mars. Mais il faut encore attendre le troisième Festival international de jazz de Montréal pour voir la scène locale recevoir une dose d'électrochocs revitalisante, d'autant plus que cette nouvelle édition promet d'être plus qu'une simple série de concerts. En effet, parachuté dans le Quartier latin, le Festival présente non seulement des spectacles payants au théâtre Saint-Denis (pour les vedettes étrangères) et à la salle Marie-Gérin-Lajoie de l'Uqam (pour les artistes locaux), mais également d'autres spectacles gratuits sur les terrasses de la rue Saint-Denis et au Vieux-Port, ainsi que des films sur l'histoire du jazz à la Cinémathèque québécoise.

Ainsi, du 2 au 11 juillet, le village Saint-Denis au grand complet accueille les plus grands noms du jazz, toutes tendances confondues:Maynard Ferguson ouvre le bal avec le spectacle inaugural, suivi de Sonny Rollins, Ornette Coleman, Betty Carter, Cleo Laine, McCoy Tyner, Buddy Rich, le tandem Chick Corea et Gary Burton, Jean-Luc Ponty, Jaco Pastorius, et pour la deuxième année consécutive, Pat Metheny. Et si, au lendemain du spectacle en quintette du trompettiste Wynton Marsalis, ce jeune virtuose aux allures proprettes d'académicien a pu passer pour le nouveau

47

gardien de la " pureté " du jazz, le clou de ce troisième festival fut néanmoins Miles Davis, qui revient à Montréal pour la première fois depuis 1973. Entouré d'un combo funk constitué du saxophoniste Bill Evans, du guitariste Mike Stern, du bassiste Marcus Miller, du percussionniste antillais Mino Cinelu et du batteur Al Foster, le Prince des ténèbres, qui amorce depuis moins d'un an son précaire retour à la vie musicale active, offre une performance électrisante en guise de concert de clôture.

Autre innovation, la direction du Festival met sur pied un Concours destiné à saluer l'excellence des jazzmen qui contribuent à la vitalité de la scène locale. Pour cette première, les sept groupes en lice sont appelés à présenter tour à tour un   programme de soixante minutes de compositions originales sur la scène de la salle Marie-Gérin-Lajoie. Chaque prestation est enregistrée par Radio-Canada pour fins de diffusion à l'émission *Jazz sur le vif*. Le jury composé de journalistes, d'enseignants spécialisés et de professionnels du showbiz doit choisir l'une des formations, qui aura le privilège de se produire en première partie du spectacle de clôture et de voir sa prestation endisquée sous le label de Radio-Canada. De plus, le groupe lauréat est aussi invité à jouer sur la scène du Café-Terrasse du Vieux-Port, gagne une bourse de cinq mille dollars et une tournée en Europe organisée par le Festival. En nomination cette année-là, on compte le groupe Positive Vibrations que dirige Charles Ellison, La Pollution des sons de Guy Nadon, le quartette Noir sur Blanc de Michel Dubeau, le trio de Jean Beaudet, le combo de Sayd Abdul

Prix de jazz du Festival

Chaque année depuis 1982, le Festival international de jazz de Montréal décerne un grand prix, dont la dénomination change selon le commanditaire principal, dans le but d'accroître la visibilité des musiciens locaux. À l'origine strictement réservé aux artistes québécois, il s'ouvre aux jazzmen du reste du Canada à compter de 1987. Accompagné d'une bourse de 5 000$, le prix offre à la formation gagnante la chance d'enregistrer un disque et de tourner à l'étranger sous la bannière du Festival. Parmi les Montréalais récipiendaires de ce prix, mentionnons dans l'ordre chronologique : Michel Donato (1982), Lorraine Desmarais (1984), Trio François Bourassa (1985), Steve Amirault (1991), James Gelfand (1992), Normand Guilbeault Ensemble (1994), Jean-François Groulx (1995), Joel Miller (1997).

Al-Khabyr (avec le somptueux trompettiste Ron DiLauro),
l'ensemble de Charles Papasoff et le quintette de Michel Donato.
And the winner is... le contrebassiste Donato qui " ouvre " alors pour
Miles, avec qui il avait failli faire une tournée durant les années
soixante!

Faut-il croire que la rue Saint-Denis prend goût au jazz? En
tout cas, après avoir fait escale dans le Quartier latin le temps du
festival, le jazz y revient lui dès le mois de septembre suivant pour
y investir une nouvelle salle de spectacle, qui promet de mettre de
l'avant les musiciens locaux. Rebaptisée le Bateau Ivre, l'ancienne
rôtisserie située à la mezzanine du Grand-Café, voisine de la
Bibliothèque nationale, donne le coup d'envoi en présentant "Jazz
en fusion", une série de vingt-et-un spectacles de jazz québécois en
une semaine, à raison de trois par jour. "Il y a bien des jeunes qui
veulent monter sur scène, qui attendent qu'on leur en donne
l'occasion, mais ils ne trouvent pas," explique Michel Paul,
directeur artistique du Bateau Ivre à *La Presse*. Le nouveau club se
propose donc de remédier à la situation et présente en guise de
coup d'envoi cette série de spectacles à laquelle participent, entre
autres, le duo Charlie Biddle et Oliver Jones, le quintette de
Michel Donato, Guy Nadon et la Pollution des Sons, la formation
Quartz (animée par le clarinettiste Michel Martineau, anciennement de Solstice), la chanteuse Karen Young, sans oublier le sextette de Vic Vogel, qui revient d'une tournée de spectacle en
France.

Histoire d'inscrire son travail dans la continuité, le Bateau
Ivre récidive dès le mois de mars avec une seconde édition de "Jazz
en Fusion", invitant le public à revenir à la découverte du jazz d'ici.
Parmi les groupes mis en vedette, on remarque les formations
Quartz, Agharta et le sextette du saxophoniste Dave Turner et du
trompettiste Ron DiLauro, extraordinaires solistes révélés par le
big band de Vogel. D'ailleurs, en dépit de la programmation riche
et variée présentée par le Bateau Ivre, *La Presse* considère néanmoins la série de quatre spectacles présentés par le big band en
question au Club Soda comme le véritable événement de jazz de
cette semaine de mars 1983, hélas boudée par le grand public. **49**

PRÉCIS D'HISTOIRE DU JAZZ À MONTRÉAL

CONSOLIDATION DE L'EMPIRE

Après un nouveau passage de Keith Jarrett au théâtre Saint-Denis en avril et deux concerts de son collègue pianiste Chick Corea au Spectrum en juin, l'amateur de jazz montréalais trépigne d'impatience dans l'attente de l'ouverture du quatrième Festival international de jazz qui doit se tenir du 1er au 10 juillet. Avec un budget évalué à près d'un million et demi – provenant en partie des commandites de la brasserie O'Keefe et de la compagnie de cigarettes Accord, et d'une maigre contribution des subventionneurs gouvernementaux (90 000$) –, l'Équipe Spectra répète sa formule si rentable de l'année précédente qui avait attiré plus de 50 000 spectateurs, en augmentant toutefois sensiblement ses prix. Avec sa réputation de plus en plus enviable, le Festival peut même s'offrir le luxe d'une soirée inaugurale mettant en vedette nulle autre que la Divine Sarah Vaughan (retransmise en direct à l'antenne de la télévision de Radio-Canada), et une soirée de clôture avec la Première Dame de la chanson, Ella Fitzgerald!

Dix jours durant, la métropole est encore une fois l'hôte de cet événement dont l'ampleur ne cesse de croître année après année. Qu'on en juge par la programmation impliquant plus de quatre cents musiciens qui participent à quelques deux cents représentations sur dix scènes différentes. Panorama éclectique de tous les styles musicaux associés au jazz, le Festival accueille en 1983 le retour de Ray Charles, de Pat Metheny (pour une troisième année consécutive) et d'Oscar Peterson (qui jouait en février à la Place des Arts). Plus encore, on se réjouit de la présence des Stan Getz, Paquito d'Rivera, Albert King, Zoot Sims, auxquels s'ajoutent des formations comme le big band de Carla Bley, le Modern Jazz Quartet, le groupe Step Ahead, le quartette Sphere qui se consacre à la musique de Monk, le World Saxophone Quartet et le Quintette V.S.O.P. II qui réunit l'ancienne rythmique de Miles (messieurs Herbie Hancock, Ron Carter et Tony Williams) à ces jeunes loups que sont les frères Wynton et Branford Marsalis... et le groupe du grand Miles lui-même, venu remettre ça pour la deuxième fois en autant d'années.

Outre ces locomotives, cinquante artistes et groupes locaux sont de la partie, dont Uzeb, le combo de Dave Turner et Ron

DiLauro, le tandem Michel Donato et Karen Young, sans oublier les six formations qui s'affrontent dans le cadre du deuxième Concours du Festival:Melosphere, Orange, le tandem Derome/Simard, Beaugrand, Mirage et (la lauréate) Quartz. Et tradition naissante, la programmation du Festival inclut de ces invités incongrus dont on est en droit de se demander ce qu'ils font là, en l'occurrence la chanteuse Diane Tell et le groupe reggae britannique UB-40...

Entretemps, quelques semaines avant le Festival, le théâtre Saint-Denis accueille le big band du batteur Buddy Rich et Doudou Boicel, qui n'a pas encore jeté l'éponge, produit à la Place des Arts un concert de be-bop réunissant Dizzy Gillespie, son confrère trompettiste Freddie Hubbard, le saxophoniste Benny Carter, le tromboniste Slide Hampton, le pianiste John Lewis, le contre-bassiste Ray Brown et le batteur Mickey Roker. Mais après le suc-cès éclatant du quatrième Festival international de jazz de Montréal, il devient de plus en plus évident que l'Équipe Spectra n'a plus de réel compétiteur en matière d'événements de cette envergure. Au lendemain du mémorable tour de chant d'Ella, Alain Simard et André Ménard annoncent leur décision d'étendre leur festival au-delà du village Saint-Denis.

Même si la vente des places payantes totalisant quarante mille billets a rapporté beaucoup plus que prévu, Spectra déclare néan-moins un manque à gagner de 50 000$, dû notamment à la faillite de la chaîne de télévision payante C-Channel qui devait acquérir les droits de diffusion d'un bon nombre de spectacles. Mais, con-vaincue d'avoir fait ses preuves, l'équipe garde espoir de pouvoir à l'avenir compter sur une plus grande générosité de la part des organismes subventionneurs, auxquels elle rappelle que le Festival de jazz de Toronto et le Festival d'été de Québec, deux mani-festations de même type, sont presque complètement à la charge des gouvernements.

En attendant, le Festival continue d'avoir des répercussions positives sur le milieu. Le groupe Quartz, lauréat du Concours du Festival, endisque un premier album et se produit à l'Air du Temps pendant trois soirs d'octobre 1983 en attendant de tourner en Europe en novembre. Lauréat du Félix du meilleur album de jazz québécois avec son deuxième microsillon, *Fast Emotion*, le groupe

51

Uzeb revient justement d'Europe, où il a participé au Festival de Paris, à quelques émissions de télé et remporté un franc succès populaire… et critique. "Les médias du Québec n'ont pas été aussi réceptifs, se plaignent les membres du band dans *La Presse*. Car bien qu'ils aient écoulé 10 000 exemplaires de **Fast Emotion**, la radio commerciale d'ici continue de les bouder. D'ici le mois de juin 1984, le groupe se sera hissé au premier rang des meilleurs vendeurs de disques de jazz en France, devançant même Weather Report et Miles Davis.

Aussi ne s'étonnera-t-on pas de lire, dans les pages du même quotidien montréalais, une déclaration semblable de Jean Vanasse, membre de l'Orchestre Sympathique, qui au retour d'une nouvelle tournée européenne déplore le manque de réceptivité des médias québécois et l'étroitesse du marché domestique. Premier groupe à profiter de la renaissance du jazz québécois, l'Orchestre Sympathique a tout de même dû s'établir en France et recruter des musiciens locaux pour percer là-bas. Des regrets? "Ça ne nous intéresse plus de jouer dans tous les petits cafés du Québec. Le Québec, on l'a roulé partout en camion. Aujourd'hui on prend le risque d'aller ailleurs et on songe à l'Allemagne, l'Espagne, la Hollande, l'Italie."

Dans le froid sibérien de février 1984, Doudou Boicel se remet de ses défaites et déceptions des dernières années. Le Rising Sun, qui avait connu des heures glorieuses grâce aux plus grandes stars du jazz et du blues, s'était mis à décliner au même rythme que s'éteignaient ces étoiles au firmament du jazz. Au moment même où le jazz avait gagné en popularité, Boicel s'était vu voler son territoire par des entrepreneurs plus jeunes et plus blancs que lui et son Festijazz n'avait pas tardé à être éclipsé par celui, plus structuré il faut le dire, de l'Équipe Spectra. Criblé de dettes, Doudou avait renoncé au jazz et voué sa boîte au reggae… jusqu'à ce qu'il se laisse tenter une dernière fois par l'aventure et qu'il invite Eddie "Cleanhead"Vinson à venir réchauffer l'ambiance de la métropole frigorifiée. La visite du saxophoniste relance momentanément le Rising Sun, qui accueille en l'espace de trois semaines les guitaristes Joe Pass puis Larry Coryel.

À quelques rues de là, le Bateau Ivre vogue toujours sur les vagues du succès de son festival hivernal, qui présente cette année encore les ténors de la scène locale, de même que des musiciens moins connus désireux de se faire valoir en public : Karen Young et son sextette latin où brille Jean-Pierre Zanella, le big band de Vic Vogel, le groupe Quartz et le sextette de Guy Nadon. En trois ans d'existence, le club du Grand Café est devenu un des jalons essentiels du circuit de jazz montréalais, tant par la qualité des spectacles présentés que par l'ambiance conviviale qui y règne.

Pour marquer son cinquième anniversaire qui arrive à grand pas, le Festival international de jazz de Montréal organise une tournée de dix-huit concerts qui conduira quatre formations locales, promues ambassadrices du jazz d'ici, de Moncton à Toronto en passant par les principales villes du Québec. Il s'agit de l'euphorique Dixieband, des deux tandems constitués de Oliver Jones et Charlie Biddle et de Karen Young et Michel Donato ainsi que du groupe Quartz. Dans le même esprit de promotion du jazz d'ici, le Festival tient pour la première fois cette année les semi-finales de son Concours devant public, plus précisément au Bateau Ivre en avril. À cette occasion, douze formations se produiront devant un jury chargé de sélectionner parmi elles les six finalistes du Concours de l'été.

En ce qui concerne le Festival lui-même, l'Équipe Spectra annonce dès le mois de mars qu'il accueillera son cortège habituel de géants – Astor Piazzola, Carmen McRae, Gato Barberi, Pharoah Sanders, Gary Burton, Stéphane Grappelli, Sonny Rollins, David Murray, Stanley Turrentine, Lionel Hampton, Bobby McFerrin – dont plusieurs n'ont jamais mis les pieds à Montréal, ou alors n'y sont pas venus depuis des lunes. Au théâtre Saint-Denis, on retrouve le big band de Buddy Rich pour l'ouverture, alors que le soin de clôturer le festival a été confié au chanteur Claude Nougaro, aux trios Didier Lockwood/Philippe Catherine/Christian Escoudé et François Jeanneau/Daniel Humair/Henri Texier ainsi qu'au pianiste Martial Solal, réunis pour un vibrant hommage au jazz français, retransmis en direct à la télévision de Radio-Canada.

Bénéficiant désormais d'un budget de deux millions de dollars, les organisateurs ne reculent devant rien pour attirer et étonner les amateurs. Le nombre de spectacles quadruple, leurs lieux de présentation se multiplient et les soirées de cette programmation à tout casser comportent chacune deux blocs distincts au Spectrum et au théâtre Saint-Denis. Au Club Soda, Pat

53

Metheny, la mascotte du Festival, tient l'affiche huit soirs consécutifs. Le Forum est le théâtre d'un gala-concert où Didier Lockwood et Oscar Peterson jouent en compagnie de l'Orchestre symphonique de Montréal sous la direction de Charles Dutoit — concert décevant où il sera démontré que si les jazzmen connaissent leurs classiques, les musiciens classiques pour leur part ne savent pas très bien faire swinguer leurs notes...

Enfin, cette édition du Festival propose la série "Pianissimo", avec des performances solo des pianistes Kenny Barron, Michel Petrucciani, Lyle Mays, Paul Bley, Steve Kuhn, Martial Solal, Oliver Jones, Sir Roland Hanna et Joanne Brackeen. D'ailleurs, pour rester dans la note, c'est la pianiste Lorraine Desmarais qui gagne au Concours du Festival, l'emportant sur la formation Noir sur blanc de Michel Dubeau, le combo de jazz latin de Pierre Lescault (anciennement d'Aquarelle), et les groupes Quasar IV, Proteus et le quartette de Daniel Loyer, des formations de jazz fusion. Somme toute, il ne manque à cet anniversaire mémorable que le grand Miles Davis, qui pourtant aurait voulu en être. Hélas, les organisateurs n'ont pas su trouver le financement pour le tournage de son concert. Rendez-vous l'année prochaine, alors?

Des problèmes sur le site? Oui et non. Enfin, rien de grave. Depuis que la manifestation a envahi le Quartier Latin, on se plaint parfois du ménage de la rue Saint-Denis, effectué une seule fois par jour et toujours trop tard. Heureusement, la municipalité affectera des équipes de nettoyage supplémentaire pour enlever au village Saint-Denis ses allures de ville assiégée. Et malgré une cohabitation malaisée des jazzophiles avec la faune habituelle des environs de l'Uqam — rockers, punks et pushers plus friands de heavy metal et de hard core que de swing —, la police municipale n'en finit plus de s'émerveiller du calme dans lequel se déroulent les festivités.

Tout baigne dans l'huile pendant dix jours, donc... Jusqu'au spectale de clôture qui se termine dans la confusion la plus totale. Au lieu de l'hommage en musique au jazz français annoncé dans le programme, le public entassé dans le théâtre Saint-Denis doit se taper un indigeste documentaire télévisé de deux heures portant sur les grands faits d'armes de ce cinquième Festival, entrecoupé d'extraits de spectacles présentés dans le courant de la semaine. En plus, il lui faut attendre la fin d'un match de football avant que ne s'amorce le spectacle... Exaspéré par toute cette mascarade, le public ne se gêne pas pour manifester bruyamment son mécontentement!

Au lendemain de ce cinquième anniversaire, en définitive réussi malgré le cafouillage de la clôture, l'Équipe Spectra dispose d'un an pour réfléchir aux améliorations qu'il reste à apporter à la formule déjà gagnante, pour peu qu'il y en ait. D'ici là, le réseau FM de Radio-Canada enregistre en décembre 1984 un concert donné conjointement au Gesù par le big band des Événements et la formation du batteur Guy Nadon, Pollution des sons. Intitulé *Jazz:de Stravinsky à Guy Nadon*, ce programme constitué de pièces de Stravinsky, Hindesmith, Gershwin et Bernstein ne semble pas convaincre la critique qui le juge inutilement long.

L'année 1985 s'amorce lentement pour les jazzmen montréalais, dont les grandeurs et misères font l'objet d'articles pour le moins pittoresques dans *Le Devoir:*"Quand le BS devient créateur:Saint-Jak et Vendette" (25 mai), "Jazz Off-Festival:les 355 jours de cats montréalais" (8 juin). Heureusement qu'il y a ces dix jours, qui changent de la vache maigre coutumière... Car la sixième édition du Festival promet d'être une réussite encore plus éclatante. Parmi les invités de marque, on note la présence de Dave Brubeck, qui n'en est tout de même pas à sa première visite, des crooners Tony Bennett et Mel Torme, de l'orchestre du défunt Count Basie, désormais dirigé par le trompettiste Thad Jones, du guitariste Pat Metheny (qui décidément semble avoir pris un abonnement!).

Parallèlement à ces poids lourds venus des États-Unis, la chanteuse belge Claude Maurane mérite un franc succès qui se verra confirmé après son virage pop de la décennie suivante et un certain Dan Bigras chante des blues en anglais sur les scènes extérieures. Et puis, il y a les musiques du mondes qui font leur apparition avec le Sénégalais Touré Kunda et la Brésilienne Flora Purim. Côté québécois, les gars d'Uzeb continuent leur conquête d'un public de plus en plus nombreux, en dépit d'un certain scepticisme de la critique à leur égard. Et la lauréate du Prix du Festival de l'année précédente, Lorraine Desmarais, confirme la pertinence du choix du jury en continuant d'affiner son style; l'album éponyme qu'elle a endisqué grâce au Festival lui vaudra d'ailleurs un Félix à la fin de l'année; elle ne tarde pas à récidiver avec un second, intitulé *Andiamo*. Quant au lauréat de l'année courante, il s'agit à nouveau d'un pianiste, François Bourassa, qui pratique un jazz très proche de celui préconisé par Desmarais — quelque part entre hard bop et musique classique contemporaine.

Cette sixième édition du Festival se distingue également par la présence des frères Marsalis, Wynton et Branford, jeunes prodiges de la renaissance bop, qui se produisent ensemble à Montréal pour la dernière fois. Bientôt "débauché" par Sting, Branford tournera momentanément le dos au jazz pour se joindre au nouveau groupe de l'ex-leader du groupe new wave The Police — au grand désespoir de son partenaire et cadet — entraînant avec lui leur pianiste Kenny Kirkland. "Mon frère a vendu son âme au diable", commentera alors Wynton, dépité, dont le souverain mépris pour la pop music n'est un secret pour personne. Enfin, puisqu'on ne peut dire "non" au Prince deux fois de suite, la direction du Festival a ajouté à son programme le nom de Miles Davis, qui donne au Saint-Denis en fin de soirée une performance moyenne enregistrée pour la télévision.

Au lendemain de son triomphe au Festival, François Bourassa joue à Montréal, "calme et passionné" selon Paul Cauchon du *Devoir*. L'été 1985 s'achève avec le double décès, à quelques jours d'intervalle, des Jo(e) Jones : "Philly Joe" Jones, batteur du Premier Quintette Classique de Miles s'éteint le 30 août tandis que "Kansas City" Jo Jones, batteur de l'orchestre de Count Basie dans les années trente et quarante, cesse de marquer la mesure le 3 septembre suivant. D'ici la fin de 1985, la chanteuse Karen Young et le contrebassiste Michel Donato enregistreront un premier album qui leur vaudra un énorme succès populaire — selon les barêmes du jazz, s'entend! — et critique.

Au cours du premier trimestre de 1986, le groupe Uzeb triomphe à l'Olympia de Paris tandis qu'à Montréal, le vibraphon- iste Jean Vanasse, de retour au pays, se produit avec le contre- bassiste d'origine tchécoslovaque Miroslav Vitous (anciennement de Weather Report). Le Festival annonce ses couleurs dès le print- emps, des couleurs prometteuses! Une fois passé le choc du décès du clarinettiste swing Benny Goodman à la mi-juin, la presse du monde entier ne ménage pas les dythirambes:"Pour sa septième édition, le Festival international de jazz de Montréal a frôlé le grandiose", clame le quotidien parisien *Libération*. Cette édition met à contribution près d'un millier de musiciens, d'ici et d'ailleurs, dont une belle délégation brésilienne dont la vedette est sans contredit Antonio Carlos Jobim, le père de la bossa nova. Désireuse d'attirer un public toujours plus nombreux, l'organisation du Festival continue de faire preuve d'un éclectisme parfois surprenant; parmi les têtes d'affiches pratiquant des genres musicaux connexes au jazz, il faut signaler l'explosif James Brown, Parrain du Soul, et le bandonéoniste argentin Astor Piazzola, Roi du tango. Éclectisme, on veut bien, mais on se demande tout de même ce que l'auteure-compositeure-interprète Véronique Sanson, qui d'ailleurs livre une performance médiocre, vient faire dans cette galère?

En cette année d'expansion, le Festival étend ses activités jusqu'à la rue Sainte-Catherine et inaugure le premier de ses grands concerts extérieurs qui deviendront une tradition. En plein jour de la fête du Canada, c'est au bugliste Chuck Mangione, auteur du hit instrumental "Feels So Good", ancien Jazz Messenger reconverti en star de la fuzak – en cela, il annonce déjà Kenny G – que revient l'honneur d'inaugurer la formule. Un autre trompettiste, mieux aimé des puristes celui-là, est de la fête:Chet Baker, l'ange déchu du jazz cool. Ginette Reno se produit avec le chef d'orchestre et compositeur français Michel Legrand, un rendez-vous avec le jazz qui en déçoit plus d'un…

Mais malgré son demi-million de spectateurs, malgré les retombées économiques de 30 millions de dollars qu'il génère, malgré le Grand prix du tourisme qu'on lui attribue, le Festival international de jazz de Montréal accuse un déficit de près de 150 000$ qu'il ne peut éponger sans aide gouvernementale. L'Équipe Spectra lance un S.O.S., qui ne sera hélas pas le seul de son histoire… En attendant de pouvoir régler sa situation et s'assurer de la survie de l'événement, la direction organise un week-end de jazz en novembre, histoire de prouver qu'elle a la couenne dure…

En cette fin d'année 1986, le film ***Round Midnight*** de Bertrand Tavernier vient réaffirmer la pérennité du jazz, cette musique que d'aucuns prétendent morte ou, du moins, en voie de

57

momification. Inspiré de la vie de Bud Powell à Paris, et surtout de son amitié avec Francis Paudras, le film de Tavernier met en vedette le colossal saxophoniste Dexter Gordon, brillant dans le rôle de ce bebopper junkie au bout du rouleau qu'un séjour à Paris sauve momentanément. Mais la performance de Gordon est d'autant plus impressionnante qu'on la sent sincère:d'ailleurs, Long Tall Dexter n'en a hélas plus pour très longtemps lui non plus… Il faut dire que les géants tombent comme des mouches; un an après Goodman, ce sera bientôt au tour du batteur Buddy Rich de s'éteindre en avril 1987. *C'est dur de mourir au printemps*, chantait Jacques Brel…

LE TEMPS DE LA RELANCE

Le Festival est-il encore en péril? Au début de février 1987, les contrats des trois principaux commaditaires (Benson & Hedges, Air Canada et Molson) ne sont toujours pas renouvelés. À quatre mois du début de l'événement, un nombre important d'interrogations subsistent. Chez Spectra, on semble pourtant garder la foi en un règlement de la crise, puisqu'on s'entendra rapidement avec le nouveau commanditaire du Prix du Festival, l'aluminerie Alcan, sur les nouveaux règlements du Concours qui s'ouvre désormais à tous les artistes canadiens plutôt qu'aux seuls Québécois. Et tandis que les doutes sur l'avenir du Festival de jazz perdurent, le saxophoniste alto Lee Konitz se produit à la fin de février à la Bibliothèque nationale du Québec en compagnie du pianiste Harold Danko. Et les parutions québécoises discographiques se multiplient:d'abord, les batteurs Guy Nadon et Bernard Primeau lancent chacun un album, intitulé respectivement **La Pollution des sons** (Autoproduit) et **Perspectives** (Contact); puis, la pianiste Lorraine Desmarais publie son troisième disque en autant d'années, **Pianissimo** (Jazzimage).

Revient l'été et avec lui renaissent tous les espoirs. En dépit de toutes les craintes exprimées ou non, le Festival s'ouvre le 26 juin pour une huitième édition. Malgré la grisaille du temps, le cœur est d'autant plus à la fête qu'on attend de la belle visite:l'angélique Ella Fitzgerald, incarnation de la candeur et de la joie de vivre; sa filleule spirituelle, la chanteuse aveugle Diane

Schuur; Keith Jarrett, l'artiste tourmenté aux sautes d'humeur de diva; le saxophoniste Dexter Gordon, le héros de **Round Midnight** et l'un des derniers survivants de l'épopée du be-bop; Bobby McFerrin, l'homme-orchestre qui n'en a pas besoin d'un (orchestre); le génial chef d'orchestre Gil Evans, créateur des plus beaux écrins sonores jamais offerts à la trompette de Miles; le trompettiste Art Farmer, surnommé avec beaucoup d'à-propos Mister Melody; les meilleurs poulains de l'écurie allemande ECM; et, comme pièce de résistance, le pianiste Dave Brubeck qui compte enregistrer son concert en compagnie de la crème des musiciens classiques montréalais. Des deux cent cinquante spectacles annoncés, seul celui du soporifique chanteur italien Paolo Conte fait sourciller:ne reculera-t-on devant aucun effet de mode dans la chasse au public? En guise de méga-événement en plein air, les trente saxophonistes de la formation Urban Sax, sous la direction de Gilbert Artman, présentent un spectacle des plus

Ranee Lee

inusité… littéralement suspendus aux tours du complexe Desjardins. Optimistes et confiants de remonter la pente, les organisateurs prévoient atteindre la barre du demi-million de spectateurs.

Mission accomplie! En dépit de l'épée de Damoclès qui pend toujours au-dessus de leurs têtes, les dirigeants du Festival tirent le rideau de cette huitième édition sur une note positive. Au lendemain de l'événement, la chanteuse et comédienne Ranee Lee interprète Billie Holiday dans la pièce **Lady Day at Emerson's Bar and Grill**, qui connaîtra beaucoup de succès sur les scènes de Toronto et de Montréal et sera adaptée pour la télévision en 1994 sous le titre **White Gardenia**.

L'année jazz 1988 s'amorce en février avec le retour sur scène du pianiste Jean Beaudet, applaudi par Alain Brunet de La Presse, cependant qu'Oliver Jones prend d'assaut La Havane. En février s'éteint le saxophoniste Al Cohn; en mars Gil Evans nous

59

fait ses adieux du Mexique et en avril l'ange déchu du jazz, Chet Baker, tombe du haut de trois étages à Amsterdam. Avec ces décès, se tournent trois pages de plus de l'histoire du jazz. En avril, après une escale dans la ville de Québec, le saxophoniste Steve Lacy s'empare du Spectrum. Du coup, on se dit que les choses ne vont plus si mal pour l'Équipe Spectra...

Comme de fait, le Festival revient encore une fois avec les beaux jours, drapé d'une djellaba aux couleurs vives qui évoque Doudou Boicel pourtant disparu de la scène. Puisque le jazz est à la fois trace et séquelle de l'Afrique ancestrale, pour ce neuvième festival on convie Johnny Clegg, le Zoulou blanc, et son groupe Savuka à présenter le méga-spectacle extérieur, avec la participation du patriarche sénégalais Doudou N'Diaye Rose. Également de la fête, les Sénégalais Youssou N'Dour et Touré Kunda de même que le Malien Salif Keïta.

Mais ce détour par la *world music* ne signifie pas que le jazz soit en reste, ainsi qu'en témoigne l'impressionnante brochette d'invités qui se succèdent sur les scènes du site. Du Tommy Dorsey Orchestra à Ornette Coleman, l'événement s'inscrit encore une fois à l'enseigne de la diversité. Les honneurs de l'ouverture officielle reviennent toutefois à la firme de disques montréalaise Justin Time qui fête déjà ces cinq années d'existence par un gala *all-stars*. Mais les festivités se poursuivent... Des voix:Etta James, Carmen McRae, Diane Schuur, le quatuor new-yorkais Manhattan Transfer; les Françaises Élisabeth Caumont et Carmel McCourt – et, *don't worry,* je n'allais tout de même pas oublier Bobby McFerrin, la chorale humaine. Des saxos:le Wild Man Arnett Cobb, un peu assagi avec l'âge tout de même; Frank Morgan, l'élégance; John Carter, sacré "avenir du jazz" par une presse un peu trop enthousiaste; le britannique Courtney Pine, venu nous rassurer sur la santé du jazz au Royaume-Uni; l'insupportablement sirupeux Kenny G; et la Canadienne Jane Ira Bloom, véritable révélation. Un batteur:l'explosif Ronald Shannon Jackson. Des légendes du be-bop:l'incorrigible cabotin à la trompette arquée, Dizzy Gillespie; le tromboniste J. J. Johnson. Et bien sûr, les indispensables *guitar-heros*:Kenny Burrell, Joe Pass, Robert Cray, Al DiMeola et surtout Pat Metheny, dont le Festival ne semble plus capable de se passer.

60

Parmi les nôtres, un peu noyés dans cette foule de vedettes, se distinguent tout de même Vic Vogel dont le big band célèbre ses vingt ans d'existence; et Lorraine Desmarais, à la tête d'un trio électrisant constitué d'Alain Caron à la basse et de l'étourdissant trompettiste d'origine nipponne, Tiger Okoshi. Quant à Miles Davis, éternel Miles, il est de retour à la fois comme trompettiste et comme illustrateur puisqu'il signe l'autoportrait qui sert d'affiche à ce neuvième Festival.

Bilan:une édition surprenante, qu'on avait pourtant prévue sage, selon Alain Brunet de *La Presse*. Plus de 650 000 personnes y auraient participé, ce dont l'Équipe Spectra est en droit de s'enorgueillir. D'ailleurs, sa performance vaudra à André Ménard d'être nommé «Personnalité de la semaine» par le quotidien *La Presse*:"Il est artisan de la première heure du plus important festival de jazz en Amérique du Nord", dit la manchette. Mais ce n'est tout de même pas le moment de se reposer sur ses lauriers, puisque l'an prochain marquera le dixième anniversaire. Et un anniversaire aussi important, ça se prépare longtemps d'avance…

En août, le Mont Orford reçoit la visite impromptue du Modern Jazz Quartet tandis que nos jazzmen locaux lorgnent de plus en plus vers la scène internationale. Le duo Young et Donato signe un deuxième album, **Contredanse**, en septembre. Après de bruyantes nuits (pour reprendre un titre d'un de leurs disques) à l'Air du temps en septembre, le groupe Uzeb tourne en province puis outre-mer, où il triomphe encore dès le mois de décembre.

Kenny G s'est-il entiché de Montréal ou est-ce l'inverse? Quoi qu'il en soit, le maître de la barbe-à-papa sonore revient chez nous au début janvier pour chanter la pomme à son public majoritairement féminin. À la fin du mois, Oliver Jones donne la réplique à son homologue pianiste Hank Jones. Quelques semaines après, Vic Vogel "cuisine" en sextette et le quintette de Hugh Fraser, l'une des plus importantes formations canadiennes, fait escale dans la métropole. Vraiment, "le jazz vit en harmonie avec Montréal", ainsi que l'affirme en manchette *Le Devoir* au début avril, à quelques jours du passage du saxophoniste Jean-Pierre à l'Air du temps. Mais c'est surtout la visite de Dave Brubeck, en spectacle avec les danseurs de la Murray Louis Dance Company qui retient l'attention en ce printemps. À la défense de ce pianiste aussi populaire

61

que controversé, souvent fustigé par la critique qui attribue son succès à sa peau blanche, Alain Brunet écrira que "le jazz est une affaire d'âme, pas de couleur de peau".

Prix Oscar-Peterson

Instauré lors du Festival international de jazz de 1989, le Prix Oscar-Peterson est attribué annuellement à un musicien canadien pour souligner sa contribution exceptionnelle au rayonnement du jazz local. Parmi les lauréats du prix, attribué initialement à Peterson lui-même, mentionnons : le pianiste et fils spirituel de Peterson, Oliver Jones (1990), le guitariste Nelson Symonds (1996) et Guy Nadon, le Roi du Drum (1998).

Et puis, pour le Festival international de jazz de Montréal, on repart en grande. Normal:on n'a pas tous les jours dix ans! Dès le mois de mai, on annonce 1 500 jazzmen invités, dont Ray Charles qui revient donner le coup d'envoi de la manifestation (ainsi qu'il l'avait fait en 1979) et Oscar Peterson qui le clôture. Le Festival a atteint sa maturité et ne grandira plus, nous annonce-t-on. Et du coup, nous voilà rassurés, aptes à jouir pleinement de cette bacchanale musicale et estivale au menu chargé et varié:le guitariste John Scofield, les saxophonistes Sonny Rollins et Jackie McLean, la chanteuse Cleo Laine, le cornettiste Nat Adderley (petit frère du regretté "Cannonball", la pianiste Geri Allen, l'étourdissant batteur Tony Williams, le groupe Steps Ahead…

Des faits saillants? Dans la série "Invitation", le contrebassiste Charlie Haden présente huit concerts consécutifs à la tête d'ensembles divers – concerts qu'éditera un par un par la suite la firme Verve sous le titre générique *The Montreal Tapes*; parmi ses invités d'un soir, citons le trompettiste Don Cherry, le pianiste cubain Gonzalo Rubalcaba. Oliver Jones se joint à l'Orchestre symphonique de Montréal, le temps d'un concert à peine plus convaincant que celui qu'avait donné son parrain Oscar Peterson cinq ans plus tôt. Deux guitaristes et chanteurs aussi différents que nuit et jour, George Benson et B.B. King, investissent le Forum. Le trompettiste Wynton Marsalis, qui a amorcé sur disque une redécouverte de l'univers d'Ellington, en donne sur scène un écho impressionnant – quoiqu'emprunté. La tendance world beat du Festival se confirme, avec la présence du pianiste Ray Lema, de l'accordéoniste Astor Piazzola, de la chanteuse Tania Maria et du saxophoniste Manu DiBango.

Sur le plan local, le Festival inaugure sa "Petite école du jazz", animée par le comédien Jacques L'Heureux avec la complicité du groupe vocal La Bande Magnétik et de quelques musiciens montréalais. Mais la palme d'or revient au guitariste Pat Metheny, dont le méga-concert extérieur du 4 juillet attire près de 100 000 spectateurs. "Le plus **grand** événement jazzistique de l'histoire montréalaise!" d'après le critique Alain Brunet. Et quoique les puristes sont en droit de se demander ce que viennent faire là la rockeuse Melissa Etheridge et le groupe Octobre (groupe de rock québécois réuni le temps d'un spectacle aussi inutile qu'incongru), personne ne peut contester la réussite de ce festival digne d'un dixième anniversaire, au lendemain duquel *La Presse* nomme Oscar Peterson "Personnalité de la semaine". Le Festival lui a d'ailleurs rendu un grand hommage en faisant du plus illustre des jazzmen canadiens le premier récipiendaire d'un trophée d'excellence qui portera désormais son nom.

La scène jazzistique montréalaise retrouve le calme après la tempête, un calme d'autant plus plat que le Bateau Ivre a cessé de présenter son mini-festival automnal. C'est *business as usual*, la routine habituelle pour nos musiciens locaux jusqu'à la fin de l'année, marquée par le lancement du disque *Uzeb Club*, enregistré par la célèbre formation en public – "pour retrouver l'ambiance des vrais jours", nous dit-on.

COMPTE À REBOURS VERS L'AN 2000

1990

L'année 1990 commence en lion, avec la visite à Montréal en février de deux légendes en leur temps, Sun Ra, le leader extra-terrestre du plus psychédélique des orchestres de jazz... et Miles Davis! Ils sont bien vite suivis d'Archie Shepp en mars, de Tommy Flanagan et de Sir Roland Hanna en mai, puis du Modern Jazz Quartet, en juin. Mais funeste est ce printemps pour le jazz, qui voit partir la Divine Sarah Vaughan et le géant Lester Young.

Pour sa onzième édition, le Festival abandonne (définitivement?) le village Saint-Denis pour se concentrer autour de la Place

63

des Arts. Le spectacle d'ouverture est assuré par le guitariste Pat Metheny, dont on ne peut décidément plus se passer, à la tête d'une équipée de rêve:Herbie Hancock au piano, Dave Holland à la basse et Jack DeJohnette à la batterie. Parmi les autres vedettes présentes parmi nous, signalons les pianistes Dave Brubeck, Michel Camilo, John Lewis, Tommy Flanagan, Chick Corea (en formation électrique) et le capricieux et irritable Keith Jarrett (que la presse locale qualifie sardoniquement de "Liberace du jazz"; tousseurs, passez votre chemin!). Également au programme, les anciens comparses de Weather Report, Wayne Shorter et Joe Zawinul qui font désormais cavalier seul, le guitariste Mike Stern, le tromboniste Ray Anderson, le violoniste Jean-Luc Ponty, le vibraphoniste Lionel Hampton, le chanteur brésilien Milton Nascimento, le trompettiste sud-africain Hugh Masekala, la chanteuse Shirley Bassey (surtout connue comme interprète des thèmes de la série James Bond) et deux grandes stars du soul, Wilson Pickett et Anita Baker. Le blues n'est pas en reste, avec la présence de Robert Cray, Lonnie Mack et Doctor John. Mais le festival est aussi marqué par la chanteuse Cassandra Wilson, appelée à devenir une enfant chérie des Montréalais. L'événement familial en plein air, quant à lui, est consacré à la salsa, avec la présence bienvenue d'Oscar d'Leon et de l'impériale Celia Cruz. Les surprises ou incongruités sont cette année-là françaises et ont pour nom Arthur H et les Négresses vertes.

Comme à chaque année, nos journaux posent la sempiternelle question de la vie des jazzmen montréalais *hors saison*… Signalons néanmoins les performances très remarquées du duo Karen Young et Michel Donato, qui continue son ascension vers la gloire, et aussi d'Oliver Jones, qui se voit décerner le prix Oscar-Peterson. En dépit de cette abondance de spectacles exceptionnels, le public est moins nombreux et les ventes de billets s'en ressentent. Creux de la vague? Pour se consoler, les organisateurs mettent la faute sur le temps maussade. Mais vous connaissez la chanson:*I'm gonna love you, come rain or come shine*. Il y aura 900 000 visiteurs sur ce site unique; les organisateurs peuvent respirer calmement…

64

Jusqu'en décembre, on note le passage de deux monstres sacrés:B.B. King en août et Dizzy Gillespie en septembre. Puis l'année s'achève sur une note un peu triste:la séparation du tandem Young/Donato, que l'on imagine définitive. " J'avais besoin de faire autre chose, expliquera la chanteuse, six ans plus tard, au journal *Voir*. Je me sentais enterrée par le duo. "

1991

En janvier, au Club Soda, un public *branché* mais visiblement pas très féru en jazz se laisse volontiers séduire par le "look" lounge de la fadasse Torontoise Holly Cole, sorte de chanteuse de piano-bar dénuée de soul et de personnalité qu'on tente de faire passer pour une authentique diva du jazz – ce pour quoi personne en dehors du profane ne la prendra jamais. Le même public, on suppose, ira applaudir à la PdA le crooner Harry Connick Jr, un médiocre clone de Frank Sinatra révélé par le film *When Harry Met Sally*. Entre-temps, plus discret et animé d'un désir de réappropriation de la tradition autrement plus sincère, le monumental saxophoniste David Murray, dont les disques sont d'ailleurs édités à Montréal par Justin Time, nous rend visite en mars. Son confrère et aîné Frank Foster vient faire swinguer la ville à la tête du Count Basie Orchestra, dont il assume désormais la direction depuis la mort du regretté Thad Jones.

Et le jazz montréalais? Où diable est-il passé? Il hiverne dans les studios, s'il faut en croire Alain Brunet de *La Presse*, qui accueille une fournée des plus riches, dont un nouvel opus d'Oliver Jones. Et pour défendre son bébé, Jones offre un concert en compagnie du bassiste Steve Wallace et du batteur Ed Thigpen – c'est qu'il y a du Oscar Peterson dans l'air, ma parole! Tandis qu'au printemps Karen Young entame en province une première tournée solo – mauvais présage pour le festival? – Stan Getz, le plus illustre de jazzmen blancs, s'éteint au début de juin dans sa résidence de Malibu. Les yeux tournés vers les vagues mourantes tout près, rêvait-il de cette fille d'Ipanema qu'il avait contribué à faire connaître à travers le monde, qui marchait vers la mer sans jamais regarder en arrière? Mieux vaut se faire une raison; le jazz aura bientôt cent ans et la Mort lui réclame un tribut payable avec la chair et le sang de ses champions...

Mais c'est l'été, pardi, et l'heure n'est pas au deuil. Le Festival nous ramène une légion de musiciens venus de tous hori-

65

zons. Et parmi ce beau monde, le public montréalais choisit de craquer pour deux chanteuses bien différentes:la charmante Française Liane Foly, genre Juliette Greco version swing et soul, et la nullissime Holly Cole, en qui l'on s'évertue à voir une digne successeure des Billie Holiday, Sarah Vaughan, etc. Heureusement, la programmation ne se limite pas à ces deux dames. On en retiendra la présence du saxophoniste Courtney Pine, preuve vivante du dynamisme du jazz britannique, de même que la série de concerts tziganes en l'honneur de Stéphane Grappelli, avec la participation de violonistes venus de tous azimuts. Et puis, il y a le guitariste montréalais Harold Faustin qui se fait déjà remarquer, mais il lui reste à produire un album…

D'ailleurs, en parlant de disques, l'automne est assez généreux en matière de parutions québécoises:Jeri Brown, Gakki, Sylvain Gagnon et Kevin Dean. Cette apparente manne ne trouve hélas pas son écho sur les scènes montréalaises, ainsi que le note Serge Truffaut du *Devoir*, le blues dans l'âme. L'expression est on ne peut plus juste. Car si le jazz semble vraiment en perte de vitesse, cela n'empêche pas les héros du blues de triompher sur nos scènes:B.B. King en août, Buddy Guy en octobre, John Mayall en novembre.

Notons au passage que le Rising Sun ferme ses portes définitivement en juillet et que la Faucheuse poursuit sa moisson dans les rangs des plus grands:funeste nouvelle, Miles Davis pousse son dernier souffle à Santa Monica, le 29 septembre. Critiqué vertement par les uns depuis son virage jazz-rock, idolâtré par les autres pour son refus de se laisser momifier vivant, le Prince des Ténèbres, qui vient de passer l'été à revisiter ses gloires anciennes, s'éteint… *in a silent way* – pour citer le titre de l'un de ses albums controversés. *My Man's Gone Now.*

1992

Au printemps, le guitariste Michel Cusson publie un premier disque sans Uzeb… De la bisbille chez le plus populaire groupe de jazz québécois, allons donc. Le temps est à la fête, pas à la querelle. Après tout, 1992 marque le 350e anniversaire de Montréal. Et il faudra bien que toute la métropole le chante…

Au Festival, la série de concerts Paris Musette vient rappeler les liens qui ont uni la valse musette et le jazz dans la mère-France. Véritables icônes vénérées, les saxophonistes Sonny Rollins et Frank Morgan, le guitariste Al DiMeola, le batteur Max Roach et son double quartette, la chanteuse Nina Simone, le pianiste Paul Bley et le guitariste devenu crooner George Benson nous font grâce de nouvelles visites. Et puis, cette treizième édition du Festival réserve au public des surprises et des découvertes, comme ce merveilleux pianiste nommé Michel Camilo ou le banjoïste électrique Bela Fleck et ses Flecktones qui ne tardera pas à conquérir le cœur des jazzomanes montréalais.

La faune rock, qui traditionnellement considère le jazz avec un brin de suspicion mêlé de dédain, vient en grand nombre pour applaudir chaleureusement la visite d'une étoile du rock progressif, le batteur Bill Bruford (anciennement de Yes, de King Crimson et de Genesis). Autres concessions à la faune rock, la présence des Fabulous Thunderbirds et le retour de John Lee Hooker, que de récentes collaborations avec les actuels dieux du stade ont ramené au goût du jour. Mais le vrai cadeau aux mordus de guitares, c'est sans nul doute le concert d'Uzeb qui attire près de cent mille spectateurs… Après une quinzaine d'années et une demi-douzaine d'albums, se pourrait-il que l'aventure prenne bientôt fin? Des questions sans réponse comme celle-là, l'amateur de jazz s'en posera plus d'une; comme, par exemple, que viennent faire ici les Polyphonies Corses?

Des faits saillants? Les bluesmen anglo-canadiens Jeff Healey et Colin James font trembler les murs de la salle Wilfrid-Pelletier, si l'on en croit le *Journal de Montréal*. Guy Nadon, Roi du Drum, se montre à la hauteur de sa réputation. Le saxophoniste Jan Garbarek et le bassiste Miroslav Vitous offrent une prestation qui trahit une complicité vieille de quelques lunes déjà… La pianiste Lorraine Desmarais anime une "conversation" musicale des plus riches avec sa collègue Joanne Brackeen

Mais 350ᵉ oblige, c'est au pianiste montréalais Oliver Jones que revient la tâche de clôturer cette treizième édition du Festival de jazz dans le cadre du *Concert de Montréal*, où le pianiste partage l'affiche avec le Vic Vogel Big Band et le Montreal Jubilation Gospel Choir. D'ailleurs, cette année, les mots "Vogel" et "jubilation" vont de pair puisque le célèbre chef d'orchestre se voit couronné du prix Oscar-Peterson et également proclamé Personnalité de la semaine par *La Presse*.

Répétons la question, puisqu'elle est une hantise pour plusieurs:faut-il tirer le rideau sur l'odyssée du groupe Uzeb? Il semblerait que oui. Tandis que d'un côté le guitariste Michel Cusson continue de s'afficher avec son nouveau groupe, le Wild Unit, qui privilégie les cuivres plutôt que les claviers et flirte avec les rythmes africains, Alain Caron tourne avec Michel Donato… Qui plus est, le groupe publie à la fin de 1992 un coffret sur CD (*L'intégrale*, Avant-garde), qui a toutes les allures d'un adieu…

1993

Année faste pour le jazz d'ici, 1993 s'amorce néanmoins lugubrement avec l'annonce du décès de Dizzy Gillespie, cofondateur du be-bop et "père" de la trompette de jazz moderne. Le guitariste brésilien débarque en plein février sibérien pour tenter de réchauffer un peu l'atmosphère avec la complicité du saxophoniste Jean-Pierre Zanella. Tambour battant, Bernard Primeau réunit ses troupes et prend la route pour un tour de l'île printanier, histoire de faire entendre la bonne nouvelle:"Il est temps qu'on s'occupe des jazzmen! " déclare-t-il au *Journal de Montréal*.

L'un après l'autre, les pianistes Vic Vogel (en solo) et François Marcaurelle se produisent sur scène. Leur collègue Oliver Jones se joint à l'Orchestre métropolitain pour un exercice pédagogique offert à 5 000 jeunes écoliers montréalais. Le contrebassiste Michel Donato se joint au violoniste Helmut Lipsky et au pianiste James Gelfand pour former le groupe Tricycle – "un véhicule à suivre! " selon Mario Cloutier du *Devoir*. En juin au théâtre Quat'Sous, l'ex-partenaire de Donato Karen Young se paie une ambitieuse traite de cinq concerts, aussi distincts que peuvent l'être ses passions musicales:jazz, classique, rock, world beat et country. En tout, plus d'une quarantaine de musiciens se relaient aux côtés de la chanteuse, qui interprète une centaine de chansons.

Revient enfin l'été et le Festival : un coup d'envoi extraordinaire est confié à Charlie Biddle qui se produit sur les scènes extérieures du Festival pour la première fois en compagnie de sa fille Stéphanie et de son fils Charles Jr., tandis qu'à la Place des

Arts, Herbie Hancock inaugure officiellement les festivités en renouant avec la formule du trio acoustique "piano-basse-batterie". D'ailleurs, on peut dire cette année encore que le piano est à l'honneur puisque figurent également sur la liste d'invités Lyle Mays, Keith Jarrett, Abdullah Ibrahim, Gonzalo Rubalcaba, Chucho Valdés, George Shearing, Geri Allen, Ellis Marsalis, Marcus Roberts et Dave Brubeck.

Mais malgré cette profusion de virtuoses de l'ivoire et de l'ébène, le Festival a décidé de rendre hommage à l'instrument le plus associé au jazz dans l'imaginaire collectif, le saxophone, qui dispute à la trompette le statut d'instrument royal du jazz depuis le début du siècle. Ainsi, quatorze grands souffleurs devant l'Éternel se succéderont sur les scènes du Festival : Gato Barbieri, Stanley Turrentine, Johnny Griffin, Steve Coleman, Grover Washington Jr., Kenny Garrett, Gerry Mulligan, l'Odean Pope Saxophone Choir et le Dirty Dozen Brass Band.

Côté vocal, on accueille Shirley Horn, Betty Carter, Bobby McFerrin et les Neville Brothers, les Holmes Brother. Pour le Grand Événement en plein air, on mise sur le groupe britannique Galliano et son jazz bien dansant. Avec ses rythmes africains, antillais et sud-américains, la série Tropiques se révèle la plus réussie de toute la programmation extérieure, permettant aux Québécois Éval Manigat, Zekhul et autres de prouver que le *world beat* fait partie du paysage montréalais. Et en guise de spectacle de clôture, Ginette Reno propose des relectures bien personnelles des grands standards du jazz, admirablement soutenue par un all-star combo sous la direction d'Oliver Jones. Et puis, le Festival réserve une tribune à l'élite musicale locale et invite cette année les Pierre Saint-Jak, Jean Vanasse, Icarus et Jean Derome à se produire en salle.

Après une petite accalmie de fin d'été, le jazz connaît à Montréal une rentrée spectaculaire comme on n'en a guère vu depuis des lustres. Sur le plan discographique, les jazzomanes se réjouissent de la découverte en septembre d'enregistrements inédits témoignant du passage de Charlie Parker à Montréal en 1953. Publié sur étiquette Uptown, le CD *Montreal 1953* réunit deux prestations – l'une à la télévision de CBC (5 février) et l'autre en direct de Chez Parée (7 février) – où Bird côtoie notamment Paul Bley.

Mais l'événement de l'automne qui retient le plus l'attention est sans contredit la création de Saison Jazz Montréal par Carmelle Pilon, en collaboration avec le pianiste Luc Hamel, une série de spectacles hebdomadaires présentés à la salle du Gèsu. Karen Young ouvre le bal en septembre, suivie au fil de l'automne du saxo Jean-Pierre Zanella, de Diana Krall et du guitariste Brian Hughes, du batteur Guy Nadon, du pianiste François Marcaurelle, du batteur Bernard Primeau qui fête ses vingt-cinq ans de jazz, du pianiste François Bourassa en enfin du bassiste américain John Patitucci, qui clôt sa tournée internationale chez nous, après avoir offert aux musiciens locaux un atelier de formation le même après-midi.

Par effet d'entraînement, Radio-Canada poursuit dans le cadre de son émission *Jazz sur le vif en folie* une tradition amorcée depuis quelque temps à la maison de la culture Frontenac. Parmi les grands moments de la programmation de cette semaine exceptionnelle, rappelons les concerts de Michel Donato et du pianiste Luc Hamel, de Mathieu Bélanger et de l'octet de Yannick Rieu, du vibraphoniste Jean Vanasse, de Michel Cusson et de son Wild Unit, du pianiste Steve Amirault et du saxophoniste Michel Dubeau, sans oublier la soirée de clôture consacrée à Vic Vogel. L'Air du temps surenchérit avec des spectacles du trio Didier Lockwood / Alain Caron / Jean-Marie Ecay, du pianiste Jean-François Groulx en duo avec la chanteuse Christiane Raby, du guitariste torontois Sonny Greenwich, de Michel Dubeau et son groupe Gakki, de Tiger Okoshi, de Paul Brochu et enfin de Michel Cusson.

Début novembre, Chick Corea rapplique en ville avec son Electrik Band II, concert auquel fait écho celui de son disciple québécois, François Bourassa, deux semaines plus tard.

1994

On attend le retour de l'été avec d'autant plus d'impatience que le début de l'année 1994 est assez quiet – on retient un spectacle de l'Orkestre des pas perdus aux Foufounes Électriques en mars et un autre du Groove Collective, groupe d'acid-jazz new-yorkais en avril. Pour marquer le trente-cinquième anniversaire de la disparition de la grande Billie Holiday, le Festival a porté une attention particulière aux chanteuses et pas n'importe lesquelles:Cassandra Wilson, Etta James, Rachelle Ferrell, Jeanie Bryson, Dee Dee Bridgewater, Ernestine Anderson, et Cesaria Evora – avec la présence de toutes ces grandes voix, on se demande comment il se fait que Holly Cole n'ait pas honte de se pointer en ville. Ce parti pris apparent pour le jazz vocal ne signifie pas qu'on néglige les autres types de jazz. Les saxophonistes, à l'honneur l'année précédente, sont représentés cette année par David Sanborn, Pharoah Sanders, Joshua Redman, Charles Lloyd et Art Porter. Les pianistes:Jacky Terrasson, Geoff Kinzer, Paul Bley, Hank Jones et Oliver Jones. Les guitaristes:les deux ex-rockers Andy Summers (The Police) et John Etheridge (Soft Machine), l'espagnol Paco DeLucia, George Benson de même que son émule Ronny Jordan, Les trompettistes:mon préféré parmi les jeunes loups, Wallace Roney, mais aussi Roy Hargrove, Terence Blanchard, Arturo Sandoval et le roi des rois, Wynton Marsalis.

Prix Miles-Davis

Depuis 1994, le Festival décerne annuellement un deuxième grand prix destiné à honorer un musicien de réputation internationale pour l'ensemble de son œuvre et pour sa contribution exceptionnelle au renouvellement du jazz. Baptisé Prix Miles-Davis avec la bénédiction de la succession du défunt Prince des Ténèbres, le trophée a été comme par hasard attribué à des musiciens qui ont appartenu à un moment ou un autre au groupe de Miles. Dans l'ordre : le guitariste John McLaughlin (1994), le saxophoniste Wayne Shorter (1996), le guitariste John Scofield (1998).

N'en déplaise au puriste Marsalis et conformément à son éclectisme traditionnel, le Festival met également à l'avant-scène le rhythm and blues (Doctor John, Booker T. and the M.G.'s, Brian Setzer Orchestra) et la musique africaine (King Sunny Adé, Youssou N'Dour, Geoffrey Oryema, Lorraine Klaasden). En outre, *La Nuit des gitans*, le grand événement extérieur réunit cette année le groupe français à l'âme romanichelle Bratsch, le Rosenberg Trio et la formation Strunz & Farah. Mais sur un mode plus jazz, le bassiste Ron Carter est la vedette de la série "Invitation" et se produit durant cinq soirs consécutifs dans des formations de taille diverse.

Puisque le Festival fête également son quinzième anniversaire, il convie quelques-uns des lauréats de son Concours à faire valoir leur musique:Steve Amirault, François Bourassa, Lorraine Desmarais, Michel Donato, James Gelfand se produisent dans le

71

cadre de cette série. D'ailleurs, à ce titre, un fort contingent de musiciens locaux figure à la programmation:Sayyd Al Khabyyr et ses fils Nasyr et Muhamad, Vic Vogel, Luc Hamel avec sa *Symphonie Funk*, Nelson Symonds, Guy Nadon, Rémy Bolduc, François Marcaurelle et Normand Guilbeault, qui remporte cette année les honneurs du Festival.

Et pendant qu'on y est, le Festival inaugure un autre grand prix, celui-là destiné à honorer un grand musicien de réputation internationale pour l'ensemble de son œuvre. Baptisé le prix Miles-Davis, le trophée est remis au guitariste britannique John McLaughlin, qui dès 1969 accompagna Miles dans ses premières aventures électriques…

À l'automne, Saison Jazz Montréal poursuit sa démarche qui vise à provoquer des rencontres entre musiciens internationaux et québécois:en septembre, on présente D.D. Jackson, pianiste que l'on a connu auprès de David Murray, puis l'Orchestre de contre-basses, une formation française de six contrebassistes. Suivent en octobre:la pianiste de Chicago Myra Melford accompagnée du clarinettiste François Houle en octobre; le pianiste Joey Calderazzo en compagnie du bassiste Sylvain Gagnon et du batteur Magella Cormier; la rentrée du baryton québécois Charles Papasoff; puis en novembre, le pianiste Steve Amirault et enfin le multi-instrumentiste Éval Manigat aux commandes de son groupe Tchaka.

Cet automne voit aussi paraître les nouveautés de Ranee Lee, du Montreal Jubilation Gospel Choir et de Jerry Brown, sans oublier le *Wild Unit 2* (Avant-garde) de Michel Cusson.

1995

Après le carême des dernières années, écrit Serge Truffaut dans Le Devoir, les mordus devront apprendre à gérer l'abon-dance. Dans cette avalanche, on remarque les noms de la chanteuse Jeri Brown, qu'on peut désormais considérer comme Montréalaise d'adoption, et du saxophoniste Branford Marsalis (avec son groupe acid-jazz Buckshot LeFonque) qui défendent leurs nouvelles paru-tions sur nos scènes. De son côté, Harold Faustin, qui a lui-même signé récemment un premier CD (*Parallélisme*, Amplitude) vient clore en beauté la Saison du Gesù en avril.

En mai, le contrebassiste Michel Donato et l'harmoniciste Alain Lamontagne lancent l'album *De toute beauté* (Transit), un heureux mariage de jazz et de folklore, qui sera suivi d'une série de concerts à l'automne, dans une mise en scène élaborée. "Les gens tombent sur le cul en voyant le spectacle, déclare Lamontagne au *Voir*. Ils sont surpris de ce qui se passe musicalement. J'ai un jeu à l'harmonica qui fusionne le côté traditionnel québécois à celui du blues. Le jeu de pieds est aussi très spectaculaire."

Le pianiste Oscar Peterson donne le coup d'envoi, le 6 juillet, de cette seizième édition du Festival. Et, comme toujours, pendant la dizaine de jours qui suit, le centre-ville montréalais vibre au son du jazz (toutes tendances confondues) et des musiques connexes. Ah, éclectisme quand tu nous tiens! En 1995, on peut applaudir dans le désordre le tromboniste et joueur de conques marines Steve Turre, l'ex-Stray Cat, devenu chef de big band néo-swing Brian Setzer, les frères Michael et Randy Brecker, le trio Al DiMeola / Stanley Clark / Jean-Luc Ponty, le bassiste Christian McBride, les chanteurs Al Jarreau et Kurt Elling, les saxophonistes Lou Donaldson, Joshua Redman, Javon Jackson et James Carter, le guitariste Robben Ford, les pianistes Billy Taylor, D.D. Jackson, Jean Beaudet, Julian Joseph, Stephen Scott, Kenny Barron et Jacky Terrasson, les chanteuses Dee Dee Bridgewater, Cassandra Wilson, Cesaria Evora, Nnenna Freelon… et, mais seulement si vous y tenez absolument, l'ennuyeuse Holly Cole.

Au Monument National, nouveau lieu de spectacle annexé au Festival, la série "Invitation" met cette année en vedette le saxophoniste David Murray qui y donne cinq concerts consécutifs, puis le pianiste Randy Weston qui en donne pour sa part quatre. Charlie Haden et son Quartet West plongent le Spectrum dans une ambiance de série noire, lors d'un concert accompagné d'images tirées de classiques du cinéma des années quarante et cinquante. Pour fêter le soixantième anniversaire de Vic Vogel, son big band investit la scène du Spectrum avec des invités cubains. En guise de méga-événement plein air, le Festival programme cet hommage à René Dupéré (compositeur attitré des musiques du Cirque du Soleil) ce qui, à défaut d'avoir le moindre rapport avec le jazz, réaffirme hors de tout équivoque la vocation familiale de l'événement…

73

Quant au Prix du Festival, c'est l'excellent pianiste Jean-François Groulx qui l'emporte cette année. Mais toute bonne chose a une fin, comme dit le proverbe. Et le seizième Festival de jazz se termine sur des notes familières: celles issues de la guitare de Pat Metheny...

Fort du lancement de son quatrième album post-Uzeb (*Rhythm'n Jazz*), Alain Caron inaugure au Gesù la nouvelle Saison Jazz Montréal. N'en déplaise aux fans de son ancien groupe, Alain Caron a tout de même décidé de se distancer du jazz-rock: "Pour la plupart du monde, le fusion c'est un paquet de notes et pas beaucoup de feeling, confie-t-il lors d'une entrevue à Voir. Dans la tête des gens, des médias, et de ceux qui travaillent dans les magasins de disques, le mot fusion réfère aux années soixante-dix, une certaine époque où le jazz était très électrique. La mode fut alors d'affirmer que cette musique n'avait pas de sentiments. Pour toutes ces raisons, je voulais m'enlever cette étiquette."

En octobre, *Jazz sur le vif...* présente à la maison de la culture Frontenac huit soirées de deux concerts avec quelques-uns des meilleurs jazzmen canadiens: Sonny Greenwich, Jeri Brown, Jean Beaudet, Jessica Vigneault, François Marcaurelle, Madeleine Thériault, Harold Faustin, le trio Panache, le groupe Basse Section de Frédéric Alarie, le duo Alain Caron / Michel Donato, Denis Lepage et enfin Roy Patterson, le lauréat du Concours du Festival international de jazz de Montréal 1996. À ceux-ci s'ajoutent trois invités de l'étranger: Maurizio Bionda (Suisse), Manuel Rocheman (France) et le trio Aka Moon (Belgique).

L'année jazz 1995 se clôt avec les spectacles de deux pianistes canadiennes : Renee Rosnes en novembre et Lorraine Desmarais en décembre.

1996

À la faveur du vent de renouveau swing qui souffle sur l'Amérique, s'ouvre une nouvelle salle, Alley Cats, qui privilégie les big bands. Après le concert de D.D. Jackson en début février,

Saison Jazz Montréal présente l'événement *Pianissimo*, audacieuse rencontre au sommet entre trois pianistes locaux: Jean-François Groulx, Jean Beaudet et Dinah Vero. En mars, au tour de Lorraine

Desmarais de présider à la soirée *Women in Jazz*. Puis, Michel Cusson prend d'assaut la salle du Gesù pour présenter live la musique très miles-ienne qu'il a composée pour la série télévisée *Omertà*. Fort de cette expérience, l'ex-guitariste d'Uzeb confiera d'ailleurs au *Journal de Montréal* qu'il entend récidiver, pour la télé, le cinéma ou même la publicité.

Et puis, ce beau printemps nous offre aussi l'extraordinaire hommage à Mingus de Normand Guilbeault et de son ensemble, une visite de Steve Coleman et une autre de Cassandra Wilson, en programme double avec le saxophoniste Courtney Pine.

Revient encore le Festival avec son cortège de stars d'ici et d'ailleurs. Cette dix-septième édition sert de trame de fond au feuilleton "L'avocat du jazz" que j'ai eu le plaisir d'écrire quotidiennement dans les pages du journal *La Presse*, auquel je renvoie les lecteurs désireux d'en savoir davantage sur les spectacles présentés cette année-là. À mi-chemin entre l'œuvre de fiction et la chronique, "L'avocat du jazz" apparaît en version intégrale pour la première fois dans ce livre.

Malgré l'impressionnante brochette d'artistes présents, l'heure n'est pas qu'à la fête, car le Festival éprouve quelques difficultés à boucler son budget. Nouvel S.O.S. Faute de nouvelles subventions gouvernementales, le FIJM pourrait déménager dans le Vieux-Port. Le gouvernement du Québec allonge 75 000 $ à l'organisation, qui devra aller chercher le manque à gagner au fédéral et au municipal. Tout finit bien sûr par s'arranger… jusqu'à la prochaine fois…

En attendant la prochaine fois, la quatrième édition de Saison Jazz s'ouvre à l'automne – sous le signe de l'ambition, selon Mario Cloutier du *Devoir*. L'année s'achève avec une visite de Dave Brubeck au Medley en novembre et les retrouvailles sur disque et

La Petite École du Jazz

Beau temps, mauvais temps, le Festival présente deux fois par jour sa Petite École du Jazz dans l'aire d'animation intérieure du complexe Desjardins. Durant une heure, le comédien Jacques L'Heureux (que les enfants ont connu en tant que Passe-Montagne, dans la série de télévision Passe-Partout) se joint au groupe vocal la Bande Magnétik et à des musiciens locaux pour initier les petits au b.-a.-ba du jazz. Spectacle gratuit, caractérisé par la bonne humeur, la Petite École propose au jeune public d'apprendre tout en s'amusant.

sur scène du tandem Karen Young et Michel Donato. Entre les deux, belle démonstration de solidarité, Charles Biddle, Alain Caron, Michel Donato, Lorraine Desmarais, le Vic Vogel Big Band, Montreal Jubilation Gospel Choir, Dave Turner, Ranee Lee et une foule d'autres musiciens se réunissent au Spectrum, le 24 novembre, pour une soirée-hommage-bénéfice au profit du guitariste Nelson Symonds, en convalescence à la suite d'une délicate opération au cœur.

1997

Ambitieuse, la Saison Jazz? dixit *Le Devoir*. Et comment! Elle repart sur les chapeaux de roues en janvier 1997, avec le passage au Gesù de la vigoureuse Cindy Blackman, que les amateurs de rock connaissent surtout pour son travail auprès de Lenny Kravitz. Mais Blackman est sans doute la plus impressionnante disciple de Tony Williams qui, hélas, s'éteindra soudainement en mars, au lendemain d'une opération chirurgicale pourtant bénigne. Cet hiver semble appartenir aux jazzwomen, tant elles sont nombreuses à défiler sur nos scènes : Jeri Brown, puis Ranee Lee, se produisent en février. En mars, la désormais traditionnelle Journée des femmes de Saison Jazz Montréal réunit sous l'égide de la pianiste d'origine martiniquaise Dinah Vero, la trompettiste Ingrid Jensen, la saxophoniste Jennifer Bell, la contrebassiste new-yorkaise Jennifer Vincent et la batteure Sylvia Cuenca. "Peut-être que le talent des filles n'est pas assez encouragé, de dire la directrice musicale Dinah Vero au journal *Voir*. Il n'y a pas de prérequis pour que le jazz soit une affaire d'hommes. On n'est pas toutes obligées d'être des programmeures-analystes. Le but de ce concert, c'est d'encourager des vocations, d'être des modèles pour les jeunes débutantes."

Le mois de mars voit également se succéder à Montréal le saxophoniste portoricain David Sánchez puis le groupe italien Palatino, dirigé par le batteur Aldo Romano et mettant avantageusement en vedette le trompettiste Paolo Fresu, tous dans le cadre de cette Saison Jazz qui semble devenir indispensable. La série se clôt en beauté avec un spectacle de la pianiste belge Nathalie Loriers, avec pour invité son compatriote le guitariste Philippe Catherine, qu'on a connu auprès de Chet Baker.

Au mois de mai, le Musée des Beaux-Arts renoue avec une tradition de la fin des années soixante-dix en invitant le pianiste François Marcaurelle à présenter un spectacle qui mêle jazz et arts visuels. Puis le Festival prend la relève, sous le signe de la controverse, alors que des groupes anti-tabagistes manifestent contre lui, qui tire une bonne partie de son financement des commandites des compagnies de cigarettes. Déjà en mars, André Ménard s'inquiétait de la nouvelle loi sur les commandites de tabac à laquelle travaille le gouvernement fédéral. Jusqu'où iront la paranoïa et la rectitude politique? On est en droit de se le demander…

Mais qu'importe! Il y a le mois de juin et les jazzmen ne demandent qu'à se faire entendre. Au lendemain d'une prestation avec son groupe de jazz latin Crisol (où brille le pianiste cubain Chucho Valdés), le trompettiste Roy Hargrove se produit à la Place des Arts dans un programme triple:en trio avec le pianiste Stephen Scott et le bassiste Christian McBride, le temps d'un hommage à Charlie Parker; avec son sextette usuel, où le formidable David Sánchez remplace enfin, à pieds levés, le saxophoniste absent.

Mais il n'y en a pas que pour ce jeune disciple de Clifford Brown. Cette année 1997 marque aussi l'émergence de Madeleine Peyroux, une jeune chanteuse blanche de la Nouvelle-Orléans en qui l'on croit reconnaître la réincarnation de Billie Holiday. Entourée des jeunes jazzmen les plus en vue – le pianiste Cyrus Chesnut, le saxophoniste James Carter, le trompettiste Marcus Printup, la violoniste Regina Carter, par ailleurs tous présents sur les autres scènes du Festival – elle s'affiche comme la révélation de l'année.

Et puis la programmation en offre comme d'habitude pour tous les goûts:de Lee Konitz à John Zorn en passant par Jackie McLean, c'est cinquante ans d'histoire du saxophone alto moderne qui se déroule en accéléré sur nos scènes. Au chapitre des incongruités désormais coutumières, les puristes se demandent bien si la chanteuse anglo-canadienne Jane Siberry était vraiment à sa place sur le site, mais acceptent sans trop rechigner la présence du collectif hip-hop montréalais Bran Van 3000, dont le succès dépasse largement les frontières de sa ville d'origine.

Mais une controverse opposant la Guilde des musiciens et le Festival de jazz de Montréal, occasionnant l'annulation de plusieurs spectacles, vient gâcher un tantinet l'ambiance festive. Rappelons brièvement les faits, exposés par Éric Grenier dans *Voir*:sans crier gare, la Guilde décide de tripler les cotisations que doivent payer les artistes étrangers invités au Festival. Pour "faire entendre raison" à l'Équipe Spectra, la Guilde refuse de verser les 30 000 $ qu'elle consacre chaque année pour produire des artistes de la relève du jazz – même si ce fonds provenant des ventes de disques à la grandeur du continent ne lui appartient pas, mais appartient plutôt à l'ensemble des guildes nord-américaines affiliées à l'American Federation of Musicians. Résultat:une douzaine de spectacles ont été annulés, dont celui du big band progressiste Kappa. En guise de solution, Alain Simard propose la création d'une Guilde à deux vitesses:l'une pour les musiciens professionnels; et une autre, pour les petits, où les coûts des cotisations refléteraient un tant soit peu la réalité du marché. Mais la Guilde soutient qu'un producteur n'a pas à dicter la conduite d'un syndicat, ni le montant des cotisations qui lui sont dues… Dans cette histoire, certes, les deux parties ont leurs torts, mais la Guilde n'avait pas le mandat des membres pour imposer une telle hausse. À cause de son attitude, la Guilde met en péril les chances de travail pour les musiciens d'ici.

Revient l'automne. Saison Jazz reprend du service avec Greg Osby en septembre, puis Steve Turre en octobre. Fort d'un nouvel album paru en août, *Virage* (Swing'in Time), enregistré avec la participation du tromboniste américain Ray Anderson, Bernard Primeau s'offre le luxe d'un premier spectacle à la Place des Arts avec pour invité le saxophoniste Sonny Fortune, ancien compagnon d'armes de Miles. Et presque simultanément, le batteur Guy Nadon et le bassiste Alain Caron célèbrent respectivement cinquante et trente ans de carrière, soit presque un siècle d'expérience musicale à eux deux…

Madeleine Peyroux, qui s'était entourée de la crème de la crème en matière de jeunes jazzmen lors de son passage au Festival, revient en novembre au centre Molson, où elle assure la première partie du spectacle de la chanteuse rock-pop Sarah McLachlan. Mais son mélange de jazz et de blues, en petite formation acoustique, ne convient guère à la démesure de la salle et semble laisser le public de glace. Troisième invité de Saison Jazz,

78

Steve Lacy réussit à faire salle presque comble au Gesù, malgré le rival de taille que lui oppose l'Équipe Spectra au théâtre Saint-Denis, le guitariste Pat Metheny...

Arrivé sur la scène jazz dans le sillage de Wynton Marsalis et des autres jeunes loups qui ont accaparé l'attention médiatique durant les années quatre-vingt avec leur néo-bop acoustique que certains ont perçu comme académique et rétrograde, Hart et son groupe interprètent des pièces de son récent CD, *Here I Stand*, et des extraits du prochain, inscrit dans la continuité d'une démarche exploratoire. "Je veux aller de l'avant. Ça a tout et rien à voir avec la musique; je veux progresser sans cesse sur le plan spirituel," déclare-t-il au journal *Ici*.

Et l'année 1997 s'achève sur la mort du légendaire Stéphane Grappelli.

1998

Tout s'annonçait pourtant bien pour l'organisation de Saison Jazz Montréal, qui fêtait son miraculeux cinquième anniversaire en présentant un mini-festival (*L'hiver sous le parasol du jazz*), dont le clou serait ce Gala pour rendre hommage à nos jazzmen locaux, notamment le batteur Bernard Primeau (Prix Hommage) et le bassiste Frédéric Alarie (Prix Découverte). Hélas, il a fallu que la crise du verglas vienne ajouter, non pas son grain de sel, mais des complications aux problèmes nombreux qui affligeaient déjà l'organisation. Les dés semblent jetés pour Saison Jazz Montréal et même la soirée bénéfice avec Karen Young, en février, ne semble pas pouvoir sauver la mise. À défaut de subventions ou d'un bassin de public assez important, on rêve de mécénat pour le jazz d'ici ... Ne serait-il pas temps pour les rupins de voir le jazz comme un trésor? En tout cas, les patrons de Birks, la célèbre bijouterie du centre-ville métropolitain, semblent donner l'exemple en présentant cette année dans leur vitrine une exposition portant sur Oscar Peterson, le non moins célèbre jazzman montréalais. À quand la suite...

En attendant, pour la dernière de Saison Jazz Montréal, le 6 mai, l'Altsys Jazz Orchestra fait entendre au Gesù la voix singulière de Maria Schneider, compositrice et orchestratrice new-yorkaise en qui la critique voit l'héritière de Carla Bley, au grand

79

dam de la principale intéressée. "Les médias profitent toujours de ces occasions pour nous opposer les unes aux autres de manière dépréciative, déclare Schneider en entrevue. Je ne suis pas la prochaine Carla Bley et je n'ai aucune envie de l'être. Je veux juste être moi."

Au plus grand plaisir de ceux qui n'aiment pas le jazz, la dix-neuvième édition du Festival s'ouvre à l'électronica en invitant aux Foufounes Électriques certains des groupes les plus intéressants de cette musique qui, cependant, n'a pas grand-chose à voir avec la Nouvelle-Orléans: Jaz Klash, Purple Penguin, Federation, Herbaliser, mais surtout Nils Peter Malvaer, le très miles-ien trompettiste norvégien. Autres têtes d'affiches, plus tradition-nelles celles-là: le légendaire guitariste et chanteur cubain Compay Segundo, découvert grâce au disque *Buena Vista Social Club*; John Scofield, vedette de la série "Invitation" et récipiendaire du Prix Miles Davis; l'incontournable Vic Vogel; le pianiste Michel Petrucciani; le retour de Ray Charles; le bluesman de ces dames, Keb' Mo', précédé sur la scène du Spectrum par le cornettiste Olu Dara (une révélation!); Béla Fleck et ses Flecktones; le saxophon-iste James Carter; l'événement Latin Crossings qui réunit le chanteur Steve Winwood, le trompettiste Arturo Sandoval et le percussionniste Tito Puente au Metropolis; le batteur Brian Blade, auquel la faune rock s'intéresse parce qu'il a collaboré avec Daniel Lanois; le guitariste Kevin Eubanks et son trio (avec l'infatigable batteur Marvin Smitty Smith) loin des âneries du *Tonight Show*; le trio Painkiller qui réunit l'iconoclaste saxophoniste John Zorn, le bassiste Bill Laswell et le batteur de rock Mick Harris; enfin, John Pizzarelli, remplaçant de Harry Connick Jr et Holly Cole au département des imposteurs sur-médiatisés, qui propose une relecture faussement jazzée des succès des Beatles, aussi idiote que vaine.

Côté local, le Musée d'art contemporain, qui présente depuis des années les tendances les plus avant-gardistes du jazz, propose le Trio Tisserand, ensemble à composition variable dont la direction est assurée d'un soir à l'autre par différents membres de l'élite de la musique actuelle québécoise (Jean Derome, Michel F. Côté, etc.). Et puis, petites et grandes formations d'ici défilent sur les scènes du site: Suzie Arioli Big Band, Alain Caron et son Band, l'Orkestre des pas perdus, Jean-Pierre Zanella Quartet, Michel Cusson et son Opération Omertà, Jazz Pharmacy, etc, etc.

Mais encore…

¡Caramba¡ En guise de coup d'envoi du Festival, quoi de mieux que ce triptyque David Sánchez? D'abord, le saxo portoricain et le légendaire pianiste cubain Chucho Valdés engagent un dialogue enfiévré où l'absence de percussions ne nuit en rien à leur science du rythme. Puis, entouré de son quintette – dont l'éblouissant percussionniste Pernell Saturnino – et d'une section de cordes et de bois pour la deuxième partie, seul avec son combo pour la troisième, Sánchez enfile des extraits de son superbe album *Obsesión* avec tant de joie de vivre qu'on aurait envie de filer droit vers Porto Rico pour y demander l'asile… musical!

Concert de consécration pour Diana Krall:en trio avec le bassiste Ben Wolfe et le guitariste Russell Malone, la chanteuse-pianiste se révèle digne de son mentor, Nat King Cole. Même si elle ne réinvente pas la roue, elle livre la marchandise avec la grâce d'un ange! En programme double, Yusef Lateef et Pharoah Sanders font d'autant moins l'unanimité qu'après un set endormant de Lateef, le Pharaon reste enfermé dans un sarcophage de clichés dont le public se lasse assez vite. Le paradoxe des soirées marathons est de faire paraître grandiose un concert aussi convenu que celui de Wynton Marsalis et le Lincoln Center Jazz Orchestra. Le répertoire amidonné inclut des œuvres de Duke Ellington, de Dizzy Gillespie, de Charlie Mingus, de Gerry Mulligan et… de Wynton lui-même (que des grands, pardi!), interprétées avec rigueur par des solistes irréprochables. Mais quelle insignifiance puérile et démodée que ce "Big Train", interminable suite ferroviaire signée Marsalis!

Le fougueux Brad Meldhau en trio démontre à ceux qui l'ignorent encore qu'il est l'un des pianistes à surveiller, puis cède la scène au Terence Blanchard Quartet. Après quelques emprunts au répertoire de Miles, le trompettiste néo-orlanais a invité le chanteur Jubilant Sykes à le rejoindre pour une relecture de quelques negro-spirituals. D'ailleurs, le gospel est à l'honneur cette année puisque le méga-événement extérieur met en vedette les Harlem Gospel Singers.

Au Spectrum, la sirène juive Noa admet avec ironie que sa pop envoûtante n'était pas du jazz, mais *so what?* En présence d'une artiste d'un tel calibre, qui donc a envie de rechigner? Avec sa voix de velours et ses chansons bien tournées, la torontoise Shirley Eikhard ravit le public de chez Musimax, dont son idole Ginette Reno. Au Gesù, en solo ou en duo, plus complices que rivaux, les pianistes Cyrus Chesnut et Benny Green séduisent par leur fidélité au blues et leur virtuosité… à la limite du cabotinage, mais ne boudons pas le plaisir. Tom Harrell émeut d'autant plus que nul ne sait à quoi s'attendre. Malgré les troubles schizophréniques qui l'affligent depuis trente ans, Harrell est un as trompettiste et un compositeur-arrangeur de premier ordre, épris de rythmes brésiliens. Même en l'absence du saxo Greg Tardy (fâché d'avoir été rebaptisé *Craig* dans le programme officiel?), son combo impressionne ceux qui ont le tact de faire abstraction des tics de Harrell pour prêter l'oreille aux arias de son bugle et au superbe percussionniste Valtinho Anastacio.

C'est littéralement le triomphe pour le Festival. *La Presse* le confirme en décernant son titre de *Personnalité de la semaine* à deux de ses héros:le président, Alain Simard, le 5 juillet, suivi la semaine suivante de Sa majesté le Roi du Drum Guy Nadon, également récipiendaire du Prix Oscar-Peterson.

La rentrée s'amorce sur une note un peu plus triste : on déplore la fin des activités de Saison Jazz Montréal, annoncée officiellement le 1er septembre. Pendant cinq ans, Carmelle Pilon a porté à bout de bras cette fastidieuse entreprise d'assurer une continuité entre deux festivals de Jazz. Parmi les raisons invoquées, la directrice et fondatrice parle de non-rentabilité et de sa propre lassitude. "Il faut vraiment faire ça par altruisme, je suis tannée de courir après les subventions. On a beaucoup tripé à faire ça, mais il est temps de passer à autre chose."

L'autre chose, pour le jazzophile, c'est peut-être le dixième anniversaire de l'émission *Jazzbeat* (CBC Radio) qu'on célèbre en grande pompe au Spectrum avec un big band canadien sous la direction de Vic Vogel; ou encore les vingt chandelles de l'Air du temps, qui rassembleront le gotha du jazz montréalais; ou encore la sortie du premier album du big band Kappa… Mais comment avoir le cœur à la fête quand la Faucheuse nous ravit les pianistes Michel Petrucciani et Kenny Kirkland…

Allons, gardons la tête haute. Le jazz n'a pas encore dit son dernier mot, on le répète. Après nous avoir donné le meilleur disque de sa carrière (Cactus, Lost Chart), le pianiste François Bourassa termine l'année dans un esprit qui convient bien à la saison puisqu'il accompagne la chanteuse italo-montréalaies Emilia Longo, *Buon Natal all'Italiana* (Disques ⓐ)

1999 : l'année de tous les anniversaires

Le hasard, qui n'existe pourtant pas (nous dit-on), fait souvent bien les choses. Ainsi, sans qu'il y a eu une volonté délibérée de créer un événement, le Festival international de jazz de Montréal célèbre ses vingt ans en cette année qui marque à la fois le centenaire de Duke Ellington… et celui du jazz lui-même! Parce qu'ils ont de la suite dans les idées, les organisateurs ont donc décidé de renforcer le caractère louisianais de la fête, en instaurant une parade quotidienne sur le site ainsi que des croisières de jazz traditionnel et de zydeco à bord du navire Nouvelle-Orléans. Et pour immortaliser cet anniversaire, le Festival lance un coffret de quatre disques compacts illustrant ces vingt années de découverte musicale et annonce une série de télévision qui retracera les faits saillants d'une histoire qui en compte pas mal.

Au moment d'aller sous presse, on nous annonce une programmation des plus variées et des plus passionnantes : hommages à Miles Davis avec son disciple Mark Isham mais, surtout, la sirène Cassandra Wilson ; un John McLaughlin nostalgique qui se rappelle sa légendaire formation Shakti; une série "Invitation" que se partagent le saxophoniste Joe Lovano et le pianiste Oliver Jones; une rétrospective québécoise avec quelques lauréats du Concours du Festival (Donato, Desmarais, Amirault, Bourassa, etc.) ; le retour de Diana Krall, Toots Thielemans, Archie Shepp, Dave Brubeck, Branford Marsalis, Patricia Barber ; la présence fort prometteuse du batteur T.S. Monk, fils de vous-savez-qui…

En d'autres mots, empruntés à Monk le père, *when you are swinging, swing some more !*

83

L'AVOCAT DU JAZZ

OU COMMENT J'AI PASSÉ
MES VACANCES D'ÉTÉ 1996

*Quelque temps après la publication de mon roman **Zombi Blues** (La courte échelle, "16 / 96"), j'ai eu le plaisir de tenir une chronique quotidienne dans les pages de La Presse, à l'occasion de la dix-septième édition du Festival international de jazz de Montréal. Intitulée "L'avocat du jazz", cette chronique était en fait une nouvelle fantastique en dix tranches rédigées au jour le jour et qui devait tenir compte de ce qui se passait en ville au cours du Festival. Bref, je m'étais engagé à écrire quotidiennement un feuilleton qui serait à la fois un commentaire et une fiction — voire une improvisation — sur le thème du Festival de jazz. Conséquemment, les spectacles évoqués au fil de cette histoire ont tous été présentés entre le 29 juin et le 7 juillet 1996.*

Quant au nœud de mon intrigue, il m'avait été inspiré par une découverte que j'avais faite quelques mois auparavant, en fouillant dans le bac de liquidation d'un disquaire : Wilbur Harden, un trompettiste de hard bop méconnu, qui s'est mystérieusement volatilisé après avoir enregistré pour la firme Savoy quelques disques, notamment en compagnie de John Coltrane, Yusef Lateef et Tommy Flanagan. Pour les besoins du feuilleton, j'ai imaginé un héros qui serait appelé à revenir dans des œuvres ultérieures, Marvin Courage, journaliste haïtiano-québécois et féru de jazz que d'aucuns ont tout de suite confondu avec son créateur... D'autant plus que, comme moi, Courage fréquentait les jam-sessions du Café Sarajevo! Mais tout de même, c'est fou ce que les gens sautent vite aux conclusions!

*Quant au thème du trompettiste disparu, il m'a obsédé à un point tel que j'y suis revenu dans un récent roman, pour ados cette fois, **Le temps s'enfuit** (La courte échelle, "Roman +"). Comme quoi on ne se refait pas... N'empêche. Personne à ce jour n'a pu me renseigner sur ce qu'il est advenu de Wilbur Harden. Est-il mort? Ou se la coule-t-il douce, anonyme et oublié, quelque part dans son Alabama natale? Comme on dit, seul Dieu le sait et le Diable s'en doute...*

85

INTRUSIONS

Rue Clark, à l'ombre d'une église en ruines digne d'un roman gothique, on trouve un club semblable aux caveaux-à-jazz de ces *thrillers* situés dans quelque république outre-le-rideau-de-fer. Même le nom évoque l'Europe de l'Est : Café Sarajevo. Ne manque que Sean Connery en tux, accoudé au bar, dry martini *shaken but not stirred* à la main...

Ce que les propriétaires, Osman et Lily, ont réussi tient du miracle : transformer ce bar à la réputation autrefois douteuse en une boîte sympa, sans dope ni putes, Dieu merci pas assez *in* pour attirer les m'as-tu-vu. De semaine en semaine, s'y succèdent lancements, récitals de poésie, de musique classique ou folklorique.

Pour ma part, je fréquente les jam-sessions du week-end. Je m'y coule, aussi à l'aise qu'un politicien dans le mensonge. L'orchestre des Lily's Tigers swingue sur "Dig". Anna lève les yeux de son tarot et m'accueille avec ce sourire pour lequel le plus vertueux Jésuite solderait son âme.

— *Hi*, Marvin, c'est un long temps depuis qu'on t'a vu...

Accent italien et français cassé font partie de son charme. Bises. Anna dit vrai. Avec le branle-bas dans ma vie, je me suis fait rare. Comme je couvre le Festival pour le journal, j'estime de mise un brin de ressourcement avant de plonger dans le bain. Le programme cette année a d'ailleurs de quoi donner des chaleurs. Outre les gloires locales, on aura l'occasion de voir et d'entendre Sonny Rollins, Horace Silver, Wayne Shorter et surtout l'hommage à Bud Powell par Chick Corea et son *dream team* : Wallace Roney, Joshua Redman, Christian McBride et Roy Haynes.

— Une bonne aventure, Marv ?

Je ne rectifie pas sa syntaxe ; il y a de ces fautes qui invitent au rêve. Déjà, Anna brasse ses cartes. Ce n'est pas soir de consultation mais, pour moi, elle fera toujours un spécial. Surtout qu'elle me sait d'un scepticisme à toute épreuve.

Je feins l'inquiétude. Quatre de coupe. Mezza voce, Anna débite sa salade, une César minimum, avec la gravité qui convient : *invitation à sortir des sentiers battus ; examiner les offres, les accepter au risque d'y perdre au change.* J'en perds des bribes, le band chauffe terrible. En me servant ma Boréale, Ewa m'informe qu'on me réclame à l'arrière. Qui? Une riche héritière follement éprise de l'enfant chéri des médias?

— *You wish*, me taquine Ewa.

Je passe au salon, saluant au passage Antòn *my main man* Rozankovic, au piano, qui attaque "Cantaloupe Island" de Herbie Hancock. Je fais tourner mon poing en l'air et lance «*funky, funky, funky*».

— *Jazz buff, ain't you, mister Courage?*

Et comment! Nul besoin de lire ma chronique *L'avocat du jazz* pour le savoir; suffit de m'avoir vu une fois, juste une, taper du pied, claquer des doigts, entrer en transe au son de Duke, Miles ou 'Trane pour me diagnostiquer *jazzus fanaticus*!

Ce Nègre pâle et moustachu, mine triste et *pork pie hat*, me rappelle quelqu'un, mais qui? Je pose mon verre près du sien.

— Wilbur Harden, vous connaissez?

J'ai déjà vu le nom sur d'anciens 33 tours Savoy réédités dans la foulée de la Renaissance Bop initiée par Saint-Wynton et ses apôtres. Mais je n'ai jamais été un adepte de **Quelques arpents de piège.**

— C'est vous?

— *Not me*. Mais son histoire vous intriguera...

Il me darde de son regard de vendeur de chars usagés. Un air d'aristo mais rien de DeNiro en Louis Cyphre... alors pourquoi diable est-ce que je me sens comme Mickey Rourke dans **Angel Heart**?

Une sonnerie. Des yeux amusés convergent sur moi. Normal. Dès que le téléphone sonne autour de minuit au Café, on ouvre les paris : mon ex? Je prends le combiné des mains d'Ewa. Plutôt que la voix stressée d'Angie, un bugle perdu au loin; malgré les envolées de Mathieu, le clarinettiste, sur "Cantaloupe Island", je reconnais le standard "I Have Dreamed".

— Wilbur Harden, monsieur Courage. *Remember...*

Cette voix, je viens juste de l'entendre!

Volte-face inutile. J'ai regardé **The Twilight Zone** assez souvent pour deviner que mon drôle d'oiseau s'est volatilisé. Je récupère ma bière et porte un toast.

Goodbye, Pork-Pie Hat.

Pour l'instant...

87

L'AVOCAT DU JAZZ

RETRATO EN BRANCO E PRIETO

Ma semaine, il faut le dire, avait débuté sur une fausse note, stridente au max, émise par le téléphone à neuf heures du mat, dimanche – au beau milieu de ma nuit, quoi! Il m'avait toujours été difficile d'admettre que l'univers soit déjà en opération à pareille heure.

— Marv, je te réveille?

Angela, qui d'autre? Ces jours-ci, les appels importuns ont remplacé les Prozac – prescription de son doc, sans doute!

— Bon, qu'est-ce que t'as à me vendre aujourd'hui? Le cancer?

Non contente de carburer à l'angoisse, mon ex se recyclait en Vox Fatalis : Ella, elle avait tiré sa dernière révérence la veille. Par bonheur, j'étais resté couché; l'annonce m'aurait scié les jambes comme le diabète celles de Lady Fitzgerald! Physiquement, Ella me rappelait ma mère, partie en Haïti pour l'été, dont je m'ennuyais tel un bébé sevré. Peu nostalgique de nature, je me suis pourtant tapé le coffret des **Songbooks**.

Au moins, la triste nouvelle me dispense de chercher un sujet de chronique. Espresso en main, j'allume mon Mac. Par réflexe, je pianote l'adresse de JazzNet sur le Web. Les éloges à Ella pleuvent depuis les quatre coins du globe.

Tant qu'à surfer, je cherche des renseignements. Wilbur Harden n'apparaît dans aucune base de données; à peine le cite-t-on dans une discographie de Coltrane. À croire qu'il n'a jamais existé! Le **Dictionnaire du Jazz** m'assure du contraire : trompettiste né en Alabama, Harden fait ses débuts au sein d'orchestres de rhythm and blues avant de rejoindre Yusef Lateef, à Detroit en 1957. Installé l'année suivante à New York, Harden endisque aux côtés de 'Trane et de Tommy Flanagan. Hospitalisé en 1959, il quitte l'hôpital en 1962 sans laisser de trace. "Au mystère qui entoure cette disparition, poursuit l'article, s'ajoutent le peu de renseignements biographiques (à commencer par sa date exacte de naissance et des détails sur ses années de formation) et l'ab-

88

sence de toute photo. En revanche, la notoriété de ses partenaires lui a permis de passer à la postérité malgré le petit nombre de ses enregistrements regroupés essentiellement sur une année de carrière."

L'inconnu du Café Sarajevo avait raison : cette histoire m'intrigue. Quelques clics et j'accoste au forum Blue Note pour lancer un appel à quiconque détiendrait des indices sur ce Réjean Ducharme du jazz. Au nombre de bouteilles que je vide par semaine, je peux bien en jeter une à la mer, non? Et puis, ça fera changement des débats stériles sur le dos de Wynton Marsalis!

En attendant, j'ai d'autres chats à fouetter! Notamment le Cat de la Sainte-Cat qui cette année encore a repris possession du quadrilatère de la Place des Arts. On a bloqué la circulation et, malgré la bruine, l'été déverse des flots de vacanciers. Dans les haut-parleurs des scènes extérieures crépite une *jambalaya* sonore bien relevée : jazz, blues et rythmes du monde – New-Orleans-in-Québec, rien de moins!

Ma collègue Sonia m'accompagne au spectacle de Gilberto Gil qui donne le coup d'envoi officiel, en remplacement de Keith Jarrett.

– C'est quoi : jazz, blues?

Sa candeur m'amuse. Sonia aime bien, connaît peu, a le goût et le temps d'apprendre. Je lui fais un topo sur Gil, qui roule sa bossa-nova depuis belle lurette, dixit le dépliant. De la chanson engagée, très *class* qui rompt avec le legs de Jobim et embrasse le rock – normal, pour un musicien originaire de la nation métisse *in excelsis*. Détails, j'assure à Sonia qu'elle a juste à se laisser posséder par la musique.

En chemin, la couverture d'un bouquin d'André Hodeir en vitrine chez le libraire du site me coupe le sifflet. Cette photo de Lester Young, sax en bouche, comme un uppercut en pleine gueule : mon dandy du Sarajevo est le sosie intégral du Prez des saxos ténors! 2

WITCH HUNT

Plus d'une semaine que j'ai lancé mon S.O.S. sur le Net et toujours rien. Autant espérer lire quelque chose d'intelligent dans un roman d'Alexandre Jardin! Devrais-je contacter Joshua Frenz, cette supposée encyclopédie du jazz sur pattes, comme me le conseille Antòn *my main man*? Appelez ça l'orgueil de l'emploi : à l'instar de bon nombre de mes confrères, j'ai peine à admettre que le savoir d'un autre puisse surpasser le mien. Ceci dit, je n'ai rien à perdre...

Récapitulons : un type qui me parle d'un trompettiste disparu depuis trente ans se révèle être le sosie d'un autre jazzman, mort à la même époque! Ainsi résumé, ça embaume le coup monté autant qu'un juge les pots-de-vin! Peut-être mes potes, connaissant ma passion pour le jazz en général et les trompettistes en particulier, se paient-ils ma tête en me lançant à la poursuite d'une ombre.

L'hypothèse du canular est plausible. Parce que l'idée d'avoir trinqué avec un revenant... Pas supersticieux pour un sou, je ne joue jamais à la loto et la vue de Jojo Savard me donne des ulcères. D'ailleurs, j'ai la conviction que notre sorcière bien-aimée nationale n'est nul autre que le général Raoul Cédras en travesti.

Rationnel à 200%, le Marvin!

Alors pourquoi vais-je au Sarajevo avec l'intention de consulter le tarot? Ma collègue Sonia et moi avons les oreilles encore chaudes du concert de Wayne Shorter, qui a reçu le prix Miles-Davis pour son œuvre d'interprète mais aussi de compositeur. À ce titre, et en dépit de son patronyme, il est à mon avis le plus grand après Duke et Monk. Cette distinction, Wayne ne l'a donc pas volée, même si sa production récente n'est pas du calibre de ses chefs-d'œuvre des *sixties*, indispensables à tout jazzomane digne du nom.

Ma cartomancienne préférée ne se fait pas prier, elle qui rêve de me convertir à l'ésotérisme. Au son de "Blue Bossa", un thème fétiche du band maison, les Lily's Tigers, Anna tire un cinq de coupe. Attention, mon obsession pour le passé me jouera des tours. Bouillie pour les chats, tout ça! Tant pis, ma conversion n'est pas pour ce soir. Anna retrouve son chum Arnold Ludvig, le

90

bassiste. Je me joins aux autres Tigers qui profitent de leur pause pour échanger leurs impressions du Festival.

Le débat porte sur la reprise des chansons de Tom Waits par Holly Cole, l'enfant chérie du Festival, qui d'un point de vue rigoureusement jazzistique m'apparaît comme l'équivalent d'une bière Extra-Dry-Draught-Ice-Light sans alcool : dénuée d'arrière-goût et de substance. Sonia me traite de facho réac; si elle n'était pas une néophyte, elle me traiterait sans doute de Wynton! Selon ma collègue, Holly Cole est intéressante parce qu'elle œuvre en marge du courant traditionnel. Tous les dégoûts sont dans la nature, mais je préfère les originales de Waits à ces arrangements aussi pertinents que la reprise disco de la *Cinquième* de Beethoven!

— C'est quoi la différence entre un terroriste et une chanteuse? lance le clarinettiste Mathieu Bélanger, pour changer le sujet. Avec un terroriste, y'a au moins moyen de négocier!

Dans l'hilarité générale, Antòn signale à ses comparses la fin de la récré. J'en profite pour me faufiler vers le bar — je hais ces soirs d'achalandage! Tandis qu'Ewa décapsule ma Boréale, une curieuse sensation m'envahit. Du coin de l'œil, j'aperçois une lueur étrange dans le salon. Je pivote.

Pendant un instant, je vois John Coltrane et Curtis Fuller, au milieu d'un studio d'enregistrement, discutant avec un troisième homme qui me tourne le dos, bugle en main.

Je me frotte les paupières. Le studio a disparu, remplacé par le spectacle usuel des couples qui se minouchent sur les sofas du salon.

De deux choses l'une : ou je bosse trop ou alors il est temps de me mettre à la bière Extra-Dry-Draught-Ice-Light sans alcool!

IN WALKED BUD

À défaut de résoudre l'énigme Harden, je ne renonce pas à sensibiliser Sonia aux vertus du jazz. Ce soir, **Chick Corea and friends : Remembering Bud Powell**, spectacle-hommage dont je rêve depuis que j'en ai lu le compte rendu dans *Down Beat*.

91

D'aucuns prennent prétexte de son appartenance à l'Église de Scientologie pour dénigrer Chick Corea. Nonobstant ses croyances religieuses, je ne me compte pas parmi ses inconditionnels, mais les membres de son *dream team* m'ont attiré; en particulier Wallace Roney dont je pense le plus grand bien – n'en déplaise à ceux qui le tiennent pour un Johnny Farago du jazz, coulé dans le moule de son mentor Miles Davis.

La dernière fois que je l'ai vu en spectacle, au Hot Brass du parc de la Villette à Paris en octobre 1995, le trompettiste avait presque donné raison à ses détracteurs. Bougon, il était monté sur scène avec une demi-heure de retard et avait amorcé une prestation aussi médiocre que chiche, accumulant couacs, dérapages involontaires et titubant périodiquement vers les coulisses. Du pur Miles des mauvais soirs! À la fin du set, on avait annoncé que Wallace Roney souffrant ne reviendrait pas après la pause, laissant à ses musiciens le soin de terminer le concert. Caprice de star? Non. Roney, avais-je ensuite appris, avait fait une crise de diabète.

Ce soir, aucun incident du genre. Trapézistes audacieux au-dessus des filets sonores tissés avec grâce par le trio d'enfer Corea / McBride / Haynes, Roney et Joshua Redman croisent les cuivres avec davantage de fougue que lors de leur duel sur le CD **Warner Jams**. Je souris béatement comme un gamin à Noël et mon ravissement est communicatif, au dire de Sonia. L'esprit de Bud Powell le partage, c'est sûr.

Petite excursion chez les messieurs. Au moment de ressortir des toilettes, rien ne va plus. De l'autre côté de la porte, m'attend un club bondé, Rive gauche vers 1950, si je me fie aux coiffures et aux habits des clients. Je secoue la tête pour chasser cette hallucination. Peine perdue. Même le décor derrière moi a cédé place à un cabinet assorti à ce bistro.

Quelqu'un annonce dans un français guindé que Bud Powell va jouer!

Je n'en crois ni mes yeux ni mes oreilles.

Bud Powell vient de quitter son groupe d'amis près du bar, parmi lesquels je reconnais sa femme Buttercup, les membres du Modern Jazz Quartet, Juliette Gréco et Miles Davis, tous partagés entre ahurissement et panique.

J'attrape un ballon sur le zinc pour authentifier ma vision. Pas de doute; il n'y a que dans la réalité qu'on trouve un aussi bon cognac! Soutenu par le bassiste Pierre Michelot et un batteur qui m'est inconnu, Bud attaque "Nice Work if You Can Get It". Après une intro énergique, son jeu se déglingue. Où est passée sa virtuosité légendaire? De peine et de misère, le pianiste achève le morceau rendu méconnaissable par tant de gaucherie. Il se lève, éponge son visage de son mouchoir, salue. Silence de plomb, puis tonnerre d'applaudissements gênés. Buttercup prend son mari dans ses bras, larmes aux yeux. Nul ne sait quoi penser, comment réagir. À son tour, Miles enlace Bud et, plantant son regard dans le sien, dit de sa voix rauque et étouffée (si bien imitée par Shorter, hier soir) : "Bud, tu sais bien que tu ne devrais pas jouer quand t'es bourré, tu le sais, non?"

Bud se borne à hocher de la tête, avec le sourire lointain des toqués, puis se rassoit. Son épouse lance à Miles un regard plein de gratitude.

Je connais cette scène : Club Saint-Germain, automne 1956.

– Hé, t'as vidé mon cognac, mec! s'exclame le type devant moi.

Son visage s'empourpre. Le décor s'embrouille. Tout se mélange, dégât de gouache emporté avec l'eau du bain. Je serre les paupières. Lorsque j'ose les rouvrir, je retrouve le couloir de la Place des Arts.

– Ça ne va pas? s'inquiète Sonia.

Ça va…

Sauf que je tiens encore dans la main le ballon de cognac vide!

LET'S GET LOST

Au réveil, crâne plein de bourdons, langue en saumure, membres endoloris… bref, tous les symptômes de ce que mon père appelait en créole le "mal du macaque"! Séquelles de mes excès ou de mon voyage astral? Le mystère Harden ne cesse de s'épaissir, tel une béchamel oubliée sur le rond et je m'embourbe.

Depuis ma rencontre avec le faux Lester Young, je réécoute sans arrêt les séances Savoy de Harden disponibles dans la minable

93

collection de repiquages Denon, me concentrant sur la trompette ou le bugle, comme si ces soli enfermaient des secrets dépassant l'entendement du commun des mortels. Pourquoi pas? Rien ne saurait expliquer mes expériences paranormales, impossibles à reléguer au rayon des simples hallucinations.

Dans le courriel, pas le moindre message, alors que mon répondeur en compte dix – aucun du soi-disant omniscient M. Frenz, que j'essaie en vain de contacter, et trop d'Angela, que je fais tout pour oublier.

Je me prive d'ailleurs à dessein de *Let's Get Lost*, ce portrait poignant de Chet Baker sur le déclin présenté à l'Impérial, même si l'envie de le revoir me tenaille. La trompette de Chet, sa voix fêlée, non-voix de non-chanteur, les paroles de ses standards favoris – tout ça me rappelle trop Angie et moi. «*Almost blue, almost doing things we used to do*". Tant qu'à souffrir de la sorte, j'aimerais mieux me taper un CD de Stef Carse!

Je ne manque cependant pas le concert d'Horace Silver, même si j'y assiste sans escorte; ce soir, Sonia a décliné mon invitation, préférant la compagnie de son chum. Tant pis pour elle. Devant une salle conquise, Silver a enfilé des extraits de son récent CD, *The Hard Bop Grand-Pop*, où abondent les hommages à des amis ou idoles disparus, de Satchmo à Dexter Gordon. Cette musique bluesy a les défauts de ses qualités : accessible et directe, elle est restée comme figée hors du temps, imperméable aux trente dernières années d'histoire du jazz. Inutile de bouder les plaisirs simples. À la finale, l'incontournable "Song for my Father", ma gorge se serre. Je salue en pensée mon défunt *padre*.

J'ai fait valoir mes relations pour obtenir un entretien avec le Hard Bop Grand-Pop après le spectacle. Il y a de bonnes chances pour que Silver ait connu Harden. Obsédé par ma quête, je *freake* cependant à l'idée d'apprendre que le trompettiste disparu se coule une petite retraite paisible, sur une ferme de son Alabama natale, tout simplement.

Ce serait vraisemblable, certes, mais le vraisemblable est tellement ennuyant!

Foutre, j'ai dû prendre un mauvais couloir. Me voilà perdu sous la salle Wilfrid-Pelletier, dans un dédale de corridors qui ne débouchent nulle part. Je pousse la première porte marquée

SORTIE et... Elle s'ouvre sur un cul-de-sac enténébré (il n'est pourtant que huit heures trente!) qui n'aurait pas dû se trouver là.

Au fond de l'impasse, cinq silhouettes. À entendre les plaintes étouffées, les coups, les craquements d'os, il est clair que les quatre balaises font son affaire au cinquième homme, un freluquet sans défense. Leur violence me fige. La victime tente de parer les coups, mais l'ivresse nuit à sa coordination. De toute évidence, les malabars souscrivent au vieil adage selon lequel il faut battre son frère pendant qu'il est chaud. Rassasiés par l'exercice, ils lui font les poches, puis l'abandonnent pour mort.

Après leur fuite, je m'accroupis près du corps inanimé. Je le retourne sur le dos. Bordel! Ce visage maculé de sang, lèvres en bouillie, dents cassées, je le connais pour l'avoir vu photographié sous tous ses angles, faciès de prince de conte de fées destiné à se plisser comme un fruit sec sous l'effet de l'alcool, de la dope et du désespoir.

Chet Baker!

ROUND MIDNIGHT

La persistance de mes visions augmente de concert avec leur fréquence; il m'a fallu plusieurs minutes pour m'extirper des lieux de la raclée administrée à Chet Baker en 1969 à cause de ses dettes de dope. Comme de raison, une fois revenu à la réalité, marche arrière impossible; ce cul-de-sac de Sausalito s'est estompé tel un bad trip d'acide. Moi qui n'ai pas touché à cette merde depuis l'époque de la polyvalente!

Cette histoire commence à me donner froid dans le dos.

Ce matin, j'ai obtenu le numéro valide du prétendu Pape du Jazz grâce à Zoé, une amie commune qui l'a fréquenté autrefois. Elle et Josh Frenz ne sont plus amants mais gardent le contact. Je donne rendez-vous à ce Josh-Connaissant autour de minuit au bar du Méridien.

D'ici là, j'erre d'une scène extérieure à l'autre, me délectant de ce gumbo où se mêlent toutes ces musiques qui font le jazz. De

95

quoi faire damner les champions du jazz "pur", idée chimérique s'il en est une ! En soirée, un hommage à Armstrong, soulignant le vingt-cinquième anniversaire de son décès, réunit entre autres Leroy Jones et le volubile Nicholas Payton, deux nouvelles stars de la trompette. Les enfants spirituels de Satchmo sont peut-être tous égaux, mais ces deux-là le sont sûrement plus que d'autres. Vivifiant !

Les festivaliers fréquentent le bar du Méridien dans l'espoir d'y croiser l'une des stars invitées, logées à l'hôtel, qui parfois se joignent au band maison. Cette année, on n'a guère encouragé ces rencontres informelles, mais il paraît que Howard Johnson a sorti son tuba l'autre soir, le temps de quelques soli inspirés.

Ponctuel comme un hussier, Frenz se coule sur un sofa près de moi. Imbu de lui-même, persuadé de la validité de ses jugements sans appel ni nuance, cette authentique caricature de jazzomane n'a rien pour attirer la sympathie. On dirait... un clone de moi !

Variante de la scène de série B où le privé échange des billets de banque contre des informations : Frenz carbure au bourbon et me livre ses bribes de renseignements au rythme de la valse des verres à notre table, laquelle s'effectue à mes frais. Vu les prix scandaleux ici et la soif intarissable de monsieur, je ne repartirai pas sans avoir englouti la moitié de ma paye ! Tout ça pour pas grand-chose...

— De toute façon, quel intérêt Harden ? glousse Frenz entre deux Jack Daniels. Un *hard bopper* parmi tant d'autres. Personne ne s'en souvient et le verdict de l'Histoire est implacable : il y a un tas de jazzmen mineurs qui ont disparu, tu sais...

Ouais, sauf que je ne suis pas venu discuter de la légitimité de ma quête. J'arrose ce légume pendant une heure dont il passe les trois quarts à aller et venir de notre table aux chiottes et le reste à déblatérer sur les amitiés trahies et les amours brisés. Quel ennui ! Ça me coûterait sans doute moins cher d'aller carrément enquêter sur les lieux où a vécu Harden.

Qu'est-ce que Frenz fabrique encore aux cabinets ? J'en ai marre. Vais-je m'éclipser sans l'avertir ? Non, je me rends aux toilettes et l'appelle. Pas de réponse. Je cogne contre la porte du cabinet. Rien. Il a sombré dans un coma éthylique ou quoi ? J'insiste. Peine perdue. Au diable ma réputation, je m'accroupis pour voir sous la porte. Ses pieds ne touchent pas le sol. Je me relève sous l'effet d'une décharge électrique...

J'ai dû défoncer la porte pour aller décrocher l'étrange fruit qui pendait au bout du ceinturon de cuir accroché au plafond...

Un employé de l'hôtel a appelé une ambulance, mais un doigt sur le cou marbré de Frenz suffit pour savoir qu'il est trop tard. Un touriste japonais à la mine contrite me demande en anglais si le macchabée et moi étions très intimes.

— *No, he and I were... just friends.*

BLUE ROOM

Sitôt rentré chez moi, grand verre de Barbancourt *straight, no chaser*. Au Méridien, un certain constable Soucy m'a interrogé comme s'il me soupçonnait du meurtre de Josh Frenz, lequel, de toute évidence, s'était suicidé à cause de ses bides amoureux. Têtu, le flic refusait d'écarter l'hypothèse de l'homicide. Une malédiction pèse-t-elle sur quiconque s'intéresse à Harden ? Je capte de mauvaises vibrations, pour utiliser une expression chère à ma cartomancienne Anna. Au troisième rhum, je retrouve un brin de contenance. Juste à temps pour répondre aux coups timides à ma porte. Je plains le témoin de Jéhovah qui a choisi ce moment pour m'emmerder.

— J'étais dans le coin, j'ai vu la lumière, bafouille Angie.

Ouais et Kenny G est un saxo plus inspiré que Bird !

Je la laisse entrer. Visage trempé de sueur, on dirait la Jeanne Moreau d'*Ascenseur pour l'échafaud*. Un verre pour calmer ses frissons. Silence à la Monk. "*I go to bed with the prayer that you'll make love to me*", me chante le souvenir de Sarah Vaughan. Je réentends Angie haleter mon nom vingt fois la minute, quand sa tête devenait nuage auburn agité par l'orage. Malgré ses supplices, je ne lui permets pas de passer la nuit ici, pas même pour dormir. Rhum bu, elle s'enfuit en sanglots.

♩

Harden ou pas, on me paie pour couvrir le Festival et non jouer les Sherlock. Mea culpa, j'assiste à quelques spectacles en compagnie de Sonia qui finira bien par aimer le jazz. En quartette, Lorraine Desmarais m'enthousiasme avec sa musique dans l'esprit avant-bop du label Blue Note durant les *sixties*. Il n'est pas étonnant qu'on ait surnommé "Tiger" un *cat* qui rugit aussi fort que ce Toru Okoshi, trompettiste japonais au timbre chatoyant, dis-je à Sonia. Sur la pièce "Wayne" (hommage à Shorter?), la pianiste et lui font preuve d'une remarquable complicité.

Après la prestation du nouveau prince du saxo James Carter, fort de sa récente conversation avec ses aînés sur CD, Sonia et moi restons au Spectrum pour Ben Harper, plutôt que d'aller entendre les Marsalis père et fils, entrevus la veille au party Armstrong. Tandis qu'Harper enchaîne ses magnifiques chansons, allez savoir pourquoi, je songe au bluesman Robert Johnson qui, selon la légende, aurait vendu son âme à Satan pour obtenir la notoriété. Wilbur Harden aurait-il dû en faire autant?

Décidément, il ne quitte jamais mes pensées, celui-là.

La nuit tombée, je dépose Sonia chez elle et file vers le Vieux. Dans son délire, j'ai cru entendre que Frenz possédait dans ses archives une des rares photos existantes de Harden. Baratin? La clé dérobée à son cadavre me permettra de vérifier, foi de Marvin-la-fouine.

À pas de loup, j'entre dans le studio de Frenz. L'imposante discothèque est rigoureusement ordonnée; de même, ses livres et dossiers. J'adopte un air lunatique, pour pouvoir plaider l'aliénation mentale si jamais le constable Soucy me surprenait ici. Nerveux, j'ai en tête l'inquiétante trame sonore d'*Omertà*. Bonsoir l'ambiance!

Au moment où je tire de la filière le dossier Harden, le tourne-disque se met en marche. Par hasard, mais le hasard n'existe pas : la pièce "I Have Dreamed", par Wilbur Harden et Tommy Flanagan.

Revenu de ma surprise, j'ouvre le dossier. Vide, comme de raison!

Sur la chaîne stéréo, le chant du bugle se fond en distorsions puis cède sa place à un grondement sourd qui m'écorche les oreilles.

— Comme disait le grand Diz, le jazz préserve ceux qu'il ne tue pas, dit en anglais une voix masculine, pleine de gouaille. Un pensez-y bien, mister Courage.

Mon regard balaie l'appart.

Personne.

La voix vient des enceintes acoustiques. Le disque?

Je replace la tête de lecture quelques sillons en arrière : de la musique, rien d'autre.

Évidemment…

SOPHISTICATED LADY

— Deux condamnés à mort se retrouvent devant le peloton d'exécution, commence Sonia. Au moment de leur passer le bandeau sur les yeux, le chef du peloton demande à l'un d'eux sa dernière requête : "J'aimerais entendre *Ascension* ou tout autre album de la période mystique de Coltrane." À la même question, l'autre répond alors : "J'aimerais que vous m'exécutiez avant de mettre le disque!"

Spirituelle, la Sonia! Que dirait-elle donc si je lui contais mes aventures avec les esprits? Que j'ai perdu le mien? À l'en croire, écouter du free jazz rend le cerveau plus enclin aux free-games!

Mes tentatives de lui faire adopter cette musique chère à mon coeur n'ont pas encore porté fruit. Elle préfère se pâmer pour la venue prochaine à Montréal de Sting dont l'œuvre, après avoir atteint un summum grâce à la participation de jeunes jazzmen, me semble stagner!

— Snobinard! me lance-t-elle.

Moi, snob? Allons donc, je trouve le snobisme tellement ringard!

Quand j'arrive à la salle de rédaction, la réceptionniste me remet un billet parfumé reçu la veille, écriture fine, style télégraphique : *clues about WH Biddle's 23h30* . Une combine d'Angie, qui ne sait plus quoi inventer pour revenir dans ma vie? Juste une façon de s'en assurer…

99

Après Mark Isham (planant), Charlie Watts (sirupeux), un bref saut à l'inauguration de la librairie Chapters entre les rayons de laquelle groovent Alain Caron et le band, je file vers Aylmer. J'arrive dans l'entre-deux-sets. Au fil des ans, le réputé club de Charlie Biddle n'a guère changé; décor chic, conforme à l'idée de standing élitiste qu'on associe souvent au jazz.

Qui dit enquête dit aussi Vamp avec un grand V. On m'escorte à la table d'une Eurasienne époustouflante, dans une robe de satin qu'on dirait peinte sur elle. Cheveux de jais noués en chignon, sourire sibyllin. Réminiscences de Bob Morane. La dénommée Sah Tsindohl veut bien me fournir des informations… moyennant un certain prix. Ma Visa pourra-t-elle souffrir une autre virée du genre de celle avec Frenz? La Vamp m'offre le premier verre. Deux Bloody Cesars plus tard, il est clair que Sah n'a rien de bien neuf à m'apprendre sur Harden. Je m'impatiente. Elle bat des cils, joue du suspense comme d'autres de la basse. Lorsque je fais mine de me lever, elle me saisit l'avant-bras.

— *Wait*. Ce que j'ai à vous dire est très important.

— *Go ahead, shoot!* balancé-je, avec la même insouciance que feu Lee Morgan devant sa blonde courroucée, revolver au poing.

Le *cat* sort du sac, sous forme d'une cassette-démo.

— *I just need a break*. J'avais pensé qu'avec vos connections…

J'aurais dû le savoir! En rogne, je quitte la table sans un regard vers elle. Un fracas du tonnerre m'oblige à me retourner. Agitée de spasmes, Sah Tsindohl envoie voler en tous sens assiettes, ustensiles et verres. Elle tombe à la renverse. Crise d'épilepsie? Accroupi près d'elle, j'immobilise sa tête. Les yeux révulsés, elle entrouve la bouche et émet d'une voix caverneuse digne de *l'Exorciste :*

— Samedi *after hours* sur le site, Courage. Soyez-y.

Eberlué, je laisse retomber la tête de l'Eurasienne sur le sol. Dans le brouhaha, un autre client, médecin, me relaie auprès d'elle. Tout ira pour le mieux. À son réveil, elle ne se souviendra de rien, j'en parierais ma discothèque!

Je sors à reculons et me heurte au constable Soucy, en civil, qui me foudroie d'un regard de créancier mécontent.

— Jamais ben loin du trouble, ç'a l'air.

— Constable, je ne vous savais pas amateur de jazz. À moins que vous soyez ici pour les ailes… de poulet!

— Fais pas ton smatt, mon gars, me prévient-il en me plantant son index dans l'épaule. J't'ai à l'œil, tu sauras.

Étant donné les circonstances, je ne demande rien de mieux : *someone to watch over me.*

PHANTOMS

— Samedi *after hours* sur le site, Courage. Soyez-y.

Je repense à ces paroles de Sah Tsindhol, en transe, lors de sa crise de possession chez Biddle hier. Pas le choix de m'y rendre, si je veux résoudre l'énigme qui m'obnubile.

Mon obsession pour Harden, je m'en aperçois, a nui à ma pleine appréciation du Festival qui tire à sa fin. Bientôt, au grand dam des musiciens locaux, le tout Montréal retrouvera sa relative indifférence au jazz. À quand une station de radio consacrée à cette musique, comme le réclament le pianiste François Marcaurelle et ses collègues? Inacceptable, après tout, qu'on n'en trouve aucune dans une ville de la taille de la nôtre, théâtre de l'un des plus importants festivals de jazz au monde!

Accoudés à un garde-fou, complexe Desjardins, Sonia et moi écoutons Lana de la Bande Magnétik s'éclater sur God Bless the Child, la chanson emblème de Billie Holiday. Ma collègue, déçue par le concert sirupeux de Charlie Watts, me confie qu'elle trouve agaçant d'entendre les jazzmen reprendre des morceaux mille fois rabâchés. Je lui concède que le recours systématique aux standards peut donner parfois l'impression d'une musique figée, d'un art de musée. Paradoxalement, c'est parfois dans l'interprétation de ces classiques que le jazzman affirme le mieux son originalité. De nos jours, il a le choix entre s'investir à fond pour rendre pertinente à notre époque la reprise d'un thème ancien ou alors puiser dans le répertoire pop récent du matériel propice à l'improvisation. En explorant la deuxième avenue, Cassandra Wilson par exemple a su toucher un public qui dépasse le bassin restreint des jazzophiles.

101

— Merci pour la leçon, prof! dit Sonia, qui s'amuse de mes doctes élucubrations. Tu devrais proposer tes services à la Petite École du jazz.

Le programme de notre soirée inclut le quintette de Kenny Barron, merveilleux pianiste qui sut admirablement soutenir le chant du cygne du regretté Stan Getz, ensuite Sonny Rollins, monstre sacré dont l'ombre s'étire sur les quarante dernières années d'histoire du sax et enfin, si l'heure le permet, le trio Sylvain Gagnon / Joey Calderazzo / Jeff "Tain" Watts, dont le CD *Simply Music* me réjouit les ouies.

Hot-dogs et bières en main, Sonia et moi nous mêlons aux badauds amassés devant l'une ou l'autre des scènes extérieures. Dans cette mer de visages, émerge un faciès familier qui me glace momentanément le sang.

— Qu'est-ce qu'il y a? On dirait que t'as vu un fantôme.

— Peut-être que oui…

— Ton Wilbur Machin?

— Je ne sais même pas de quoi il a l'air…

Je hausse les épaules. Sans doute une vague connaissance.

Théâtre Maisonneuve, le quintette de Barron livre une belle performance. Je me délecte des soli du trompettiste Eddie Henderon, qui a pris l'habitude de disparaître périodiquement de la scène musicale (appelons ça de la hardenite récurrente!). Quant à Rollins, j'ai su à la dernière minute que Tommy Flanagan qui l'accompagne sur son plus récent CD ne l'a pas suivi en tournée. D'autant plus dommage que le pianiste compte parmi les derniers musiciens vivants à avoir travaillé avec Harden. Tant pis. De toute façon, on oublie aisément la présence des autres musiciens tant le Colosse du Sax semble gagner en hauteur à chaque envolée de son biniou.

Devant la Place des Arts, je suis intercepté par le sympathique constable Soucy qui arbore un air de… boeuf!

— Ah, quelle joie de se savoir protégé par les forces de l'ordre.

Comme beaucoup de ses collègues, il n'apprécie guère mon humour noir qui souvent s'est exercé aux dépens du corps policier, notamment dans ma série d'articles sur leurs relations avec les minorités visibles. Avant que j'aie lancé une autre pointe, le constable m'invite à le suivre au poste. À ce qu'il paraît, le cadavre de Josh Frenz aurait disparu de la morgue…

AFTER HOURS

Au bout d'un interminable interrogatoire, le constable m'a laissé repartir, réitérant son intention de me surveiller. Il avait appris ma visite chez le défunt Frenz, ce qui regardait mal... Ses menaces sont le moindre de mes Soucy!

Je suis davantage préoccupé par mon rendez-vous de cette nuit, incapable de me concentrer sur le spectacle de James Moody. Même la jam-session de **Kansas City** à l'Impérial cet après-midi n'a pas retenu mon attention; et puis, Joshua Redman m'y a semblé moins convaincant en Lester Young que le dandy qui m'a lancé dans cette quête insensée.

Au Café Sarajevo, le chanteur Brother Vince Potel s'est joint aux Lily's Tigers pour une soirée de blues poignants. "Georgia on my Mind", mais je ne pense qu'à Harden. Anna m'a tiré un As de coupe : passer à l'action, sagesse et sérénité en récompense. Cul sec ma Boréale. Je prends à deux mains mon Courage...

J'use de fermeté pour persuader un surveillant de me laisser *seiner* sur le site désert; question de vie ou de mort! Le moindre froissement me donne la chair de poule mouillée, moi qui ai toujours trouvé disgracieux pour un Haïtien d'avoir peur du noir! Je tourne en rond, sifflotant un air gai pour leurrer l'angoisse. Qu'est-ce que j'espère? Un face-à-face avec Harden que je ne saurais même pas reconnaître? D'autant plus que la nuit tous les cats sont gris...

Le son d'un bugle chatouille mon oreille. La source, un jazzbar au pied de l'esplanade. Une lueur surnaturelle y découpe une silhouette d'homme.

— Harden?

L'homme baisse son instrument.

— *Maybe, maybe not*, fait une voix beaucoup moins spectrale que ce à quoi je m'attendais.

— À quoi rime cette comédie? Que me voulez-vous?

— Moi? Rien. C'est vous qui avez remué ciel et terre pour me trouver. Ça m'a amusé de jouer au cat et à la souris avec vous. Vous êtes un passionné, Courage; vous auriez fait un excellent jazzman et peut-être l'Histoire vous aurait-elle choyé plus que moi. Maintenant, je retourne aux oubliettes où elle m'a relégué...

L'éclat s'affaiblit, la silhouette s'estompe.

Je cherche comment entrer.

La plainte feutrée du bugle s'élève. Il y met le paquet. Ses notes esquissent un blues déchirant fait d'amours déçues, de je t'aime tardifs et d'adieux imprononcés, d'alcool, de dope, de petites morts tièdes et de grandes tragiques. Gorge nouée, je pense à Angela, à mon défunt père, à ce chapelet de deuils qu'on égraine toute la vie et aussi à ces menues joies qui rendent nos heures supportables.

Le chant s'étiole, decrescendo funèbre.

Je réussis à écarter le rideau de nylon.

Dans le jazzbar, se tient le corps pétrifié de Josh Frenz, yeux vitreux écarquillés, avec en main un bugle sur le pavillon duquel je lis les initiales WH.

Que penser de cette histoire invraisemblable?

Je songe à ces propos de Miles, au sujet de ses collègues décédés : "Monk, Mingus, Freddie Webster et Fat Girl, leurs esprits marchent à mes côtés, alors ils sont encore ici à communiquer leur savoir. La musique est affaire d'esprit, de spiritualité et de sentiments. Leur musique est encore présente quelque part, vous comprenez. Ces trucs qu'on jouait ensemble flottent dans l'air parce que nous l'avons joué et c'était magique, spirituel."

Peut-être est-ce la seule conclusion à tirer : les jazzmen, fussent-ils mineurs comme Wilbur Harden, ne meurent jamais vraiment...

Par courrier électronique, de bonnes âmes me recommandent d'autres sources pour la poursuite de mon enquête. Qu'importe! Au fond, Harden est beaucoup plus fascinant drapé de mystère.

Au spectacle de Al Hirt qui clôt le Festival, je lèverai un verre à Wilbur Harden, où qu'il soit, à lui et à tous les enfants de Satchmo, célèbres ou pas, vivants, décédés ou morts-vivants. Par la grâce du swing, qu'ils continuent de chanter la vie, notre vie, à travers leur musique.

Amen.

VISAGES DU JAZZ

BERNARD PRIMEAU : MESSAGER DU JAZZ

"À quinze ans, tu ne t'aperçois même pas que t'es en train de devenir jazzman, ironise Bernard Primeau. À partir de quarante ans, qu'est-ce que tu veux, il est trop tard pour t'en sortir." Inconditionnel du célèbre leader des Jazz Messengers, ce vétéran qu'on a surnommé le "Art Blakey québécois" appartient à cette génération de musiciens qui a débuté juste avant l'avènement du rock québécois. Après des études auprès de Guy Nadon, le "Roi du drum", Primeau poursuit son apprentissage au Conservatoire de musique de Québec, puis, de retour dans la métropole, sous la tutelle du guitariste Nelson Symonds.

Bernard Primeau

Depuis son séjour à New York, durant les *sixties*, question de voir de plus près ses idoles, l'as québécois de la batterie est resté fidèle à son premier amour, le jazz acoustique moderne, en dépit d'une conjoncture pas toujours facile. Exilé à San Francisco pendant la plus grande partie des années soixante-dix, le temps de perfectionner son jeu auprès de Martha Young, Primeau revient à Montréal se joindre à Oliver Jones et Charlie Biddle. En 1984, il fonde son combo – d'abord nommé Bernard Primeau Jazz Sextet, puis rebaptisé Bernard Primeau Jazz Ensemble – avec lequel il tourne au Canada et en Europe, se fait entendre à Radio-Canada et enregistre. "Ce n'est pas évident quand on choisit cette voie, avoue Primeau, candide. Prends des jeunes comme Yannick Rieu, Rémi Bolduc ou les gars de mon band : ce sont vraiment des passionnés. Il faut l'être parce qu'on en arrache pour survivre ici."

Malgré son Festival unanimement reconnu comme l'un des plus importants au monde, Montréal n'est pas une ville de jazz. En dehors de cette période, c'est jour de vache maigre quasiment à longueur d'année pour les jazzmen locaux. "Cela dit, le Festival a eu le mérite d'éveiller la conscience des gens; c'est grâce à lui qu'un tas de nos jeunes musiciens ont découvert le jazz." Cette éclosion de talents locaux a eu des répercussions positives sur l'industrie. "En un sens, on est privilégiés, reconnaît Primeau. Nulle part ailleurs, des jazzmen bénéficient de subventions de l'État pour endisquer." Choyé parmi les choyés, le Bernard Primeau Jazz Ensemble a publié six albums, dont deux CDs en 1996 et 1997 : *Oeuvres de Félix Leclerc*, qui reprend des airs connus du Patriarche de la chanson québécoise, et *Virage*, avec la participation du tromboniste étoile Ray Anderson. Malgré sa relative prolixité, Primeau ne se fait pas d'illusion sur ses ventes : "Entre le dernier Herbie Hancock et le mien, le consommateur choisira naturellement le Hancock. Ou un album pop."

S'il faut en croire Primeau, la mince part de marché occupée par le jazz s'explique par les carences de la culture musicale générale des acheteurs. "Les jeunes dont les parents n'avaient rien que des disques de rock à la maison n'ont pas idée de qui étaient Miles Davis ou Thelonious Monk ; c'est tout juste s'ils connaissent Mozart !" La solution : multiplier les concerts dans les maisons de la culture, les polyvalentes et les cégeps, histoire de montrer aux jeunes que le jazz n'est pas que cette musique hermétique qui ne sait pas toucher les cœurs.

Quant aux Américains, leur présence ne fait pas que nuire aux musiciens d'ici, au contraire. "C'est très stimulant pour nous de jouer avec des types comme Slide Hampton ou Ray Anderson. Ça nous oblige à nous surpasser." Lors de "sa première Place des Arts", en octobre 1997, Primeau et ses gars partageaient la scène avec Sonny Fortune, prince du sax alto et ex-compagnon d'armes de Miles, pour un programme de compos originales et de standards. Le tout, dans le but avoué de transmettre la bonne nouvelle du jazz.

Pas de doute là-dessus, Art Blakey serait fier de son disciple!

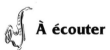 **À écouter**

Oliver Jones, *Live at Biddle's*, Justin Time, 1985.

Bernard Primeau Ensemble, *Perspective*, Contact, 1987.

Bernard Primeau Ensemble, *Propulsion*, Jazzimage. 1989.

Bernard Primeau Ensemble, *Détour*, Amplitude, 1994 (avec Slide Hampton).

Bernard Primeau Jazz Ensemble, ***Œuvres de Félix Leclerc***,
Swing'in Time,1996 (Félix du meilleur album jazz).

Bernard Primeau Jazz Ensemble, ***Virage***, Swing'in Time, 1997
(avec Ray Anderson).

ÉVAL MANIGAT : LA VOIX DE LA NATION

Natif de Plaisance et élevé à Saint-Marc en Haïti, Éval Manigat habite Montréal depuis une vingtaine d'années et le monde de la musique depuis plus longtemps encore. Pourtant, en dépit de la vague *world beat* qui a déferlé sur la métropole ces dernières années, d'innombrables collab-orations avec le gotha du jazz montréalais et plusieurs disques avec son groupe Tchaka (dont ***Africa***, récipiendaire d'un Juno en 1995), il demeure méconnu dans sa ville d'adoption. Ce qui est dommage et injuste. Arrangeur méticuleux et sensible aux couleurs sonores, bassiste au *groove* inébranlable, vibraphoniste plein de finesse et percussionniste hanté par les rythmes qui ont bercé son enfance, cet authentique homme-orchestre mériterait davantage d'attention, tant de la part des médias que du grand public.

Eval Manigat & Tchaka, ***Back to the Nation***, Tchaka Productions, 1995

"Ça a pris du temps avant qu'on s'intéresse aux musiques du monde", fait remarquer le leader de Tchaka. Et encore, la porte n'est pas encore grande ouverte. Mais il y a évolution et pour le mieux." Si les musiciens venus d'autres horizons ont su se faire entendre ici, ils le doivent au travail exemplaire des radios com-munautaires et de la société d'État. Les radios commerciales, on le sait, persistent à faire la sourde oreille, même après que des stars de la musique populaire comme Peter Gabriel et Paul Simon ou des artistes du Tiers-Monde (Youssou N'Dour, Khaleb, etc.) aient prouvé la viabilité du métissage des musiques.

Autodidacte, Éval Manigat aime d'autant plus fouiner que son expérience l'a de tout temps incité à puiser à diverses sources. "J'aime rencontrer des musiciens prêts à échanger le bagage

107

amassé au fil du temps." Ce goût du partage l'a amené à animer des ateliers de formation à l'Université de Montréal ou à Concordia, qui lui fournissent l'occasion de confronter à un savoir plus théorique son approche musicale indissociable de la vie. Et s'il insiste sur ce que lui a apporté sa fréquentation des musiciens de jazz montréalais tels Jim Jackson, Karen Young ou Harold Faustin, Manigat ne se ferme pas pour autant aux autres musiques.

En Haïti, le terme *tchaka* désigne un plat composé d'ingrédients divers. Pour filer la métaphore, le plus récent CD du groupe, ***Back to the nation***, vogue allègrement de la tradition haïtienne (compas, rara, etc.) au rap, en passant par le rock, le funk (la pièce éponyme s'inspire de "Shining Star" d'Earth, Wind & Fire, l'un des groupes fétiches de Manigat) et même les mélodies arabisantes ("Arabian Mood"). Mais considérant toutes ces influences, comment qualifier le style de Tchaka? "On grapille à droite et à gauche. Les gens s'étonnent que notre musique ne soit pas exactement conforme à leur idée de la musique haïtienne. Justement! Je dis souvent que "un plus un égale trois"; c'est-à-dire que le compas plus le jazz donne une troisième créature, hybride et originale. Et puis, pourquoi cataloguer? La musique n'a pas à se conformer aux règles de la radio commerciale!"

Malgré son ouverture aux autres, Manigat reste attaché à ses racines haïtiennes. En font foi le frontispice du CD, où l'on reconnaît des symboles vodou, et le message adressé à la jeunesse acculturée des diasporas haïtiennes dans la pièce éponyme. "Quand j'étais petit, à Saint-Marc, il y avait un *houngan* (prêtre vodou) qui pratiquait le culte et que, bien entendu, mes parents m'interdisaient de fréquenter. Mais le vodou, ce n'est pas qu'une affaire de mauvais sorts et d'aiguilles plantées dans une poupée. C'est une approche spirituelle de l'existence. Nos jeunes ont honte de leurs origines. À nous de leur apprendre toute la richesse de leur héritage."

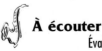 **À écouter**

Éval Manigat & Tchaka, ***Africa***, Tchaka Productions / Festival, 1995.

Éval Manigat & Tchaka, ***Back to the Nation***, Tchaka Productions / Festival, 1997.

RON DiLAURO : *TROMPETTE DE LA RENOMMÉE*

"Plus jeune, je rêvais de tout faire, se rappelle Ron DiLauro. Studio, orchestre symphonique, *big band*; je voulais être un musicien complet." À 39 ans, le trompettiste-bugliste a réalisé son fantasme... ou presque. Et même si la gloire tarde à venir, il compte parmi les musiciens montréalais les plus en demande et les plus polyvalents : participation au Vic Vogel Orchestra et au band Brazz, apparitions au sein des Téteux, l'orchestre maison de la défunte émission de variétés **Beau et Chaud** (Radio-Québec) et sur de nombreux albums pop (Daniel Bélanger, Luc de la Rochellière, Daniel Lavoie, etc.), gigs de salsa ou de funk, *club dates*, mariages ethniques, concerts de musique classique ou actuelle... Un vrai caméléon, ce *cat*!

Ron DiLauro

Héréditaire, cette polyvalence? Peut-être. Trompettiste de fanfare à ses heures, papa DiLauro élève son fils dans une maison hantée par les trompettistes de variétés américains (Harry James, Al Hirt) qui auront sur le futur jazzman une influence déterminante. Adolescent, Ron joue de la trompette dans l'harmonie scolaire et s'y met plus sérieusement au Cégep, car il se destine à une carrière en classique. "Je travaillais les grandes œuvres pour trompette : Mahler, Stravinsky, Chostakovitch." À l'époque de son passage à McGill, l'université n'a pas encore de département de jazz, mais offre des cours de théorie et d'improvisation qui impressionnent DiLauro. "Mais je voyais le classique comme une vraie carrière et je faisais du jazz juste pour le fun." Classé deuxième à un concours pour le poste de trompettiste principal dans l'Orchestre Symphonique de Québec, DiLauro se réoriente d'autant plus vite que le trompettiste Charles Ellison, dont il a suivi les ateliers à McGill, lui propose d'entrer chez Vic Vogel.

109

Vingt ans après, DiLauro ne regrette pas sa formation classique. Sans la technique, toute l'inspiration du monde ne mène nulle part, reconnaît-il. D'un autre côté, la technique seule ne suffit pas... "Ce qui importe, c'est l'habileté à improviser. Un musicien doit pouvoir s'adapter à n'importe quel style. Ça ne change rien de jouer sur "Billie's Bounce" [de Charlie Parker] ou "Opium" [de Daniel Bélanger]. Dans un cas comme dans l'autre, il faut que j'écoute les accords puis je tente de trouver une ligne adaptée au contexte." DiLauro insiste sur cette qualité essentielle du bon jazzman : l'écoute. "Je ne pratique pas beaucoup, admet-il avec un brin de remords. Heureusement, je joue assez pour me garder en forme et puis j'écoute tout le temps, dans mon auto comme chez moi, Chet Baker, Freddie Hubbard, Randy Brecker, Tom Harrell. L'imagination mélodique, ça se développe en écoutant les autres."

Entre deux engagements, Ron DiLauro rêve d'endisquer un concerto pour trompette et orchestre à cordes composé pour lui par Vogel ("qui est comme un deuxième père!"). Alain de Grosbois de Jazzbeat (CBC) aurait tendu une oreille sympathique au projet, alors on garde les doigts croisés?

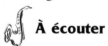 **À écouter**

Brazz, ***Hommage / Tribute***, BCD, 1997.
Michel Donato Quintet, ***Homage To Jacques Languirand***, DSM, 1998.
Guy Nadon, ***Le Band du Roi du Drum***, DSM, 1998.
Oyate, ***Soul Jazz***, Lost Chart, 1994
Vic Vogel Big Band, ***Live***, VV, 1996.
Jean-Pierre Zanella, ***Mystic Infancy***, Lost Chart, 1996.

JERI BROWN : CHOISIR SA VOIX

Quand on a passé son enfance à écouter son oncle trompettiste *jammer* avec Miles Davis et d'autres géants du be-bop dans le sous-sol familial, comment échapper à l'attraction de la planète jazz? Originaire de Saint-Louis, ville phare de la musique afro-américaine, la chanteuse Jeri Brown a suivi une voie presque tracée d'avance pour sa voix céleste. Avec des antécédents comme les siens, Jeri Brown pouvait difficilement faire une carrière autre que celle qui lui vaut l'admiration de tous les jazzophiles de New York à Paris, en passant par Montréal et Halifax où elle enseigne le chant depuis une dizaine d'années. "J'aime tous les styles, mais le jazz m'a choisie pour ainsi dire, ironise-t-elle. J'ai chanté du classique quelque temps, mais j'ai plafonné. Je réussissais très bien et tout ça, mais je ne me sentais pas assez stimulée."

Avec fierté, Brown évoque ces jam-sessions où son oncle Virgil Carter, trompettiste méconnu de Saint-Louis, croisait le cuivre avec des potes célèbres, dont Clark Terry, Dizzy Gillespie et Miles Davis. "L'influence de Miles a été déter-minante. Je suis soprano, un registre peu usité en jazz, à part chez les chanteuses qui pensent en instrumentistes. Ma voix est parfois proche du son de Miles à la trompette, surtout dans mes improvisa-tions vocales." Cette manière de *scatter* typique des chanteuses du jazz moderne

Jeri Brown, ***I've Got Your Number***,
Justin Time 1999

trahit l'influence d'une autre grande figure disparue, la regrettée Betty Carter. "Elle était mon mentor, littéralement. Une fois, j'ai eu la chance de chanter avec elle. On était sur scène main dans la main, imaginez! Une vraie expérience spirituelle!"

Voilà, le mot est lâché! Pour Jeri Brown, qui se réclame de traditions vocales venues de l'Afrique ancestrale, la musique est plus qu'une affaire de divertissement. Pour s'en convaincre, il suf-fit d'écouter ***Zaius*** (Justin Time, 1998), où la chanteuse donne la réplique au légendaire Leon Thomas, LA voix du *free jazz* des *sixties*, coauteur avec Pharoah Sanders de la chanson "The Creator Has a Master Plan", d'ailleurs reprise par le duo. Épaulés par un band du tonnerre – incluant David Murray, saxophoniste –, Brown et Thomas, sorte de Nat Cole d'avant-garde qu'on avait connu auprès de Pharoah Sanders, nous ont concocté cet album impecca-ble où la fantaisie n'exclut pas la ferveur mystique : en plus de ces odes à la gloire du Créateur et de la Mère Afrique, on les entend s'amuser sur des ritournelles à la Blossom Dearie ("Oo-Shoo-Be-Doo-Be") et sur quelques standards, dont le superbe medley

111

"Blues Skies / In Walked Bud / It Don't Mean A Thing". "Leon Thomas et moi, on s'est rencontrés à un congrès par l'entremise d'amis communs. C'est un vrai gentleman, avec un charisme fou. Il m'a carrément séduite. Du coup, on a décidé de travailler ensemble. Et puis, comme il est lui aussi de Saint-Louis, on partage tout plein de références." Cette complicité est telle que le duo a décidé de remettre ça l'espace de quelques nouvelles plages qu'on découvre avec bonheur sur *I've Got Your Number*, paru au printemps 1999.

De son travail avec des musiciens aussi exceptionnels que David Murray (sax suprême), les bassistes Avery Sharpe et Curtis Lundy – qui ont contribué à faire de *Zaius* l'un des albums de l'année 1998 –, ou encore avec de vieux complices tels le batteur Wally Muhammad et le trompettiste Charles Ellison, Jeri Brown dira avec modestie : "Je ne me vois pas comme une chanteuse accompagnée d'un groupe, ni comme une leader. Je suis juste celle qui assemble les morceaux d'un puzzle. Après je relaxe et je m'efforce pour que ma voix s'élève un brin au milieu de tout ça."

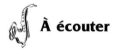 **À écouter**

Jeri Brown, *Mirage*, Justin Time, 1991.

Jeri Brown, *Unfolding The Peacocks*, Justin Time, 1993.

Jeri Brown, *A Timeless Place*, Justin Time, 1995 (avec Jimmy Rowles).

Jeri Brown, *April in Paris*, Justin Time, 1996.

Jeri Brown, *Fresh Start*, Justin Time, 1996.

Jeri Brown, *Zaius*, Justin Time, 1998 (avec Leon Thomas et David Murray).

Jeri Brown, *I've Got Your Number*, Justin Time, 1999 (avec Leon Thomas et David Murray)

JAZZ PROPHÈTE

Remercions le hasard ou la lutte syndicale. Sans cette grève au Château Montebello, Eddy Prophète n'aurait pas pu accorder cette entrevue à l'heure où d'ordinaire il pianote, avec un minimum d'impro, la bande-son des cocktails du chic hôtel. Nonobstant la nécessité de connaître sur le bout des doigts un répertoire diversifié pour pareil gig alimentaire, le pianiste d'origine haïtienne avoue sa prédilection pour le jazz et la bossa-nova, découverts à l'adolescence via Stan Getz. Hélas, au Québec, le jazz ne nourrit pas son homme. Pourtant…

"Quand je suis arrivé à Montréal, c'était le feu! Il n'y avait pas un club sans orchestre *live*! Et à l'époque, on nous payait convenablement!" *En 67, tout était beau / C'était l'année de l'amour, c'était l'année de l'Expo…*, ainsi que le chantait le groupe Beau Dommage. En effet, la Belle Province s'ouvrait au monde. Les Québécois réservaient aux étrangers issus de tous azimuts un accueil des plus chaleureux, surtout quand ils venaient du Sud. "Selon le préjugé favorable, on savait forcément jouer et danser comme des dieux!" ironise le pianiste, avant d'éclater de ce rire exhubérant qui rappelle celui de Louis Armstrong.

Eddy Prophète

Dans son cas, le cliché n'était pas sans fondements. Initié au piano en bas âge par sa mère, le jeune Eddy commence sa carrière à 12 ans au sein d'un orchestre de quartier, puis entre chez Latino à 15 ans. En 1964, il quitte Port-au-Prince pour se joindre au Tropicana de Fort-de-France, dont il double le leader Marius Cultier au piano ou à l'accordéon quand celui-ci passe au vibraphone. Puis sa dérive l'emmène à New York et enfin au Québec, où il jette l'ancre.

Malgré sa longue carrière qui lui a fait côtoyer les grands de la musique tropicale et du jazz, Prophète attendra 1995 pour endisquer un premier CD, ***Katso***, un des rares albums de piano solo de la production haïtienne. À cette anthologie de thèmes vernaculaires, on pourrait reprocher sa (trop) grande retenue du point de vue de l'improvisation, concession évidente au goût du public haïtien, très attaché à ces mélodies populaires. On lui préfère ***Jazz : la rencontre***, enregistré avec le bassiste Tatsuhiko Kimura, rencontré au hasard d'une tournée à Tokyo. Au programme : des standards, dont une majorité signés Victor Young ("Stella by Starlight", "Beautiful Love"), un air haïtien ("Gede Nibo") et

113

"Katso", la pièce fétiche écrite par Prophète en hommage à ses filles Katherine et Sophie.

Dis-moi qui tu écoutes, je te dirai qui tu es… Pianiste au toucher ferme mais sans lourdeur, Prophète parle avec ferveur des virtuoses classiques (de Gould à Lortie) dont il admire la rigueur, lui qui a étudié sous la tutelle d'Henri Brassard à l'Uqam. Mais ses goûts naturels le ramènent aux maîtres du piano jazz, de Keith Jarrett (le Numéro Un) à Brad Meldhau, en passant par Bill Evans, Chick Corea, Herbie Hancock, McCoy Tyner, Mulgrew Miller, Gonzalo Rubalcaba et Chucho Valdés. Trahissant l'inconditionnel d'Antonio Carlo Jobim en lui, il insiste sur une qualité essentielle : l'imagination mélodique. "Il faut jouer des mélodies qui ont du sens. Une mélodie doit dire quelque chose."

Message reçu cinq sur cinq, cher Prophète.

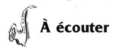 **À écouter**

Eddy Prophète & Tatsuhiko Kimura, *Jazz : la rencontre* (Import, en exclusivité chez Archambault), 1998.

Eddy Prophète, *Katso*, Mini Records, 1994

SYLVAIN GAGNON : AVENTURIER DE LA PORTÉE PERDUE

"J'ai décidé de fonder Lost Chart à cause de promesses non tenues. Et puis, il manquait à Montréal une étiquette de disques prête à prendre des risques." Contrebassiste, professeur de musique et producteur, Sylvain Gagnon prononce ces paroles fièrement, sans amertume ni arrogance, en homme qui connaît la valeur de son travail. Et pour cause! Lost Chart, qui célèbre en 1999 son cinquième anniversaire, a pris le relai du label Amplitude, dont la disparition a laissé orphelins bon nombre de jazzmen locaux. La firme de Gagnon assure la diffusion des œuvres de jazzmen moins connus du grand public mais pas moins intéressants : François Marcaurelle, Jan Jarczyk, Michel Dubeau et bien d'autres. En cela, elle se distingue de son aînée, la firme Justin Time, dont le catalogue regorge de têtes d'affiche et de valeurs sûres.

Assis à son bureau, rue Saint-Laurent, Gagnon apparaît d'abord et avant tout comme un type posé – un type zen, dira-t-on en référence à cet Extrême-Orient qui manifestement le fascine. Ces dernières années, Gagnon a beaucoup tourné en Asie et joué devant des foules nombreuses et enthousiastes, à la tête de sa propre formation et aux côtés de la chanteuse philippine Charito, reine du jazz sud-asiatique dont Lost Chart édite les dis-ques au Québec. Pas de nature à se faire des illusions, Gagnon parle de ce succès à l'étranger avec réserve. Quand on lui demande s'il n'est pas agacé de n'être pas davantage connu en tant que musi-cien dans son Montréal natal, Gagnon hausse les épaules. "Les bassistes, on est habitués à ne pas être à l'avant-scène, ironise-t-il. Ce qui me désole davantage, c'est qu'il ne s'est pas trouvé grand monde à Montréal pour parler du disque que j'ai fait avec Arun, un disque impor-tant il me semble…"

Paru sous étiquette World Chart, label subsidiaire de Lost Chart, l'album en question propose une rencontre entre le bassiste et O.S. Arun, chanteur origi-

Sylvain Gagnon

naire du Sud de l'Inde, au son des tablas de Guy Thouin. Disque tout à fait propice à la méditation et à la transe, **New Friends** s'in-scrit dans la poursuite du travail audacieux de Gagnon, tant à titre de musicien que de producteur, travail visant au rapprochement entre jazz et musiques du monde. Déjà sur une pièce de son pre-mier album ("Kapayo"), le bassiste s'aventurait au-delà de la tradi-tion américaine du jazz. De même, Gagnon n'a-t-il pas produit les projets de son collègue Michel Dubeau (**Chants du Nouveau Monde**, 1997; **Haïku**,1999)? Proche de la démarche de jazzmen non américains tels Jan Garbarek ou Trilok Gurtu, cette synthèse des musiques issues des quatre coins du monde ne fait-elle pas de Lost Chart une cousine de la firme allemande ECM, qui imposa au fil des années soixante-dix ce jazz non orthodoxe? "Si on veut,

115

rigole Gagnon. Avec les effets de réverbération en moins, par exemple."

Autrefois guitariste épris de rock progressif, Gagnon reste lucide en affaires. Malgré son goût pour l'exploration, le patron de Lost Chart ne dédaigne pas un best-seller occasionnel, par exemple son CD *Simply Music*, enregistré en compagnie du pianiste Joey Calderazzo et du batteur Jeff "Tain" Watts (que l'on a connu auprès des frères Marsalis). Plus traditionnel, ce "jazz de chambre" très classy permit à Lost Chart sa première percée sur le marché étasunien et demeure à ce jour le meilleur vendeur de la firme. De même, Lost Chart a repris en licence des disques étrangers introuvables ici, tels ceux du groupe jazz-fusion suisse Inside Out, ou ce superbe album du contrebassiste français Jean Bardy, *A Few Notes*.

Cette conversation à peine terminée, Gagnon reprend l'écoute du démo que lui a fait parvenir une jeune chanteuse montréalaise. Du jazz pop, très *radio-friendly*, à des lieues des univers éthérés de Dubeau. *So what*? Pas sectaire pour deux sous, Gagnon croit comme Duke Ellington "qu'il n'y a que deux types de musiques : la bonne et la mauvaise!"

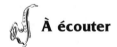 **À écouter**

Sylvain Gagnon, *Crépuscule*, Amplitude, 1991.

Sylvain Gagnon, *Readers of the Lost Chart*, Lost Chart, 1994.

Sylvain Gagnon / Joey Calderazzo / Jeff "Tain" Watts, *Simply Music*, Lost Chart, 1996.

Sylvain Gagnon & O.S. Arun, *New Friends*, World Chart, 1999.

Jan Jarczyk, *Things to Look for*, Lost Chart, 1995.

Helmut Lipsky, *Moontide*, World Chart, 1999.

Oyate, *Soul Jazz*, Lost Chart, 1994

MONTRÉAL JAZZE-T-ELLE?
(REPRISE)

Y A T-IL UNE VIE AU DELÀ DU FESTIVAL?

Société distincte, qu'ils disaient…
Et comment!

La scène jazz montréalaise ressemble en définitive assez peu à celles des autres métropoles d'Amérique ou d'ailleurs. Et ce, pour la bonne et simple raison qu'elle est tout à fait à l'image de notre bien-aimée métropole : bicéphale et un tantinet schizophrène. Certes Montréal peut s'enorgueillir à juste titre de son festival mondialement reconnu, modèle de référence d'autres événements du genre, d'Ottawa à Vancouver. Mais les gens de l'Équipe Spectra ont beau faire les gorges chaudes à propos des centaines de spectacles qu'on y présente en moins d'une quinzaine de jours année après année, ils ont beau répéter que le Festival a joué un rôle majeur dans la revitalisation du jazz local, il n'en demeure pas moins que la situation n'est pas forcément jojo le reste du temps.

Le reste du temps, c'est l'encéphalogramme plat ou presque pour le jazz dans la métropole, écrivais-je dans le liminaire. Une hyperbole, on l'aura bien compris. C'est plus fort que moi : on mettra ma tendance à l'exagération sur le compte de mon double héritage culturel (haïtien et saguenéen). Comme le faisait déjà remarquer en 1992 Patrick Marsolais du journal *Voir*, c'est un cliché éhonté d'affirmer qu'en dehors du Festival, "Montréal adopte les allures d'une ville fantôme, vide de toutes activités empreintes de la note bleue". Durant les cinquante autres semaines de l'année, les membres de la communauté jazzistique montréalaise – qu'on estime à environ trois cent musiciens – doivent se débattre pour obtenir une gig dans l'un ou l'autre des clubs de la métropole. Et souvent ils doivent jouer dans des conditions peu enviables. Mais il n'empêche que la situation n'est pas aussi dramatique qu'elle l'a déjà été, ainsi que me le répètent plusieurs amis musiciens.

À vrai dire, d'une semaine à l'autre, on peut entendre à Montréal du jazz de très haut calibre presque tous les soirs. Et on n'a même pas à le chercher bien longtemps; les quotidiens montréalais font état des spectacles des artistes locaux comme de ceux des étrangers de passage et les deux hebdos culturels de la ville, *Voir* et *Ici*, ont une section "Jazz & Blues" dans leur calendrier où l'on peut constater qu'à défaut d'être bondés, les clubs abondent. Car voilà en effet le hic : le public pourtant si nombreux pendant le Festival n'est pas au rendez-vous à l'année longue. Quand Monsieur et Madame Toulemonde ne sont plus en vacances, ils sortent moins. En plus, ils n'ont pas forcément envie de se faire casser les oreilles avec cette musique bizarre et imprévisible alors que les sirupeuses et rassurantes balades de Céline Dion passent presque vingt-quatre heures sur vingt-quatre à la radio et à la télévidéo.

C'est comme ça, on n'y peut rien. Sans doute vaudrait-il mieux se faire à l'idée. Évidemment, en jazz comme dans bien des domaines au Québec, on aime se plaindre. Mais ce discours défaitiste finit par agacer. Les jazzmen sont-ils tenus d'afficher cette image d'*underdog*, pour reprendre cette expression chère à Charlie Mingus ? Pas si l'on en croit Michel Donato. "L'excuse du Festival, c'est de la foutaise, déclarait le bassiste au journal *Voir*. C'est une ambiance unique, puis c'est le plus gros au monde. C'est pas des menteries, ça. C'est bien organisé, pis ça marche. Pour que Miles Davis vienne trois fois, c'est qu'il y a quelque chose. C'est sûr que ça ne peut pas être le Festival toute l'année. Mais tout de même, y a des places communautaires, deux, trois clubs. De toute façon, on n'a pas besoin de trois mille places pour jouer. C'est la braise, quand le Festival arrive, ils mettent des bûches, et les flammes repartent. Grouillez-vous pis jouez, organisez-vous, faites-vous un kit de presse, prenez des belles photos, et ça va fonctionner. Moi, des affaires de chialage… Ça donne quoi de chialer, sinon se fermer des portes. C'est sûr qu'il n'y a environ que 4 % des gens qui écoutent du jazz, c'est pas beaucoup. Mais si t'es pas content, va-t'en dans le pop, puis vends-en 300 000 copies."

OÙ ÉCOUTER DU JAZZ À MONTRÉAL ?

Les clubs, parlons-en donc des clubs, tandis qu'on y est.

Plutôt qu'un répertoire exhaustif – qui de toute manière risque de devenir périmé d'ici l'an prochain, vu la grande longévité des clubs – allons-y avec une ébauche de la situation générale.

À tout seigneur, tout honneur : commençons par Biddle's, l'une de nos plus anciennes boîtes de jazz, qui a pignon sur rue à l'angle d'Aylmer et de Maisonneuve depuis 1979. Véritable emblème de la tradition, le restaurant-bar attire une clientèle régulière avec une programmation assez peu aventureuse, axée sur le bop et le swing. Les habitués se rappelleront les belles soirées du trio que formaient Oliver Jones, Bernard Primeau et, bien sûr, Charles Biddle au début des années quatre-vingt; au cours de la décennie suivante, Jones céda le banc de piano à Billy Georgette. Encore aujourd'hui, il arrive que le patron aille chatouiller le ventre de sa contrebasse, soutenu par des musiciens de la génération suivante, comme le batteur Wally Muhammad. Évidemment, la vocation première de ce restaurant-bar n'en fait pas l'endroit idéal pour les expérimentations d'avant-garde; pour les surprises et les découvertes, il reste néanmoins les jam-sessions du lundi.

Contemporain de Biddle's, L'Air du temps s'affiche davantage comme le lieu privilégié des musiciens locaux pour "lâcher leur fou"! En effet, c'est dans le petit club exigu de la rue Saint-Paul qu'on viendra plus volontiers les entendre "casser" leurs nouvelles compositions, peu importe le genre : be-bop ou swing, jazz rock, bossa nova ou free jazz – L'Air du temps donne dans un éclectisme de bon aloi. C'est notamment dans ce décor hétéroclite – escalier en colimaçon issu d'un double-decker londonien, salons-wagons dans le style du premier métro de Paris, ventilateurs au plafond, des lustres et abat-jour; mezzanine – que le tandem Karen Young et Michel Donato fit ses débuts et que le même Donato donna le coup d'envoi à sa collaboration avec le bassiste Alain Caron, autre pilier de l'établissement.

À l'automne 1998, la sympathique boîte du Vieux-Montréal célébrait en grande pompe son vingtième anniversaire, en présentant pendant un mois et demi pas moins de cent-cinquante spectacles. Étaient de la partie, les Michel Donato, Karen Young, Alain Caron, Michel Cusson, Lorraine Desmarais, Jean-Pierre Zanella, Charles Papasoff, Sylvain Gagnon – bref, une vraie réunion de famille, quoi! "On veut continuer la tradition et ajouter les nouvelles tendances", déclarait au journal *Voir* Louis Côté, propriétaire

119

du club depuis 1997. Comme de fait, on peut entendre à L'Air du temps les vétérans du Denny Christianson Big Band (tous les premiers lundis du mois) et, depuis peu, un trio-maison, composé d'Antoine Berthiaume à la guitare, de François Turgeon à la basse et de Nicolas Grégoire à la batterie.

Denny Christianson

Parmi les autres lieux où l'on peut prendre le pouls du jazz actuel, il serait impensable de passer sous silence le Cabaret du Saint-Sulpice. Situé au quatrième étage du véritable complexe récréatif qu'est devenu au fil des ans le bar-fétiche de la faune estudiantine du Quartier latin, le Cabaret présente depuis l'hiver 1997-1998 des soirées jazz sous la houlette de l'excellent pianiste Daniel Thouin (qu'on a pu entendre aux côtés de Yannick Rieu mais également avec des artistes pop tels que Mara Tremblay, Fred Fortin et le groupe Ann Victor). Jam-sessions qui permettent à la relève de se faire les dents, les soirées jazz du Cabaret accueillaient en mai dernier le guitariste new-yorkais Kurt Rosenwinkel (étoile montante qui a joué avec Gary Burton, Paul Motian et, plus récemment, Tim Hagans). Une formule des plus stimulantes pour les musiciens d'ici comme pour leurs homologues étrangers.

Mais la métropole n'a pas que ces trois établissements à proposer à l'amateur de jazz. Nombreux sont les endroits qui offrent sur une base régulière ou sporadique une tribune aux musiciens locaux ou de passage. Voici une sélection des adresses qui me semblent les plus intéressantes, pour qui voudrait découvrir la vitalité de la scène jazz montréalaise.

L'Air du temps
191, rue Saint-Paul, Montréal. ⊕ Place d'Armes. ☎ (514) 842-2003

Biddle's Jazz & Ribs
2060, rue Aylmer, Montréal. ⊕ McGill. ☎ (514) 842-8656

Cabaret du Saint-Sulpice
1680, rue Saint-Denis, 4ᵉ étage, Montréal. ⊕ Berri-UQAM ☎. (514) 844-9458

Gesù
1200, rue Bleury, Montréal. ⊕ Place-des-Arts. ☎ (514) 861-4378

Jazzon
300, rue Ontario Est, Montréal. ⊕ Berri-UQAM. ☎ (514) 843-9818

Jello Bar
151, rue Ontario Est, Montréal. ⊕ Saint-Laurent. ☎ (514) 285-2621

Le Lion d'or
1676, rue Ontario Est, Montréal. ⊕ Papineau. ☎ (514) 598-0709

Quartier Latin Pub
300, rue Ontario Est, Montreal. ⊕ Berri-UQAM. ☎ (514) 845-3301

Upstairs Jazz Bar
1254, rue Mackay, Montréal. ⊕ Guy-Concordia. ☎ (514) 931-6808

Maison de la culture Frontenac
2550, rue Ontario Est, Montréal. ⊕ Frontenac. ☎ (514) 872-7882

Université Concordia (Concert Hall)
7141, rue Sherbrooke Ouest, Montréal. ⊕ Guy-Concordia ☎ (514) 790-1245

Université McGill (Salle Pollack)
555, rue Sherbrooke Ouest, Montréal. ⊕ McGill ☎ (514) 398-8101

MONTRÉAL JAZZE-T-ELLE ? (REPRISE)

L'AVENTURE DE SAISON JAZZ MONTRÉAL

On l'aura remarqué : le carnet des bonnes adresses jazz montréalaises comprend également des auditoriums universitaires et des maisons de la culture. Incapable de se brancher entre son statut de "musique de chambre" et de "musique de bordel", le jazz joue parfois la carte de la respectabilité et aime sortir de ces bars enfumés où le public bavard se soucie davantage du match de hockey sur l'écran géant du fond que des savantes relectures de "Billie's Bounce"...

Lassé des conditions minables qui trop souvent sont le lot des musiciens locaux (mauvaise sono, absence d'éclairage adéquat), le pianiste Luc Hamel tentait en 1992 l'expérience de présenter sa musique dans un cadre plus sophistiqué : encouragé par sa productrice Carmelle Pilon, il montait sur les planches du théâtre La Licorne pour un spectacle à la mise en scène élaborée autour du thème de la transparence. "En fait, j'ai rien contre jouer dans les bars, s'est défendu le pianiste dans les pages du *Voir*. Rien contre les gens qui veulent danser, claquer des doigts ou simplement s'allumer une cigarette. À l'époque, je voulais juste pousser l'idée pour les musiciens de jazz de jouer dans un environnement convenable. Ce que je voulais dire, c'est que le jazz est aussi une musique de concert."

En un sens, cette expérience fut pour Hamel, mais surtout pour Carmelle Pilon, l'occasion de jeter les bases d'une formule destinée à offrir sur une base régulière aux artisans et amateurs de la note bleue un cadre plus propice que les bars. L'aventure en question s'appelait Saison Jazz Montréal. Née dans la quasi-confidentialité en 1993, elle était au moment de mon entretien avec Carmelle Pilon en bonne voie de devenir un véritable festival hivernal. Hélas, tout le monde ne voyait pas d'un bon oeil l'émergence à Montréal d'un autre événement jazz international... Comment expliquer autrement que l'Équipe Spectra choisisse de programmer un concert du populaire guitariste Pat Metheny au théâtre Saint-Denis le même soir d'automne 1997 où Saison Jazz recevait le saxophoniste Steve Lacy au Gesù ?

Malgré ce genre de coups bas, Saison Jazz Montréal aura néanmoins eu l'audace de présenter, entre septembre et mai

1998, le tromboniste Steve Turre, les saxophonistes Steve Lacy puis Antonio Hart, les compositions de Maria Schneider interprétées par l'Altsys Jazz Orchestra et bien d'autres prestigieux invités de la *Série internationale* du Gesù. Cela dit, Saison Jazz ne se consacrait pas qu'à la promotion des artistes étrangers. "Ces spectacles stimulent la création locale; ça, les musiciens d'ici me le disent souvent, affirmait la directrice. Mais notre travail vise surtout à faire en sorte qu'on reconnaisse nos artistes sur le même plan que les stars internationales."

À cette fin, Pilon et son équipe avaient mis sur pied *Silence, on jazz à Frontenac*, série de concerts enregistrés à la Maison de la culture Frontenac pour diffusion sur les ondes de Radio-Canada. De même, *Saison Jazz en tournée* permettait à des artistes locaux — en 1998, Basse Section, le groupe du bassiste Frédéric Alarie — de se produire en province. De toutes les activités de Saison Jazz Montréal cependant, le week-end *L'hiver sous le parasol du jazz*, du 15 au 17 janvier 1998, était sans doute le projet le plus original de la directrice. Pour son cinquième anniversaire, Saison Jazz avait choisi de présenter le premier Gala du jazz montréalais où allaient être décernés trophées et prix, véritable happening auquel étaient conviés musiciens d'ici et d'ailleurs, dont Frédéric Alarie, Michel Cusson, Lorraine Desmarais, Michel Donato, Bernard Primeau, Dinah Vero. Ambitieuse, la dame Pilon ? "Le danger pour des manifestations comme la nôtre serait de voir trop petit, de ne pas se démarquer suffisamment."

En définitive, ce ne fut ni le manque d'audace, ni même la rivalité féroce du Festival de jazz qui causa la perte de Saison Jazz Montréal, mais tout simplement l'impondérable température. En effet, l'infernale crise du verglas de janvier 1998 eut littéralement un effet désastreux sur la tenue du week-end *L'hiver sous le parasol du jazz* – qui ne put évidemment pas couvrir ses frais. De guerre lasse, Carmelle Pilon s'est retirée depuis, laissant à d'autres le soin de se relancer la scène jazz off Festival… Au moment de la rédaction de ce bouquin, Louis Côté, le propriétaire de L'Air du temps, parlait de revamper la formule de Saison Jazz Montréal…

Alors, on garde les doigts croisés…? **123**

MONTRÉAL JAZZE-T-ELLE? (REPRISE)

POUR EN FINIR AVEC LES DEUX SOLITUDES

La musique, un langage universel?

On le voudrait bien, et pourtant…

Bicéphale, la scène musicale d'ici, écrivais-je, reflète le profond clivage politique et culturel entre l'est et l'ouest de la ville qui afflige la vie sociale montréalaise. Cette situation apparaît d'autant plus absurde et déplorable que le jazz est une musique instrumentale. "C'est très délicat à commenter, déclarait le trompettiste d'origine américaine Kevin Dean, lors d'une entrevue accordée au journal *Voir*. Je pense que les Montréalais, peu importe la communauté, ont tendance à tout politiser. Je crois néanmoins que cette réaction est plus répandue dans le public que chez les musiciens eux-mêmes." Quoi qu'il en soit, le fait demeure que les grands noms sont trop souvent les seuls à avoir ce privilège de jouer devant des auditoires qui font fi des différences linguistiques… Règle générale, les bands moins connus doivent se contenter d'un public appartenant à sa propre communauté. Comme si la rue Saint-Laurent était réellement un rideau de fer qu'on hésite à franchir… Par rapport aux années soixante-dix, où un public multilingue et pluriethnique fraternisait joyeusement au Rising Sun, cela constitue un recul manifeste et inquiétant.

Du côté Ouest, la communauté musicale anglophone a engendré une scène qui lui est propre, calquée sur le modèle américain, dont les foyers centraux sont les deux universités anglophones, McGill et Concordia. Les départements de jazz de ces institutions sont d'ailleurs animés par bon nombre d'expatriés étasuniens. Cette tendance à recruter le personnel enseignant des universités, mais également des collèges et écoles, chez les musiciens de jazz est relativement nouvelle. À McGill, on remarque la présence dans le corps professoral du trompettiste Kevin Dean, hard bopper pur et dur dans la lignée de Kenny Dorham, et du pianiste et arrangeur d'origine polonaise Jan Jarczyk. À Concordia, règne depuis longtemps le prodigieux trompettiste originaire de Chicago, Charles Ellison, ancien membre de la légendaire formation Air, dirigée par Henry Threadgill; mais le département de jazz de la jeune université anglo compte aussi sur l'excellente chanteuse Jeri Brown. Notons enfin que le couple formé par la saxophoniste Jennifer Bell et son mari trompettiste Bill Mahar est très actif à McGill mais aussi à la tête de leur mini-big band Altsys Jazz Orchestra, dont le répertoire inclut des compositions originales mais également des œuvres de George Russell, Kenny Wheeler et Maria Schneider.

Car si tous les musiciens ne se mêlent pas nécessairement d'éducation académique, les aînés dispensent à leurs cadets soir après soir un enseignement tout aussi valable, sinon plus. Parmi ces vétérans de la scène anglophone, on citera, outre le bassiste Charles Biddle, le guitariste Nelson Symonds. Véritable gloire locale, Symonds aura attendu l'âge vénérable de cinquante-huit ans avant d'enregistrer son premier album; cependant, jusqu'à ce que des ennuis de santé l'obligent à restreindre ses activités, il a joué régulièrement dans les clubs de la ville, notamment ces dernières années aux côtés du saxophoniste alto Dave Turner. De même, le pianiste Oliver Jones, frère cadet spirituel du légendaire Oscar Peterson, se mit à endisquer relativement tard dans sa carrière… (Heureusement pour ses nombreux fans, il s'est bien repris depuis!) Mais lui aussi a choisi de donner des leçons de jazz informelles en jouant soir après soir, à Montréal et un peu partout dans la province. À l'instar de Peterson, Jones, maintenant âgé d'une soixantaine d'années, vit en semi-retraite et jouit d'une réputation enviable grâce aux efforts de sa compagnie de disques, Justin Time, et de sa présence régulière au Festival de jazz de Montréal.

Du côté francophone, le paysage est plus diversifié. Si la grande majorité des vétérans se conforment à l'omniprésent modèle américain, les plus jeunes générations se divisent en plusieurs camps. Chez les vétérans qui animent des séminaires "sur le terrain" pour ainsi dire, citons le pianiste Vogel, chef d'un des plus vieux big bands en ville, dont le travail s'inscrit dans la lignée des grandes formations de Duke Ellington et de ses émules modernes tels que Gil Evans (avant son virage rock) et Bernard Primeau, ce batteur énergique dont le combo d'obédience hard bop s'inspire visiblement de la formule des Jazz Messengers d'Art Blakey, idole avouée de Primeau.

Sur le plan institutionnel, les francophones semblent moins présents dans les universités que leurs confrères d'outre-boulevard

125

Saint-Laurent. Apparemment, seuls les bassistes Michel Donato et Éval Manigat s'aventurent sur une base semi régulière dans les universités anglophones. Autrement, la plupart des jazzmen québécois qui œuvrent dans le domaine de l'enseignement le font au niveau du collégial, au collège Vincent-D'Indy, au cégep de Saint-Laurent ou à celui de Drummondville (à une heure de Montréal) : on pense notamment à Donato (encore!) mais également à son confrère bassiste Sylvain Gagnon, de même qu'au pianiste François Marcaurelle et au saxophoniste Jean-Pierre Zanella.

Autre particularité de la scène jazz francophone, on y trouve une plus grande proportion de groupes de jazz-fusion. Le succès du jazz-rock des francophones ne s'est jamais démenti, d'autant plus qu'il est lié à l'amour des babyboomers québécois pour le rock progressif durant les années soixante-dix. Uzeb, la plus célèbre formation québécoise du genre, donna le ton mais la scène comptait également une pléthore de ces groupes : Contrevent, Maneige, Nebu, l'Orchestre Sympathique, Tasman, et j'en passe. Aujourd'hui, deux des ex-membres d'Uzeb continuent dans la même veine à la tête de nouvelles formations (le Band d'Alain Caron et le Wild Unit de Michel Cusson). À ceux-ci s'ajoutent le sextette de François Marcaurelle et un tas de nouvelles formations qui renouvellent le genre en y injectant des apports des nouveaux avatars de la musique afro-américaine, dans la lignée du mouvement M-Base, nommément les groupes Burdock et [iks].

Dans une veine acoustique, le bassiste Sylvain Gagnon, le saxophoniste Michel Dubeau et quelques autres pratiquent eux aussi une forme de fusion moins agressive et moins orientée vers le rock que vers les musiques du monde. Cet éclectisme, courant chez les jazzmen francos, est plus rares chez leurs confrères anglos, beaucoup plus attachés à la tradition. "Le jazz a été inventé par le peuple noir des États-Unis et pour moi, c'est là que se situe l'héritage le plus riche, expliquait Kevin Dean, dans l'entrevue susmentionnée. C'est le swing qui est à la base du jazz, ce n'est pas simplement une question d'improvisation. Certains musiciens intègrent des instruments tels l'accordéon ou le banjo et se disent : *On va jouer des trucs que personne n'a faits avant.* Je pense qu'ils confondent *différent* avec *qualité.* Si quelqu'un veut qualifier sa musique de jazz, il doit acquiescer à certaines conditions. Il faut que ce soit acoustique, orienté vers le swing et non le rock, empreint de la tradition des Ellington, Parker, Coltrane et cie. Si ce n'est pas le cas, pas de problème. Mais qu'on n'appelle pas ça du jazz."

Sans doute Dean fait-il ici allusion au collectif de musiciens éminemment éclectiques qui gravitent autour du Quai des Brumes, célèbre taverne du Plateau Mont-Royal, mais surtout à l'étiquette de disques Ambiances Magnétiques, qu'ils ont eux-mêmes fondée. Leur musique, joyeux et désinvolte amalgame de jazz, de rock expérimental, de classique contemporain et d'improvisation sonore pure, est appelée tout simplement "actuelle", faute d'un terme plus adéquat. Les musiciens les plus connus de cette mouvance sont les guitaristes René Lussier et André Duchesne et les saxophonistes Jean Derome et Robert M. Lepage. Mais cette tribu compte également parmi ses membres l'iconoclaste claviériste Pierre Saint-Jak, les "vocalistes" Joanne Hétu et Lou Babin, l'échantillonneuse Diane Labrosse, le *"turn-tablist"* Martin Tétreault, le bassiste Pierre Cartier, le batteur Pierre Tanguay et plusieurs autres.

Normand Guilbeault Ensemble

Parallèlement au travail sur scène et sur disque de ce collectif, un festival entièrement consacré à ces nouvelles formes musicales a vu le jour dans une ville rurale à deux heures de voiture de Montréal. Manifestation modeste à ses débuts en 1983, le Festival international de musique actuelle de Victoriaville, fondé par Michel Levasseur, attire aujourd'hui un public venu de tous azimuts. Le jazz, dans ses formes les plus avant-gardistes, a su trouver sa place à Victo : ainsi, les saxophonistes Charles Papasoff et Yannick Rieu ont participé au Festival et le bassiste Normand Guilbeault y a créé son monumental ***Riel : Plaidoyer musical pour la réhabilitation d'un juste*** en mai 1998.

127

MONTRÉAL JAZZE-T-ELLE ? (REPRISE)

IMPROMPTUS DE MONTRÉAL

Le plaisir de fréquenter les bars de jazz s'apparente à mes yeux à l'aventure de l'explorateur naviguant au large des terres connues à la recherche d'Indes inaccessible. Ainsi, les soirs de chance, il m'est arrivé de tomber (presque) par hasard sur le trio du prodigieux pianiste new-yorkais Matt Herkowitz au Saint-Sulpice; ou sur le groupe Burdock avec le saxophoniste Rémi Bolduc en invité spécial à l'Air du temps; ou encore sur le chanteur Freddie James, ancienne star du disco, en train d'échanger avec le crooner Adam Broughton, avec le soutien de mes potes les Lili's Tigers qui animent tous les mardis des jam-sessions soul-jazz au Wax Lounge sur Saint-Laurent.

UNE SOIRÉE AU JELLO BAR AVEC LE ROYAL JELLY BAND

Tandis que tourne "Let's Groove", les musiciens prennent place sur le podium. Pour se réchauffer, la basse reprend le riff d'Earth, Wind & Fire, le claviériste double la ligne mélodique, le batteur s'ajuste au rythme. Bientôt, le band entier se lance dans une impro sur le thème d'EWF, avec clins d'œil à "Marcia Baïla" des Rita Mitsouko pour souligner la parenté harmonique des deux hits. Jazz ou *dance music* ? "J'arrive pas à trancher moi-même!" répond avec ironie Tom Walsh, le tromboniste et leader du Royal Jelly Band, qu'on a connu dans un contexte tout autre : parmi les Dangereux Zhoms de Jean Derome. "Disons un groupe de funk pour l'esprit ET les pieds!"

Fondé il y a un peu plus de cinq ans, en pleine vague acid jazz, le Royal Jelly Band s'est donné pour mission de raviver l'énergie du jazz des origines, celui d'une époque où il ne serait venu à l'esprit de personne de dissocier plaisirs du corps et de la tête. Pour avoir vu Walsh et ses associés faire *groover* une disco bondée, les soirs de week-end, on peut parler d'une mission accomplie! Outre le tromboniste, le band comprend l'imperturbable bassiste Harry Schnur, le guitariste Jordan Officer, l'omniprésent claviériste Antòn Rozankovic, le batteur Yvan Plouffe auxquels s'ajoutent selon les gigs le rappeur X-WAM, le chanteur Soul-O ou la chanteuse Susie Arioli. Le répertoire va des standards incontournables ("Don't Explain") aux classiques soul ou r&b ("Watermelon man"), le tout souverainement orchestré par Walsh. En attendant la sortie de leur premier CD, on se déhanche volontiers au son de leur... jazz ou *dance music*? *Who cares*, dirait sans doute Tom Walsh. *Let's groove*!

FUNK SUR ORDONNANCE : JAZZ PHARMACY

"On ne veut pas faire une musique trop intello, affirme Philip Clarke, le leader de Jazz Pharmacy. On essaie d'avoir du fun en espérant que le public en ait aussi." Composé du chanteur et claviériste Clarke, du bassiste Fraser Nash et du batteur Eddy Cola, le combo montréalais est né dans le sous-sol du batteur, où les musiciens se réunissaient pour jammer. Classé "acid jazz", le trio ne fréquente pourtant guère la musique ainsi étiquetée. Certes, ils apprécient des bands comme Brand New Heavies, Groove Collective et même, dans un versant plus pop, Soul II Soul, mais se réclament plus volontiers du funk des années soixante-dix (George Clinton et cie), de Jimi Hendrix, de jazz classique et du jazz-funk de Herbie Hancock et de Miles Davis, l'incontournable. "On est très influencés par sa période **Bitches Brew**. On se nourrit plus des trucs anciens; l'éloignement dans le temps, ça donne une meilleure perspective."

Au moment de notre rencontre, les gars revenaient d'une tournée pan-canadienne et ne rêvaient que de vacances, avant de travailler sur leur nouvel album. Mais avant de s'octroyer le repos des guerries, ils se produisaient dans le cadre du Festival international de Jazz de Montréal, au Métropolis, en première party de Skyjuice et au Swimming, leur club de prédilection, devant leurs fidèles. Leurs attentes par rapport au public? "On ne veut pas d'un public qui écoute religieusement comme à la Place des Arts." En manque de fun et de funk? Jazz Pharmacy: en plein ce que le médecin prescrirait!

LE GROUPE [IKS] : ÉLOGE DE L'INACHEVÉ

129

"Le jazz est une musique *live* et *alive*!" lance plein de verve Pierre Alexandre Tremblay, le jeune leader et bassiste du groupe,

[iks]. "Une musique empirique, comme composée en temps réel." En réaction contre une approche trop conservatrice, voire muséologique du jazz, Tremblay a réuni en studio le batteur Jean Sébastien Nicol, le claviériste Jean-François Paiement, le guitariste Sylvain Pohu et le saxophoniste Sébastien Arcand Tourigny, non pas pour figer ses compositions originales que le band étrenne depuis sa formation en 1996 mais pour en donner un instantané. D'où le titre de leur premier CD : *Punctum* — pour ponctuation dans leur évolution.

[iks], *Punctum*,
Productions ORA / S.R.I.

Solidaires du travail de Steve Coleman et d'autres jazzmen désireux d'ouvrir le jazz aux influences globalisantes de toutes les musiques, les membres de la formation [iks] pratiquent un post-fusion situé à des lieues de toute intellectualisation abusive. Ils s'autorisent même quelques détours du côté de la rue, notamment par le biais des interventions de leur invité, le rapper Dice B. Cet album sans concession, signé par de jeunes loups en pleine possession de leur art, constitue un sacré coup d'envoi. Étant donné leurs nombreux projets, ce Punctum est loin d'être le point final : invité à participer au prestigieux festival Jazz à Vienne (en Isère) cette année, [iks] qui tenait l'affiche à la petite salle de la Place des Arts il n'y a pas si longtemps est de toute évidence appelé à un bel avenir…

DISQUES DE JAZZ MADE-IN-QUEBEC

Le jazz n'est pas un secteur bien important de notre industrie du disque québécois, loin de là. Raison de plus de s'estimer chanceux de pouvoir compter actuellement sur au moins deux boîtes majeures (à défaut d'être *majors*). À celles-ci s'ajoutent cependant deux autres labels indépendants d'importance moyenne (Audiogram et DSM), les productions maison de la société Radio-Canada et une série de petites étiquettes, dont plusieurs vouées à l'auto-production.

Justin Time

Le moins qu'on puisse dire de Jim West, fondateur de l'étiquette de disques Justin Time, c'est qu'il a de la suite dans les idées. Inspiré par une soirée particulièrement swinguante dans un club local, West inaugure son label en 1983 par un album en public du pianiste Oliver Jones, ***Live at Biddle's***. Depuis ce premier titre, la firme a apposé son amusant logo (une image du lapin d'***Alice au pays des merveilles***) sur plus d'une centaine de disques de musique jazz, blues ou gospel, une production éclectique mais de toute première qualité où se côtoient des artistes aussi divers que Jones, le saxophoniste d'avant-garde David Murray et ses comparses du World Saxophone Quartet, la pianiste-chanteuse Diana Krall (avant son passage chez les *majors*), le Montreal Jubilation Gospel Choir, le bluesman James Cotton, le percussionniste Kip Hanrahan, etc. De

Retrospective 1983-1998, Justin Time, 1998

plus, le label a aussi acquis les droits sur un peu plus de soixante-dix enregistrements signés Michel Donato, Dizzy Gillespie, McCoy Tyner et Al DiMeola, sans compter les albums de stand-up comic, les trames sonores (dont celle du film ***Le Party*** de Pierre Falardeau et de la télésérie ***René Lévesque***) et les disques de folk ou de chanson populaire.

En 1990, le label lance une branche subsidiaire, Just A Memory, consacrée aux rééditions d'enregistrements devenus introuvables et d'inédits. Parmi ceux-ci, mentionnons trois coffrets de l'accordéoniste argentin Astor Piazzola, des disques du groupe Garolou, les anthologies Paris Musette, la série de concerts de blues Collector's Classics et, en association avec les Entreprises Radio-Canada, des séances rares d'Oscar Peterson et de Maynard Ferguson. Également digne de mention, la collection "*Rising Sun*" restitue grâce aux merveilles du numérique l'ambiance qui régnait au défunt club de Doudou Boicel, où se produisirent des artistes aussi prestigieux que Chet Baker, John Lee Hooker, Lightnin' Hopkins, Archie Shepp, Nina Simone et Taj Mahal. Sept ans après,

131

Justin Time engendre un label associé de plus, Just A Minute, consacré celui-là au rock et à la musique dite alternative.

Couronnée par de nombreux prix (Juno et Félix), encensée dans les pages de publications spécialisées aussi diverses que *Down Beat, Jazz Times, Musician, Wire, Swing Journal* et *Jazzman*, la firme Justin Time se voit proclamée Étiquette de disque de l'année par le magazine *Jazz Report* trois années consécutives (en 1994, 1995 et 1996). De son siège social montréalais, le label distribue ses productions en Europe, en Afrique et jusqu'en Asie du Sud-Est.

 **À écouter**

Rétrospective 1983-1998, Justin Time, 1998.

Jazz Montréal, Justin Time, 1998.

Disques Justin Time
5455, rue Paré, bureau 101, Montréal (Québec) Canada, H4P 1P7
Tél. : (514) 738-9533 - Téléc. : (514) 737-9780
http : //www.justin-time.com

Lost Chart

Fondée en 1994 et dirigée par le bassiste Sylvain Gagnon (Voir le chapitre Visages du Jazz), l'étiquette de disques Lost Chart se consacre à la production et la diffusion d'albums de jazz sans se restreindre à un style particulier : du *mainstream* acoustique au jazz progressiste et électrique en passant par la musique d'inspiration brésilienne, tous les avatars du jazz sont représentés dans le catalogue de la jeune firme. À preuve, on évoquera la présence dans l'écurie Lost Chart d'artistes aux esthétiques aussi variées que le groupe Gakki, les combos du claviériste et pianiste François Marcaurelle, le saxophoniste Jean-Pierre Zanella ou la chanteuse philipinos Charito.

À l'instar de son aînée Justin Time, Lost Chart a inauguré un sous-label, World Chart, consacré aux musiques du monde, avec les albums *Mystik* du chanteur Ismaelien Sultana Kara et aussi *New Friends* de Sylvain Gagnon et O. S. Arun. Représentés dans tout le Canada, aux États-Unis, en France et en Suisse, diffusés à l'échelle de la planète, la quarantaine de disques de Lost Chart expriment, si on en croit l'argumentaire de la firme, "une volonté ferme d'échanges internationaux entre musiciens de différentes culture."

Disques Lost Chart

5505, boul. Saint-Laurent, bureau 3017, Montréal (Québec) Canada H2T 1S6

Tél : (514) 276-4760, poste 128 – Téléc. : (514) 276-5033

http : //www.total.net/~lostchar

courriel : lostchar@total.net

Les autres labels québécois

— **Ambiances Magnétiques** : fondée en 1983 par les chefs de file de la musique actuelle québécoise (Derome, Lussier, Côté, etc.), le label publie principalement les disques de ces artistes, dont certains albums de jazz.

— **Audiogram** : même s'il se consacre principalement à la musique populaire québécoise, le label, d'ailleurs lié à l'Équipe Spectra qui préside aux destinées du Festival de jazz, n'a pas dédaigné l'aventure vaguement jazzée d'*Omertà*, la trame sonore de la populaire série policière signée par Michel Cusson.

— **DSM** : troisième label de jazz en importance, cette firme ouest-montréalaise compte déjà une trentaine de titres à son actif, dont la majeure partie sont des captations de spectacles présentés en boîte, dans les maisons de la culture ou, parfois, dans les studios de la société Radio-Canada. (http : //www.aei.ca/~dsm)

— **Entreprises Radio-Canada et labels associés (Fonovox)** : ces excroissances de la société d'État proposent principalement des captations de performances diffusées à Radio-Canada / CBC ou des compilations d'enregistrements issus des archives du réseau et tombés dans le domaine public. (http : //www.radio-canada.ca)

— **Fidelio** : la cadette des maisons de disques de jazz québécois n'a publié à ce jour que *Contact*, un disque du bassiste Frédéric Alarie en duo avec le guitariste américain Art Johnson.

— **McGill** : comme son nom l'indique, le label publie des disques produits par des musiciens associés au département de jazz de la prestigieuse université.

— **Port-Royal** : on ne leur connaît qu'un album (superbe) de la pianiste de rag-time Mimi Blais.

133

— **Scherzo** : l'étiquette de disques de la pianiste Lorraine Desmarais.

— **Silence** : l'étiquette publie des disques audiophiles, plaqués or et fort luxueux de jazzmen locaux (James Gelfand, Rémi Bolduc, etc.) mais également de la musique classique et du world beat.

— **Swing'in Time** : l'étiquette du batteur Bernard Primeau.

— **URSH** : l'étiquette de la chanteuse Karen Young.

— **Victo** : extension du Festival international de musique actuelle de Victoriaville, le label publie principalement des captations de spectacles présentés dans le cadre dudit Festival.

J@ZZ ET INTERNET

Y a-t-il dans la salle des gens qui soient à la fois internautes ET jazzophiles ? Pardi, c'est que vous n'avez vraiment rien pour vous…

Sans déconner, on trouve de tout et de rien sur le net, y compris des pages et des pages consacrées au jazz et à ses artisans. Étant moi-même un internaute occasionnel, j'ai visité plusieurs de ces sites. En dehors des sites officiels des principales maisons de disques américaines (Sony, Warner, Verve, RCA, etc.), voici une sélection des sites les plus pertinents que j'ai trouvés en surfant, présentés tout bonnement par ordre alphabétique.

All about jazz

Cette adresse essentielle, ainsi que son nom le laisse supposer, permettra de trouver à peu près tout et tout le monde sur le web : artistes, maisons de disques, forums de discussion, discographies… Le point de départ de toute recherche concernant le jazz sur Internet. En anglais seulement.

http : //www.allaboutjazz.com

Dobbin's Den

La page du montréalais Len Dobbin, photographe, animateur de radio, critique musical et ami du jazz depuis 1947. On la retrouvait autrefois sur le site de Jazz Montréal (il en reste quelques pages, d'ailleurs), mais l'antre de Dobbin a déménagé ses pénates vers le site des disques DSM. En anglais seulement.

http : //www.aei.ca/~dsm/DobbinDen.htm

Down Beat

La doyenne et la plus importante revue de jazz américaine s'est enfin dotée d'un site web : extraits du numéro en cours, informations, entrevues exclusives, sélection d'archives, etc. En anglais seulement.

http ://www.downbeatjazz.com

Festival international de jazz de Montréal

Pour suivre d'année en année l'organisation de cette manifestation qui compte parmi les plus importantes du genre.

http ://www.montrealjazzfest.com

Forum de discussion Blue note

Le lieu de rencontre des maniaques de jazz désireux de confronter leurs opinions à celles de leurs congénères; on y discute des nouveautés, des légendes, ainsi que de toutes les controverses qui agitent le milieu du jazz. En anglais seulement.

rec.music.bluenote

Jazz Central Station

Comme son nom l'indique, l'un des principaux sites américains dédiés au jazz. On y retrouve des infos, des biographies de musiciens, des hyperliens, etc. En anglais seulement.

http ://www1.jazzcentralstation.com

Jazz Grrls

Entretenu par la chanteuse torontoise Jeannette Lambert, ce site est consacré aux jazzwomen du monde entier et à leurs œuvres, trop souvent et injustement négligées. En anglais seulement.

http ://www.geocities.com/BourbonStreet/2124/jazzgrrl.htm

Jazz Magazine

Le plus prestigieux magazine de jazz français a désormais sa vitrine Internet : aperçu du numéro en cours, articles exclusifs, choix d'hyperliens. En français seulement.

135

http ://jazzmagazine.com

MONTRÉAL JAZZE-T-ELLE? (REPRISE)

Jazz Montréal

Le site de l'association des musiciens de jazz de Montréal, fondée en 1996. L'association a cessé ses activités, cependant le site est resté en ligne. On y trouve un tas de renseignements sur la scène jazz montréalaise et ses artisans : curriculum vitae, hyperliens, etc. Partiellement bilingue (anglais et français).

http : //www.cityvu.com/jazz

Jazz On Line

Un webzine des plus intéressants : informations, entrevues exclusives, forum de discussion, concerts et vidéos en format Real. En anglais seulement.

http : //www.jazzonln.com

Le Jazz

Autre webzine éminemment intéressant, celui-là basé en France : informations, entrevues exclusives, forum de discussion, etc. Entièrement bilingue (anglais et français)

http : //lejazz.simplenet.com

Miles Davis

Est-il vraiment besoin d'expliquer ce qu'on trouvera à cette adresse ? En anglais seulement.

http : //www.miledavis.com

PLANÈTE JAZZ, P.Q.
(PETIT ANNUAIRE)

    Ami du jazz depuis les années quarante, Len Dobbin décrit la scène jazz québécoise comme "un harmonieux mélange de ceux qui sont nés ici, ceux qui se sont établis ici et ceux qui sont restés ici suffisamment longtemps pour laisser leur marque". La formule est à ce point adéquate que je ne me gênerai pas pour me l'approprier...

    Le chapitre qui suit est donc consacré aux musiciens d'ici qui œuvrent dans le genre. Comme il s'agit moins d'une encyclopédie que d'une sorte de portrait de famille, on comprendra qu'il m'ait fallu faire des choix... et des choix douloureux! De manière purement arbitraire, je n'ai retenu ici que les artistes ou groupes actuellement en activité et qui comptaient au moins un disque à leur actif. Ces critères de sélection tout à fait injustes, j'en conviens, m'ont mené à exclure d'emblée des musiciens aussi valables que mes amis les Lili's Tigers, le combo d'Antòn Rozankovic dont je suis pourtant les faits et gestes depuis des années... ou même Uzeb, groupe phare du jazz-fusion québécois, dissous depuis quelques années déjà. C'est dire à quel point le tri a été fait de manière sévère. De même, sauf exception, je n'ai pas retenu dans ce mini-annuaire les chefs de file de la musique actuelle québécoise (André Duchesne, René Lussier, Pierre Saint-Jak, Jean Vanasse, etc.), qui pratiquent le jazz en dilettantes. D'autre part, puisque ma passion pour le jazz n'est pas un gage d'omniscience ni même d'objectivité, il va sans dire que je ne connais pas tout le monde et que j'ai pu oublier des artistes de valeur...

    Enfin, puisqu'il faut bien rendre à César ce qu'il lui revient, je signale que les notices biographiques suivantes s'inspirent principalement de deux sources : les pages web personnelles des musiciens mentionnés (répertoriées sur le site de Jazz Montréal), ainsi que celles regroupées sur le site des Disques Justin Time et Lost Chart; pour paraphraser Michel-Ange, là où je fais un emprunt, je laisse toujours la marque de mon couteau...

ALARIE, *Frédéric*

Montréalais de naissance, Frédéric Alarie étudie auprès de Charles Ellison et de Michel Donato. Malgré son jeune âge, pas encore trente ans, il cumule déjà des expériences nombreuses et diverses en accompa-gnant le gotha du jazz local : Yannick Rieu,

Lorraine Desmarais, Jean Beaudet; on pourrait prolonger la liste indéfiniment. À titre de leader, Alarie dirige Basse Section, un combo à l'instrumentation des plus inhabituelles : en effet, le trio réunit à l'origine Alarie, le tromboniste Michel Ouellet (notamment connu pour son travail chez Normand Guilbeault) et le sousaphoniste Jean Sabourin (du Dixieband et de l'Orkestre des Pas perdus). Depuis, le combo connaît quelques changements de personnel : Ouellet, parti étudier avec Steve Turre à New York, cède la place à Kelsley Grant (qu'on a connu auprès de Charles Papasoff et de Karen Young), tandis que le tubiste, tromboniste et joueur d'euphonium Christopher Smith (de l'Altsys Jazz Orchestra) succède à Sabourin; d'autre part, le batteur Claude Lavergne (du Dave Turner Latin Sextet) se joint au combo. En octobre 1996, le groupe enregistre un album en public à la Maison de la culture Frontenac sur étiquette DSM, puis tourne l'automne suivant grâce aux efforts de Carmelle Pilon, la directrice de Saison Jazz Montréal. Quoique son répertoire inclut quelques standards ("Nica's Dream" d'Horace Silver, "Interplay" de Bill Evans), Basse Section privilégie les compositions originales, signées par l'excellent trompettiste, compositeur et arrangeur Bill Mahar ou par le leader lui-même.

Bassiste très en demande, Alarie trouve néanmoins le temps pour des expériences impromptues comme ce jam en direct avec le guitariste californien Art Johnson sur les ondes de Radio-Canada. Enthousiasmés par l'expérience, les deux musiciens se sont vite retrouvés en studio pour endisquer un florilège de standards dans une atmosphère toute décontractée, *Contact*, premier disque du nouveau label de jazz québécois Fidelio.

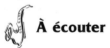 **À écouter**

Art Johnson & Frédéric Alarie, *Contact*, Fidelio 1998.

Frédéric Alarie Trio, *Motion*, DSM, 1997.

Basse Section, *Vision*, DSM, 1996.

Bernard Primeau Jazz Ensemble, *Virage,* Swing'in Time, 1997 (avec Ray Anderson).

Yannick Rieu, *Sweet Geom*, Victo, 1994.

Yannick Rieu, *What is the colour of love?*, Flash Rose, 1995.

ALTSYS JAZZ ORCHESTRA

Voir BELL, Jennifer ou MAHAR, Bill.

AMIRAULT, STEVE

Jeune prodige, le pianiste Steve Amirault joue de la batterie dès l'âge de sept ans. Cinq ans plus tard, son intérêt pour la composition l'incite à adopter le piano comme instrument. Sitôt diplômé de l'université St. Francis-Xavier, en Nouvelle-Écosse, Amirault s'installe à Montréal. Grâce à une bourse du Conseil des Arts, le pianiste va étudier à New York sous la tutelle de Richie Beirach en 1988 et côtoie les trompettistes Tim Hagans et Eddie Henderson, le saxophoniste Joe Lovano et l'ex-compagnon d'armes du légendaire Bill Evans, le bassiste Eddie Gomez, avec lequel il part en tournée. En 1991, son trio remporte le prix du Festival international de jazz de Montréal, ce qui lui permet de signer son premier CD, *That's What*, en compagnie du saxophoniste Seamus Blake. En résidence au Studio du Conseil des arts et lettres du Québec à New York en 1995, il compose et enregistre en compagnie du bassiste Sean Conly et du batteur Tony Moreno.

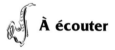 **À écouter**

Steve Amirault, *That's What*, Justin Time, 1991.

AVALON

Trio jazz dirigé par Louise Thibault, Avalon réunit le guitariste Jon Gearey et le saxophoniste Frank Lozano. Le groupe se produit depuis 1992 à Montréal, dans l'est du Canada, en Alaska et au Japon. Son répertoire varié s'étend des standards classiques aux succès populaires de Joni Mitchell et Rickie Lee Jones, en passant par les chansons brésiliennes d'Antonio Carlos Jobim. Lancé en 1997, leur album *The Whispering Breeze* est assez favorablement accueilli par la critique. Lorsque l'occasion se présente, le groupe fait appel aux services du batteur Claude Lavergne et du contrebassiste Tommy Babin, qui figurent également sur le plus récent CD.

 À écouter

Avalon, *The Whispering Breeze*, autoproduit, 1996.

BEAUDET, JEAN

Depuis la fin des années soixante-dix, Jean Beaudet compte parmi les piliers essentiels du jazz montréalais. Il commence à jouer du piano à l'âge de dix ans; inscrit au Royal Conservatory of Music de Toronto, il se tourne vers le jazz et poursuit ses études à l'Université d'Ottawa. Après avoir fait partie de multiples combos de la région d'Ottawa, il forme en 1977 un premier trio qui se produira à l'antenne de la CBC Radio. Après son arrivée à Montréal en 1979, il travaille au sein de groupes dirigés par Guy Nadon, puis Charles Ellison et joue avec le Nelson Symonds Quartet de 1980 à 1985. À cette époque, il présente un concert solo dans la série "Piano Plus" de Radio-Canada et tourne à travers le pays avec un quartette composé de Yannick Rieu, Normand Guilbeault et Michel Ratté. En 1987, il enregistre avec ce quartette un album qui sera en lice pour le Juno du meilleur disque de jazz de l'année. Au fil des ans, Beaudet côtoie sur disque et sur scène la crème de la crème : la flûtiste-saxophoniste torontoise Jane Bunnett, le batteur Bernard Primeau, le saxophoniste Charles Papasoff, le guitariste haïtiano-montréalais Harold Faustin, et bien d'autres.

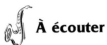 À écouter

Jean Beaudet Quartet, *Éponyme*, Justin Time, 1987.

Jean Beaudet Trio, *En concert*, DSM, 1995.

Jean Beaudet, *Musiques intérieures*, DSM, 1998.

Harold Faustin, *Parallélisme*, Amplitude, 1994.

Nelson Symonds Quartet, *Getting Personal*, Justin Time, 1991.

BELL, JENNIFER

140   Originaire d'Halifax, la saxophoniste Jennifer Bell détient un baccalauréat en musique de l'université McGill où elle enseigne le saxophone et parraine divers combos. Coleader, avec son époux le

trompettiste Bill Mahar, du groupe Steetnix et de l'Altsys Jazz Orchestra, Bell a endisqué ou tourné avec Kenny Wheeler, Hugh Fraser, Slide Hampton, Muhal Richard Abrams, Maynard Ferguson, George Russell, Slide Hampton, Fraser MacPherson, Randy Brecker, Vic Vogel et Oliver Jones, pour n'en nommer que quelques-uns. De même, au sein de l'une ou l'autre formation, elle s'est produite sur la scène internationale, lors de divers festivals de jazz, et à l'antenne de Radio-Canada (*Jazz sur le vif, Jazzbeat*).

Dans le cadre de l'ultime spectacle de la regrettée Saison Jazz Montréal en mai 1998, l'Altsys Jazz Orchestra a présenté au Gesù les remarquables compositions et orchestrations de Maria Schneider, arrangeure new-yorkaise de réputation internationale.

 **À écouter**

Altsys Jazz Orchestra, *Uncorked*, autoproduit, 1996.

Streetnix, *Ugly Bags of Mostly Water*, autoproduit, 1996.

BIDDLE, CHARLES

Véritable monument montréalais, le bassiste Charlie Biddle incarne presque à lui seul l'histoire du jazz québécois. Né à Philadelphie en 1926, Biddle étudie la musique à la Temple University avant d'émigrer au Québec à l'âge de vingt-deux ans. Dès son arrivée, il forme un premier combo qui tournera à travers la province et initiera littéralement la population québécoise à cette musique alors quasi inédite. En 1967, il travaille comme vendeur d'automobiles le jour et anime

Charlie Biddle
In Good Company

Featuring: Wray Downes, Oliver Jones, Rance Lee, Wali Muhammad, Johnny O'Neal & Richard Ring

Charlie Biddle, *In Good Company*, Justin Time, 1996

les belles nuits du Black Bottom dans le Vieux-Montréal. Cette même année, on le retrouve au cœur de l'organisation des concerts de jazz présentés au Pavillon de la jeunesse de l'Expo, où se produisent des artistes aussi prestigieux que Pepper Adams, Thad Jones et John Coltrane. Fondateur du célèbre club qui porte encore aujourd'hui son nom, Biddle met sur pied en 1979 "Jazz de

141

chez nous", l'un des tout premiers festivals de jazz montréalais, généreusement couvert par Radio-Canada, qui fut en quelque sorte un prototype pour l'actuelle manifestation.

Quoiqu'il ne soit pas un virtuose à proprement parler, Charlie Biddle est néanmoins un bassiste solide qui peut s'enorgueillir d'avoir accompagné le gotha du jazz, en plus d'avoir endisqué aux côtés d'Oliver Jones et d'autres grands noms. Ses enfants, Sonya, Charles Jr, Stéphanie et Tracy ayant suivi les traces de leur père dans le monde de l'industrie du spectacle, le clan Biddle a amplement mérité son titre de "Famille Royale du jazz montréalais" qu'on lui décernait implicitement en l'invitant à donner le coup d'envoi au Festival de 1995 par le biais d'un concert d'ouverture mémorable.

 **À écouter**

Charlie Biddle, *In Good Company*,
Justin Time, 1996
(avec O. Jones, R. Lee *et al.*).

Oliver Jones & Charlie Biddle, *Éponyme*,
Justin Time, 1983.

Oliver Jones, *Live at Biddle's*,
Justin Time, 1983.

BLEY, Paul

Né en 1932, le pianiste montréalais Paul Bley mériterait de passer à l'histoire rien que pour ses liens avec certaines des figures les plus importantes du jazz moderne. Installé à New York dès le début des années cinquante, il se lie d'amitié avec Charlie Parker, qu'il accompagne sporadiquement. À cette époque où il joue sur 52nd Street, il n'est pas rare que le trompettiste Donald Byrd et le saxophoniste Jackie McLean se joignent à son trio pour jammer. En 1953, il enregistre un premier album, *Introducing Paul Bley*, grâce au bassiste Charlie Mingus qui produira la séance en plus d'y jouer de la basse; à la batterie, Bley peut compter sur nul autre qu'Art Blakey. Au sein de l'orchestre de George Russell, il donne la réplique au légendaire Bill Evans dans des duels de piano historiques. Il s'illustre auprès de Don Ellis et de Jimmy Guiffre avant d'enregistrer *Footloose*, son premier classique. À la fin des années cinquante, les quatre cinquièmes de son quintette régulier – le saxophoniste Ornette Coleman, le trompettiste Don Cherry, le bassiste Charlie Haden et le batteur Billy Higgins – initieront l'une des dernières guerres de tranchées dans le milieu du jazz : et le free jazz fut. Durant les années soixante et soixante-dix, il poursuit ses expérimentations avec des partenaires radicaux tels le saxophoniste Albert Ayler, enregistre pour le label de jazz d'avant-garde ECM et contribue à promouvoir le travail des compositrices Annette Peacock et Carla Borg (qu'il va même épouser) en puisant dans leurs œuvres une bonne partie de son répertoire. Sur disque, il révèle également au public deux jeunes virtuoses inconnus mais appelés à devenir les stars du jazz-fusion : le guitariste Pat Metheny et le bassiste Jaco Pastorius. À l'époque, Bley adopte les synthétiseurs et s'intéresse au potentiel immense des instruments électroniques.

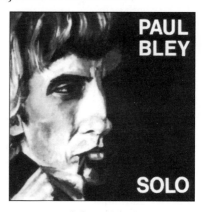

Durant les années 80, il fonde sa propre maison de disques, IAI, et produit des albums de Sun Ra, Ran Blake, Marion Brown, Sam Rivers et autres artistes de l'avant-garde. Revenu aux instruments acoustiques, Bley continue tout au long de la décennie d'enregistrer une suite

Paul Bley, *Solo*, Justin Time, 1989

impressionnante d'albums de qualité à la fois constante et remarquable, où les improvisations ont la rigueur et la logique de musiques composées – dont un CD en duo avec son compatriote trompettiste Kenny Wheeler. Pianiste au toucher délicat, proche d'Evans et d'une certaine école impressionniste du piano jazz, Paul Bley confirme avec chaque enregistrement que puissance émotive et sobriété du jeu ne sont pas incompatibles.

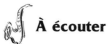 **À écouter**

Paul Bley, *Introducing Paul Bley*, Fantasy / OJC, 1953.
Paul Bley, *Footloose*, Savoy, 1956.
Paul Bley, *Ramblin'*, Red, 1966.

143

Paul Bley, *Open to Love*, ECM, 1973.

Paul Bley, *Alone Again*, I.A.I., 1975.

Paul Bley, *Axis*, I.A.I., 1977.

Paul Bley, *Tango Palace*, Soul Note, 1983.

Paul Bley, *Fragments*, ECM, 1986.

Paul Bley Quartet, *Éponyme*, ECM, 1988.

Paul Bley, *Solo*, Justin Time, 1989.

Paul Bley, *Blues for Red*, Red, 1989.

Paul Bley & Gary Peacock, *Touching*, ECM, 1994.

Paul Bley & Sonny Greenwich, *Outside In*, Justin Time, 1995.

Paul Bley & Kenny Wheeler, *Touché*, Justin Time, 1997.

BOLDUC, RÉMI

Alors qu'il est encore membre du Bernard Primeau Jazz Ensemble, le saxophoniste Rémi Bolduc se produit également au sein du groupe The Beards, qu'il contribue à mettre sur pieds en 1984. Band électrique aux influences pop, The Beards se distingue par une approche très mélodique, inspirée des Weather Report, Miles Davis et James Brown. Après un séjour à New York au début des années quatre-vingt-dix, où il étudie auprès du saxophoniste d'avant-garde Steve Coleman, Bolduc revient à Montréal où il enregistre avec René Lussier, puis signe un premier album, *Fable*, sur étiquette Silence. Pour cet album, il invite de vieux complices – le guitariste new-yorkais Ben Monder, Marc Johnson (ex-bassiste de Bill Evans) et le batteur Owen Howard – à créer avec lui cinq de ses compositions et deux standards. Le résultat est un album au lyrisme particulier, aux arrangements variés où le combo fait preuve d'une cohésion rare.

Depuis la sortie de *Fable*, Bolduc se produit sporadiquement en compagnie de diverses formations montréalaises; à l'hiver 1998, on a pu notamment l'entendre en invité spécial avec le groupe Burdock dont la musique d'un funk radical évoque celle des groupes de Steve Coleman.

144

À écouter

Rémi Bolduc Quartet, *Fable*, Silence, 1996.

René Lussier, *Le corps de l'ouvrage*,
Ambiances Magnétiques, 1994.

Bernard Primeau Ensemble, *Perspective*, Contact, 1987.

Bernard Primeau Ensemble, *Propulsion*, Jazzimage. 1989.

BOURASSA, *François*

Féru de Bill Evans, de Bud Powell mais aussi de compositeurs classiques romantiques, le pianiste François Bourassa est un habitué du Festival international de jazz de Montréal, qui lui décerne d'ailleurs son Grand Prix en 1985. À la tête de son trio composé des frères Guy et Yves Boisvert (à la basse et à la batterie), il signe en douze ans une couple d'albums qui allient un classicisme be-bop de bon aloi à des préoccupations formelles héritées de la musique classique européenne. Pour sa prestation au Festival de 1998, Bourassa retient les services du remarquable saxophoniste André Leroux (membre du Wild Unit de Michel Cusson), qui apporte une vigueur nouvelle à la musique de l'ensemble. Au lendemain de cette expérience, les quatre larrons enregistrent *Cactus*, sans contredit le meilleur album du groupe à ce jour.

À écouter

Trio François Bourassa, *Reflet 1*, Entreprises Radio Canada, 1986 (Félix du meilleur disque de jazz).

Trio François Bourassa, *Jeune Vieux Jeune*, Amplitude, 1992.

Trio François Bourassa, *Echo*, Jazz Inspiration, 1996.

Trio François Bourassa, *Cactus*, Lost Chart, 1998.
(avec André Leroux).

Emilia Longo & Trio François Bourassa, *Buon Natal all'Italiana*,
Disques @, 1998.

BOZAR

Cofondé en 1984 par les vétérans Denis Durand (à la batterie et aux orchestrations) et Pierre Sainte-Marie (à la guitare, à la programmation et aux orchestrations), le groupe de jazz contemporain Bozar réunit le saxophoniste Yves Adam, le tromboniste et tubiste Christopher B. J. Smith ainsi que le trompettiste et bugliste Ivanhoe Jolicoeur. Sensible aux courants divers des musiques américaines et européennes, le groupe poursuit une démarche d'intégration globale de la composition, de l'orchestration et de la technique qui se situe dans la lignée du travail amorcé par les artisans de la scène électro-acoustique, les expérimentations du Miles Davis électrique et l'école du jazz européen. Parmi leurs autres influences, les membres du groupe citent Herbie Hancock, le Chicago Art Ensemble, Jack DeJohnette, Terje Rypdall, John Surman, John McLaughlin, Eberhard Weber et Miroslav Vitous. En 1995, Bozar lance un premier CD, *Exposition*, qui réunit une sélection de ses expérimentations en studio enregistrées depuis 1986, favorablement accueilli par la critique d'avant-garde.

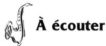 **À écouter**

Bozar, ***Exposition***, autoproduction, 1995.

BROWN, JERI

Voir le chapitre Visages du jazz.

CARON, ALAIN

Bassiste professionnel depuis l'âge de onze ans, Alain Caron termine bon gré mal gré sa huitième année scolaire avant de partir à la conquête du Québec, basse à la main, dans le cadre d'une tournée *Top 40*. À quinze ans, il découvre le jazz traditionnel. Sous le choc, il dévore tous les traités de jazz, écoute et apprend en autodidacte. En 1977, il rencontre le guitariste Michel Cusson et son compère batteur Paul Brochu, en qui il trouve des complices partageant ses goûts musicaux, son respect pour la tradition et sa soif d'innovation. Au sein du groupe Uzeb, Alain Caron accompagne un temps la chanteuse pop Diane Tell avant de connaître la consécration et les tournées mondiales. Après des débuts modestes, la formation s'affirmera comme l'un des groupes de jazz-fusion les

plus populaires de tous les temps, signant une dizaine d'albums vendus à plus de 500 000 exemplaires à travers le monde.

Au bout de quinze ans, le groupe se sépare et offre au Festival international de jazz de Montréal un concert d'adieu qui attire près de cent mille spectateurs. Depuis, Caron participe à des projets divers : citons notamment son ambitieux duo avec le contrebassiste Michel Donato, son disque en trio avec le violoniste Didier Lockwood et le guitariste Jean-Marie Ecay. D'autre part, il joue et tourne en compagnie des guitaristes Mike Stern

Alain Caron & le Band, *Rhythm'n Jazz*,
Avant-garde, 1995

et Leni Stern (aucun lien de parenté), du trompettiste Tiger Okoshi et du pianiste Hilario Duran. Mais surtout, il fonde un nouveau groupe de jazz-fusion tout simplement baptisé le Band (avec notamment le guitariste Jerry De Villiers, le claviériste Gerry Etkins, le batteur Magella Cormier) à la tête duquel il enregistre deux albums.

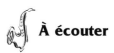 **À écouter**

Alain Caron & Michel Donato,
Basse Contrebasse, Avant-garde, 1992.

Alain Caron & Le Band, ***Éponyme***, Avant-garde, 1994.

Alain Caron & Le Band, ***Rhythm'n'Jazz***, Avant-garde, 1995.

Alain Caron & Le Band, ***Play***, Avant-garde, 1995.

Caron / Ecay / Lockwood, ***Éponyme***, Avant-garde, 1993.

Sortie, ***Éponyme***, Justin Time, 1992.

CARRIER, FRANÇOIS

Né à Chicoutimi en 1961, François Carrier commence ses études musicales à l'âge de sept ans et adopte très vite le saxophone comme instrument de prédilection. Il découvre le jazz à l'adolescence par l'entremise d'un disque de Phil Woods et forme un premier groupe pop au sein duquel il acquiert ses premières

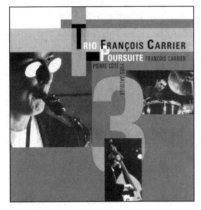

expériences de la scène. Parallèlement, il poursuit ses études au Conservatoire de musique de Québec, où il fonde le trio qui porte son nom avec le bassiste Pierre Côté et le batteur Yves Jacques. En 1994, il enregistre un premier album de compositions originales.

Figure de proue de l'éphémère et chancelant renouveau du jazz à Québec durant les années quatre-vingt-dix, ce saxophoniste alto partage désormais son temps entre la métropole et la Vieille

Trio François Carrier, ***Poursuite***, Amplitude, 1994

Capitale. Auteur de deux albums, Carrier privilégie la formule du trio sans piano, popularisée par Sonny Rollins, qui a pour avantage de lais-ser au soufflant une grande liberté harmonique, mais le contraint à travailler sans filet. Sur *Intuition*, son second CD, l'altiste Carrier se fie sur ses comparses, le bassiste Pierre Côté et le batteur François Côté (qui a remplacé Yves Jacques), pour relever le défi. Fort d'une complicité indéfectible, le groupe fait montre d'une remarquable cohésion sur une musique tantôt méditative, tantôt fougueuse, hantée par le spectre de John Coltrane auquel il emprunte d'ailleurs le poignant "Lonnie's Lament".

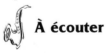 **À écouter**

Trio François Carrier, ***Poursuite***, Amplitude, 1994.
Trio François Carrier, ***Intuition***, Lost Chart, 1997.

CHRISTIANSON, DENNY

Né en Illinois, le trompettiste et chef d'orchestre Denny Christianson habite Montréal depuis le début des années quatre-vingt. As des studios de Los Angeles, il a collaboré à des enregistrements de Ray Charles, Stevie Wonder et Smokey Robinson en plus de jouer dans l'orchestre de Sammy Davis Jr. aux côtés de Jon Faddis, Harry "Sweets" Edison, Jay Jay Johnson, Kai Winding, Benny Carter et bien d'autres. Son travail d'orchestrateur et de compositeur est le reflet de son expérience éclectique, à la fois moderne et pourtant bien ancrée dans la tradition du big band. Véritable pépinière de talents montréalais, le Denny Christianson Big Band réunit entre autres les saxophonistes Jean-Pierre Zanella et Richard Beaudet, le tromboniste Muhammad Abdul-Al Khabyyr, le guitariste Richard Ring, le

Denny Christianson Big Band,
Shark Bait, Justin Time, 1994.

bassiste Sylvain Gagnon, le pianiste Jan Jarczyk, le batteur Jim Hillman, le trompettiste Roger Walls et enfin Christianson lui-même à la trompette et au bugle. Au fil des ans, la formation accompagne des artistes divers (Michel Legrand, Dianne Schuur et Ginette Reno) et enregistre sporadiquement des albums, dont deux en compagnie du saxophoniste baryton américain Pepper Adams. Parallèlement à cela, Christianson participe au projet Sortie, en compagnie de membres du groupe Uzeb.

En 1999, le Denny Christianson Big Band se produit tous les premiers lundis du mois à l'Air du Temps.

 **À écouter**

Denny Christianson Big Band, ***Doomsday Machine***,
Justin Time, 1986.

Denny Christianson Big Band, ***Suite Mingus***, Justin Time, 1987
(avec Pepper Adams).

Denny Christianson Big Band, ***More Pepper***, Justin Time, 1988
(avec Pepper Adams).

149

Denny Christianson Big Band, **Shark Bait**, Justin Time, 1994.

Sortie, **Éponyme**, Justin Time, 1992.

CUSSON, MICHEL

Fondateur de la formation de jazz-fusion Uzeb, sans doute le groupe le plus célèbre de l'histoire du jazz québécois, le guitariste Michel Cusson n'a pas tardé à retrouver sa popularité d'antan d'abord à la tête de son nouveau groupe, le Wild Unit, puis en tant

que signataire de la trame sonore de la série policière à succès **Omertà**, sorte de synthèse des albums **L'Ascenseur pour l'échafaud** et **Tutu** de Miles. Compositeur très en demande, il écrit de nombreuses musiques pour le cinéma (**Riopelle - sans titre**, 1999; **Wolves**, 1998; **La Comtesse de Bâton Rouge**, 1997; et **L'Automne sauvage**, 1992), la télévision (**Le Petit Journal, 24/24, Arcand, Les 24 heures du 24, Point de vue, Sur les Quais, Le Grand Journal** 1997, **MétéoMédia**) et pour des publicités.

Michel Cusson & The Wild Unit, **Éponyme**, Avant-garde, 1992

Avec son Wild Unit, Cusson enregistre deux albums, dont le plus récent met en vedette, le temps de quelques pièces, le saxophoniste ténor Michael Brecker, autre grande star du jazz-fusion. Quoique affichant des couleurs résolument funk ("That's O.K."), Wild Unit 2 oscille entre la tentation du Brésil ("Melodia azul" et "El fuego del alma") et la hantise de l'Afrique ("Dakar"), entre la persistance du blues ("Fat Blues") et les accents big band ("J.A.C.O. / Just Another Crazy Orchestra").

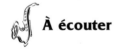 **À écouter**

Michel Cusson & Wild Unit, **Éponyme**, Avant-garde, 1992.

Michel Cusson & Wild Unit **2**, Avant-garde, 1995.
(avec Michael Brecker)

Michel Cusson, **Omertà** (Trame sonore originale), Audiogram, 1996.

Michel Cusson, **Omertà 2** (Trame sonore originale), Audiogram, 1997. (Gémeaux de la meilleure trame sonore).

Uzeb, *L'intégrale*, Avant-Garde, 1992.

DEAN, KEVIN

Né en Iowa en 1954, Kevin Dean est professeur agrégé au département de jazz de la faculté de l'université McGill depuis 1984. Diplômé des universités d'Iowa (Bachelor of Music, 1976) et de Miami (Master's degree, Jazz Pedagogy), il a enseigné à l'université St. Francis-Xavier en Nouvelle-Écosse avant de s'installer à Montréal. Quoiqu'il se réclame de Barry Harris, Hank Mobley, Horace Silver et Lee Morgan, son jeu à la trompette reflète surtout l'influence de Kenny Dorham, auquel il a d'ailleurs dédié une composition.

Fils d'un fanatique de jazz, Dean s'initie au piano dès le début de l'adolescence alors qu'en fait il s'intéresse davantage à l'orgue électrique et rêve de devenir chanteur et organiste, comme son idole Jimmy Smitt. Hélas, ses parents refusent de débourser le prix de l'achat d'un Hammond B-3 et le jeune Kevin doit se rabattre sur le cornet. Bien qu'il ait appris au fil des ans les avantages d'un instrument léger et portatif comme son cuivre, Dean n'a jamais renoncé à son amour du Hammond B-3, ce qui explique en partie la genèse de l'album

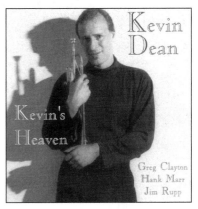

Kevin Dean, ***Kevin's Heaven***,
Double-Time, 1995

Kevin's Heaven, enregistré en compagnie de l'organiste Hank Marr pour le label Double-Time.

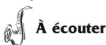 **À écouter**

Kevin Dean, ***Minor Indiscretions***, McGill, 1992.

Kevin Dean, ***Since 1954***, McGill, 1993.

Kevin Dean, ***Kevin's Heaven***, Double-Time, 1995
(avec Hank Marr).

George Evans, ***Moodswing***, 1997.

151

DENSON, LOUISE

Pianiste, compositrice et arrangeure originaire de Saskatchewan, Louise Denson s'est établie à Montréal en 1989, où elle participe activement à la vie musicale au sein de formations diverses, la plupart des combos de jazz latin, comme le Latin Fire de Joé Armando, l'Orquesta Tambora ou le groupe Jab-Jab. Détentrice depuis mai 1995 d'une maîtrise en jazz du New England Conservatory (Boston), Denson étudie également auprès de Paul Bley, Cecil McBee, Bevan Manson, George Russell et Joe Maneri. Outre des apparitions au Festival international de jazz de Montréal avec l'orchestre Nueva Sensación du chanteur Balmore Estrada, ou à l'antenne de Radio-Canada avec l'Orquesta Pambiche, elle se produit au Festijazz de Rimouski avec son propre groupe, !A Comer!

Auteure d'un premier disque, *On the Level* (1996) – enregistré en compagnie du saxophoniste Frank Lozano, du bassiste Mike Milligan, du bugliste Aron Doyle et du batteur américain Gary Fieldman – Louise Denson collabore également à un enregistrement du groupe de musique brésilienne Voo Livre. Elle partage son temps entre l'enseignement et la promotion de ses diverses formations.

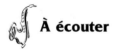 **À écouter**

Louise Denson, *On the Level*, 1996.

DEROME, JEAN

Unanimement reconnu comme l'un des chefs de file en matière de musique actuelle au Québec, le saxophoniste et flûtiste Jean Derome roule sa bosse depuis le milieu des années soixante-dix. Ex-membre de la formation Nebu (avec l'iconoclaste claviériste Pierre St-Jak), Derome fait figure de véritable aventurier sonore, toujours en quête de nouveaux territoires musicaux où accoster. Avec ses compagnons musiciens d'avant-garde québécois, il crée l'étiquette de disques Ambiances Magnétiques, consacrée à la musique dite actuelle, et se produit régulièrement au Festival international de musique actuelle de Victoriaville.

À la tête des multiples formations qu'il a fondées ou aux côtés de ses compères musiciens de la même mouvance (Michel F. Côté, Joanne Hétu, René Lussier), Jean Derome produit une musique exigeante d'où ne sont cependant exclus ni l'humour ni une certaine légèreté – éléments guère courants en musique contemporaine. En 1992, il fonde le groupe Les Dangereux Zhoms, qui compte parmi ses membres le tromboniste Tom Walsh (également leader du Royal Jelly Band), le saxophoniste et clarinettiste Robert M. Lepage, le guitariste René Lussier, le bassiste Pierre Cartier et le batteur Pierre Tanguay. En compagnie de ces deux derniers, il enregistre en 1995 un hommage exceptionnel à la musique de Thelonious Monk, qu'il présente la même année au Festival international de jazz de Montréal avec la participation spéciale de son compère Walsh.

Parallèlement à ses apparitions en public ou sur disques, Jean Derome écrit de la musique pour des troupes de danse (Ô Vertigo) ou de théâtre (Ubu). Exemplaire inconoclaste, Jean Derome revendique la liberté de création complète et le droit d'utiliser tous les styles musicaux confondus, d'explorer tous les registres d'émotion.

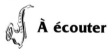 **À écouter**

Évidence, *Éponyme : Hommage à Thelonious Monk*,
Ambiances Magnétiques, 1995.

Jean Derome, *Hommage à Georges Perec*, Ambiances Magnétiques, 1997.

Jean Derome et les Dangereux Zhoms, *Carnet de voyage*,
Ambiances Magnétiques, 1992.

Jean Derome et les Dangereux Zhoms, *Navré*,
Ambiances Magnétiques, 1998.

Jean Derome et les Dangereux Zhoms, *Torticolis (live au TLC)*,
Ambiances Magnétiques, 1998.

Joane Hétu & Jean Derome, *Nous perçons les oreilles*,
Ambiances Magnétiques, 1998.

DESMARAIS, LORRAINE

Alors qu'elle fait des études de maîtrise en piano classique à l'université McGill, Lorraine Desmarais s'intéresse au jazz. Bien vite, elle a la piqûre et va poursuivre son apprentissage à New York et Boston auprès de Kenny Barron et Charlie Banacos. En 1984,

elle remporte la compétition du Festival international de jazz de Montréal. En 1985, son premier disque éponyme lui vaut le Félix de l'album jazz de l'année. L'année d'après, elle devient simultanément le premier pianiste non américain et la première femme à remporter la Great American Jazz Piano Competition de Jacksonville (Floride). On admire son jeu pianistique pour sa parfaite intégration de l'impressionnisme des compositeurs européens tels Ravel et Debussy au jazz, comme les pianistes de l'école de Bill Evans (on pense à Keith Jarrett et à

Lorraine Desmarais Quartet, *Éponyme*, Sherzo, 1995.

Chick Corea auquel elle a dédié un morceau de son album éponyme, "And One for Chick..."). Pour son deuxième album, elle sollicite la collaboration de Don Alias. À Rimouski en 1988, elle accompagne Paquito D'Riveira en 1988. En plus de jouer avec Alain Caron, Michel Cusson, Michel Donato, et le Denny Christianson Big Band, elle tourne avec les chanteurs pop Geneviève Paris (1991) et Jim Corcoran (1992) et remporte le prix de la SOCAN pour son quatrième album, *Vision*. Elle trouve un partenaire idéal en Tiger Okoshi, trompettiste d'origine nipponne avec qui elle tourne et signe un disque en 1994. Deux ans après, elle enregistre une émission d'une heure pour la chaîne culturelle Bravo! Après un silence discographique de quatre années, elle revient avec un sixième album justement intitulé *Bleu Silence*.

À écouter

Trio Lorraine Desmarais, *Éponyme*,
Jazzimage / Entreprises Radio-Canada, 1985
(Félix du meilleur album jazz).

Trio Lorraine Desmarais, **Andiamo**,
Jazzimage / Entreprises Radio-Canada, 1986 (avec Don Alias)

Lorraine Desmarais, **Pianissimo**,
Jazzimage / Entreprises Radio-Canada, 1987.

Lorraine Desmarais Trio, Quartet et Quintet, **Vision**, 1991
(Prix de la SOCAN).

Lorraine Desmarais Quartet, **Éponyme**, Sherzo, 1995.

Lorraine Desmarais, **Bleu Silence**, Scherzo, 1999.

DiLauro, Ron

Voir le capitre Visages du jazz.

DIXIEBAND

Habitué du Festival international de jazz de Montréal, où il se produit presque tous les étés depuis 1982, le Dixieband se spécialise dans le jazz traditionnel de la Nouvelle-Orléans, ainsi que son nom l'indique. Composé du trompettiste et bugliste Ivanhoe Jolicoeur, du sousaphoniste Jean Sabourin, de l'hallucinant clarinettiste Mathieu Bélanger, du tromboniste Richard Turcotte, du banjoïste Luc Bouchard et du batteur Michel Dufour, le Dixieband propose un répertoire archi-connu et doté d'une éternelle fraîcheur : "Hello Dolly!", "Summertime", "When the Saints Go Marching In". Une musique simple, réjouissante, qui plaît autant aux connaisseurs qu'aux profanes

Le Dixieband a donné plus de 2400 spectacles, souvent en salle, mais également en plein air, sur scène aussi bien qu'en formation mobile, à Montréal bien sûr, mais ailleurs au Québec, en Europe, aux États-Unis et au Canada anglais. En octobre 1984, le Dixieband se produit à la Maison de la culture Frontenac à Montréal dans le cadre de l'émission "Jazz sur le vif en folie"; onze ans plus tard, Radio-Canada édite enfin cette prestation sur CD.

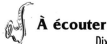 **À écouter**

Dixieband, **Concert à Frontenac**, Entreprises Radio-Canada, 1995.

DUBEAU, MICHEL

Grand collectionneur d'instuments exotiques, dont la curiosité n'a d'égal que la virtuosité, le compositeur et saxophoniste Michel Dubeau joue avec une même aisance de flûtes venues des quatre coins du monde. Ancien leader du groupe de jazz-fusion Noir sur Blanc, Dubeau fonde au début des années quatre-vingt-dix la formation Gakki, groupe singulier caractérisé par la volonté d'explorer une grande diversité de musiques et de sonorités, au mépris des barrières culturelles et stylistiques. Sur le CD *Chant du Nouveau Monde*, Dubeau et ses collègues s'aventurent au dehors des sentiers battus en développant une approche très libre, flirtant avec la musique Nouvel-Âge; amalgame d'influences japonaise, indonésienne, ibérique, amérindienne et autres. La musique de Gakki dérive   parfois dans les eaux du funk.

Dans le même esprit, Dubeau revient en 1999 avec un album intitulé *Haïku*, sous étiquette World Chart, enregistré avec la complicité de Shane Mackenzie à la basse, de Claude Maheu à la récitation et aux percussions diverses, de Guy Thouin à la batterie et aux tablas et de Kazuyo Tsujimoto à la récitation également. Comme l'indique le titre, Dubeau et son collègue Thouin se sont inspirés de très courts textes japonais pour composer cette dizaine de morceaux éthérés et hypnotisants – au sein desquels le "Blackbird" de Lennon et McCartney (superbement réorchestré par Dubeau) semble tout à fait à sa place.

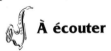 **À écouter**

Michel Dubeau, *Haïku*, World Chart, 1999.
Gakki, *Chant du Nouveau Monde*, Lost Chart, 1997.

DONATO, MICHEL

Trente ans d'une carrière bien remplie, tant sur la scène nationale qu'internationale, ont fait de Michel Donato le contre-bassiste montréalais le plus en demande et le plus apprécié. Issu d'une famille où la musique occupait une large place (son père joue du violon, du saxophone et de la clarinette, sa mère du piano), Donato opte pour la contrebasse, notamment parce qu'elle lui rappelle le chant de son père. Inscrit au Conservatoire de musique, il fait figure de mouton noir, en raison de ses préférences manifestes pour le jazz. Au fil des engagements de fin de semaine aux côtés de son père, il établit un solide réseau de contacts. Ainsi, il accompagne bien des chansonniers de la belle époque tels que Claude Gauthier, Pierre Létourneau, Jean-Pierre Ferland lors de leurs tours de chant à La Butte à Mathieu de Val-David. Sur disque, on l'entend dès 1960 aux côtés de François Dompierre.

Même s'il fait preuve d'un éclectisme de bon aloi, Donato demeure obsédé par le jazz. Admirateur de Scott LaFaro, le bassiste légendaire révélé par Bill Evans, Donato endisque au sein du Quintet de Nick Ayoub *The Jazz Scene* (1963) pour la firme RCA. Avec le pianiste Pierre Leduc et le batteur Émile Normand, il fonde un premier trio de jazz. Ils enregistrent en 1966 sur étiquette Élysée un microsillon, *Information*, aujourd'hui introuvable, et animent les belles soirées du Jazz-Hot à l'hôtel Casa Loma. Grâce à leur initiative, Thelonious Monk, Charles Mingus, Zoot Sims, Sonny Stitt et Carmen McCrae et de nombreuses vedettes de l'époque viennent jouer à Montréal. Impressionné par Donato, Miles Davis le sollicite comme remplaçant de Ron Carter au sein de son Second Quintette Classique le temps d'une tournée au Japon, mais le projet n'aboutit pas en raison de problèmes internes.

Premier lauréat du Concours du Festival international de Jazz de Montréal, Michel Donato compte désormais parmi les jazzmen les plus importants de la scène québécoise. De 1987 à 1990, il forme avec la chanteuse Karen Young un duo qui remporte un immense succès populaire et critique; six ans après la séparation, le tandem se retrouve pour le temps d'une tournée qui sera l'un des événements de 1996. Cette même année, le Festival international de jazz de Montréal lui propose de se produire durant cinq soirées consécutives dans le cadre de la prestigieuse série *Invitation*.

Parallèlement à tout cela, Donato écrit des musiques pour le cinéma et la télévision, enseigne à l'Université de Montréal et à McGill, de même qu'au collège Vincent-D'Indy et participe à de nombreux projets sur disque et sur scène, notamment avec le bassiste électrique Alain Caron, les pianistes Lorraine Desmarais et

157

James Gelfand, le guitariste Christian Escoudé, ou encore l'harmoniciste Alain Lamontagne. Toujours aussi en demande, il se produit également avec des artistes pop contemporains tels Luc De La Rochellière, Geneviève Paris et le groupe Hart Rouge.

 À écouter

Michel Donato, *Le Quintette de Michel Donato*, Spectra, 1982.

Michel Donato Quintet, *Homage To Jacques Languirand*, DSM, 1998.

Alain Caron & Michel Donato, *Basse Contrebasse*, Avant-garde, 1992.

Michel Donato & Alain Lamontagne, *De toute beauté,* Transit, 1995.

James Gelfand & Michel Donato, *Setting the Standard*, DSM, 1996.

Helmut Limpsky, James Gelfand & Michel Donato, *Tricycle*, Lost Chart, 1996.

Karen Young & Michel Donato, *Young-Donato*, Justin Time, 1985.

Karen Young & Michel Donato, *Contredanse*, Justin Time, 1988.

Karen Young & Michel Donato, *En vol*, Justin Time, 1990.

Karen Young & Michel Donato, *Second Time Around*, URSH, 1996.

Nick Ayoub, *The Jazz Scene*, RCA, 1963.

Steve Holt, *The Lion's Eye*, Plug, 1983.

Dave Turner, *Café Alto*, DSM, 1995.

Wray Downes, Justin Times Records

DOWNES, WRAY

Protégé pendant un temps de nul autre qu'Oscar Peterson, Wray Downes compte depuis un demi-siècle parmi les grands maîtres montréalais du piano jazz. Après ses études, celui qui fut le premier lauréat canadien du Trinity College of Music Award (Londres) amorce une carrière d'accompagnateur prodigue en rencontres mémorable : Sidney Béchet, Sacha Distel, Dizzy Gillespie, Sonny Stitt, Clark Terry, Lester Young, Joe Williams… ce ne sont là que quelques grands noms que Downes a eu le plaisir de côtoyer. Pianiste fétiche des autorités canadiennes, il est invité à jouer devant de prestigieuses person-

158

nalités de passage au pays, dont Nelson Mandela. Depuis les années quatre-vingt-dix, il occupe une position à la faculté de musique de l'université Concordia et se produit régulièrement dans des festivals au Canada ou à l'étranger.

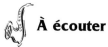 **À écouter**

Wray Downes, ***For You... E***, Justin Time, 1995.

FAUSTIN, HAROLD

"La musique de Faustin décolle pour de vrai, écrit avec enthousiasme Alain Brunet de *La Presse* au moment de la parution de **Parallélisme**, premier disque du guitariste d'origine haïtienne. Il est prêt à faire valoir sa création sur les scènes du monde."De toute évidence, le pertinent critique n'est pas le seul à le penser.

Pour l'enregistrement de cet album, encensé par Oliver Jones, Faustin peut notamment compter sur le pianiste Jean Beaudet, le saxophoniste Jocelyn Ménard, le percussionniste Danglass Grégoire et le batteur Wali Muhammad.

Né en Haïti en 1957, Faustin arrive au Québec à l'âge de dix-huit ans. Sans même connaître une seule note, il abandonne ses études universitaires en ingénierie et choisit de se consacrer à la musique. Admirateur de George Benson, il subit également l'influence de Wes Montgomery et propose un jazz bien

Harold Faustin, **Parallélisme**, Amplitude, 1994

ancré dans la tradition, quoique coloré par l'héritage rythmique et harmonique des musiques antillaises. Après avoir fourbi ses armes dans différents clubs de Montréal et servi d'accompagnateur à divers artistes de jazz et de musique haïtienne — du bassiste et vibraphoniste Éval Manigat à la chanteuse Émeline Michel — il se concentre sur sa propre œuvre. Auteur de la trame sonore du documentaire Côte des Neiges (qui lui vaut d'ailleurs un prix Gémeaux), Faustin endisque deux albums, dont le plus récent est une captation d'un spectacle présenté à la Maison de la culture

159

Frontenac dans le cadre de l'émission *Silence... on jazz!* On y entend Faustin à la tête d'un sextette incluant, outre les complices de longue date que sont Beaudet, Grégoire et Muhammad, Charles Papasoff au saxophone soprano et George Mitchell à la basse.

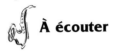

À écouter

Harold Faustin, *Parallélisme*, Amplitude, 1994.

Harold Faustin Sextet, *Live*, DSM, 1999.

FERGUSON, MAYNARD

Né à Montréal en 1928, Maynard Ferguson joue du saxophone soprano, du cor, du hautbois et de la clarinette, mais il est surtout connu comme trompettiste. Très tôt, il émigre vers les États-Unis où il aura la chance de jouer au sein des orchestres de Jimmy Dorsey et Charlie Barnet dans les années quarante, puis avec Stan Kenton de 1950 à 1953. Avec ses excursions hallucinantes dans le registre le plus aigu de son instrument et sa maîtrise technique époustouflante, il ne tarde pas à impressionner le grand public et à dominer les palmarès populaires de la revue *Down Beat*. Musicien de studio pour Paramont, il fonde ses propres big bands et combos dès la fin des années cinquante, engageant parmi ses hommes des musiciens qui ne tarderont pas à se faire un nom : Slide Hampton, Don Sebesky, Bill Chase, Don Ellis, Bill Berry et bien d'autres. À l'Expo 67, il donne des concerts en combo et avec grand orchestre à l'antenne de Radio-Canada. À la fin des années soixante, il tourne avec un big band puis se convertit au jazz-fusion durant la décennie suivante et remporte un vif succès auprès d'un public jeune. Son groupe M.F. Horn s'impose avec des arrangements originaux de tubes tels le "Chameleon" de Herbie Hancock, "Birdland" de Joe Zawinul et, surtout, le thème du film *Rocky*.

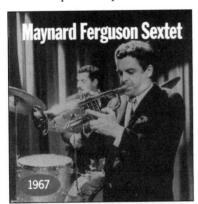

Maynard Ferguson Sextet, *1967*, Just a Memory, 1995

À la tête de son orchestre Big Bop Nouveau, Maynard Ferguson continue de tourner et de contribuer a l'émergence de nouveaux talents, notamment le jeune saxo Christopher Hollyday, un émule de Jackie McLean qui connut son heure de gloire à la fin des années quatre-vingt. En 1992, Ferguson se voit intronisé au Temple de la renommée du magazine *Down Beat*.

 À écouter

Maynard Ferguson, *It Might As Well Be Spring : The Roulette Years*, EMI, 1950's.

Maynard Ferguson, Sextet, *1967*, Just a Memory, 1995.

Maynard Ferguson Orchestra, *1967*, Just a Memory, 1995.

Maynard Ferguson, *Conquistador*, Sony, 1978.

Maynard Ferguson, *Chameleon*, Sony, 1990.

Maynard Ferguson, *Live From London*, Atlantic / Rhino, 1994.

Maynard Ferguson, *Live From San Francisco*, 1994.

Maynard Ferguson, *Storm*, Atlantic / Rhino, 1994.

Maynard Ferguson, *Body And Soul*, Jazz Alliance, 1995.

Maynard Ferguson, *Footpath Cafe*, Jazz Alliance, 1995.

Maynard Ferguson, *These Cats Can Swing!*, Concord, 1995.

Maynard Ferguson, *One More Trip To Birdland*, Concord, 1996.

Maynard Ferguson, *Brass Attitude*, Concord, 1998.

Maynard Ferguson & Tito Puente, *Special Delivery*, Concord Piquante, 1996.

GAGNON, SYLVAIN

Voir le chapitre Visages du jazz.

GELFAND, JAMES

Depuis qu'il s'est classé parmi les semi-finalistes de la Thelonious Monk International Jazz Competition en 1987, James Gelfand ne cesse de cumuler les honneurs. Classé second à la Great American Jazz Piano Competition de Jacksonville en 1990, il remporte le premier prix de la compétition tenue par la Communauté des radios publiques de langue française en 1990 puis le Prix Alcan du Festival international de jazz de Montréal en 1992. En 1995 et 1996, il est proclamé Claviériste de l'année par le magazine *Jazz Report*.

Au fil des ans, Gelfand réalise une trentaine d'albums sous son nom ou avec notamment Michel Donato, Sonny Greenwich,

Jean-Pierre Zanella. À titre d'accompagnateur, on l'a entendu aux côtés des américains Michael Brecker, Bob Brookmeyer, Sheila Jordan et Gerry Mulligan ainsi qu'auprès du chanteur pop d'origine italo-montréalaise Gino Vanelli (au Festival international de jazz de Montréal en 1995). Auteur de trames sonores pour le cinéma, la radio et la télé, il a signé notamment celle des dessins animés *The City*

James Gelfand, *Children's Standards 1+2+3*, Lost Chart, 1997

Mouse and Country Mouse et *Max the Cat*, le thème de l'émission *Jazz sur le vif* de Radio-Canada et, en collaboration avec Donato, les musiques des téléromans *Sous un ciel variable* et *Virginie*.

En 1997, Gelfand qui anime depuis des années "La petite école du jazz" au Festival, recrute son compère Donato, le saxophoniste Jean-Pierre Zanella et le batteur Jim Hillman, pour un album de mélodies enfantines. De "Frère Jacques" à "Sesame Street" en passant par "Passe-Partout", ce disque constitue une belle occasion pour les profanes de s'initier au b.a.-ba de l'improvisation. Les autres l'entendront davantage comme un joli exercice de style réalisé avec le sourire, qui plaira autant aux grands qu'aux petits.

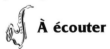 **À écouter**

James Gelfand, *Time Zones*, Silence, 1996.

James Gelfand, *Children's Standards 1+2+3*, Lost Chart, 1997.

James Gelfand & Michel Donato, *Setting the Standard*, DSM, 1996.

Helmut Limsky, James Gelfand & Michel Donato, *Tricycle*, Lost Chart, 1996.

GROULX, JEAN-FRANÇOIS

Fondateur du groupe Nortlan, avec les frères Lauréat et Magella Cormier (respectivement bassiste et batteur) et le guitariste Gerry De Villiers, le pianiste Jean-François Groulx estdavantage connu du grand public comme l'accompagnateur de chanteuses pop telles Marie-Denise Pelletier et Louise Forestier. Dans la jeune trentaine, Groulx ne s'est mis au clavier que sur le tard, après des années à jouer de la guitare, de la basse et de la batterie. Il étudie le piano au Collège Vanier et s'initie à l'art de l'orchestration auprès d'Al Bbaculis. Révélé par le prix du Festival international de jazz de Montréal en 1995, il enregistre *Trios* pour la firme Justin Time. Doté d'une remarquable inventivité mélodique, il tourne au pays et en Europe avec Michel Donato, Michel Cusson, Lorraine Desmarais, Yannick Rieu, Alain Caron, Adalberto Sandiago, Karen Young et Monica Passos.

Jean-François Groulx, *Trios*, Justin Time, 1996

 **À écouter**

Jean-François Groulx, *Trios*, Justin Time, 1996.
Jean-François Groulx, *Groove*, Jazz Inspiration, 1998.
Nortlan, *Eponyme*, Amplitude, 1992.

GUILBEAULT, NORMAND

Membre de la toute première édition du Bernard Primeau Jazz Ensemble, Normand Guilbeault est également un bassiste très en demande autant dans le domaine du jazz que sur la scène de la musique actuelle. Depuis les années quatre-vingt, il joue et enregistre abondamment, notamment aux côtés de Jean Beaudet, Rémi

163

Bolduc, Michel F. Côté, Jean Derome, René Lussier, François Marcaurelle, Yannick Rieu et Nelson Symonds.

En 1988, il décide de fonder un combo voué à honorer la mémoire des grands maîtres de la basse, notamment en explorant le répertoire d'Oscar Pettiford, de Jaco Pastorius et surtout

du légendaire Charles Mingus. À l'origine, le Normand Guilbeault Ensemble, quartette sans piano, comprend Ivanhoe Jolicoeur à la trompette et au bugle, l'époustouflant Mathieu Bélanger à la clarinette et à la clarinette basse, Paul Léger à la batterie, et bien sûr Guilbeault à la basse et aux arrangements. Fort d'un réel esprit de groupe, l'Ensemble intègre en 1991 le tromboniste Michel Ouellet et ajoute à son répertoire des compositions originales, la plupart signées de la main du leader, caractérisées par une synthèse d'éléments issus de la tradition jazz et des folklores du monde entier.

Normand Guilbeault Ensemble, *Basso Continuo*, Justin Time, 1995

Récipiendaire du prix du Festival international de jazz de Montréal en 1994, le groupe enregistre *Basso Continuo* l'année suivante. En 1996, il donne à Radio-Canada un superbe concert consacré aux compositions de Mingus auquel Jean Derome collabore en tant que saxophoniste et co-orchestrateur. En mai 1998, dans le cadre du Festival international de musique actuelle de Victoriaville, Normand Guilbeault présente *Riel : Plaidoyer musical pour la réhabilitation d'un juste*, œuvre ambitieuse et accomplie, en hommage au héros métis manitobain, qui nécessite la participation de musiciens surnuméraires, dont le saxophoniste Jean Derome, le tromboniste Tom Walsh, le batteur Pierre Tanguay, le guitariste Marc Villemure et bien d'autres.

 À écouter

Normand Guilbeault Ensemble, *Basso Continuo*, Justin Time, 1995.

Normand Guilbeault Ensemble, *Hommage à Mingus*, Radio-Canada, 1996.

Jean Beaudet Quartet, *Éponyme*, Justin Time, 1987.

Bernard Primeau Ensemble, *Perspective*, Contact, 1987.

Bernard Primeau Ensemble, *Propulsion*, Jazzimage. 1989.

Yannick Rieu, *In the Myth*, Amplitude, 1990.

HAMEL, Luc

Grand admirateur de Herbie Hancock, dont il découvre l'album Trust à l'âge de quatorze ans, le pianiste Luc Hamel a inscrit son œuvre dans le sillage des grands maîtres du jazz funk. Très engagé dans la promotion du jazz au Québec, il contribue à la fondation de Saison Jazz Montréal et s'associe un moment en 1997 à Louis Côté pour sauver l'Air du temps, prestigieuse boîte du Vieux-Montréal. Relativement peu présent sur la scène montréalaise – Hamel a horreur de jouer dans des boîtes de jazz enfumées, devant un public bavard et le plus souvent inattentif –, il n'a à ce jour signé qu'un seul album, *Transparence*, sur lequel figure la pièce "Béluga", qui a fait l'objet d'un vidéoclip diffusé de temps à autre sur Musimax.

En 1994, il crée dans le cadre du Festival international de jazz de Montréal, sa *Symphonie Funk* qui réunit sur une même scène une section de cuivres très dynamique, une section d'instruments à cordes et des choristes. Il la reprend à l'automne 1998 lors des célébrations du vingtième anniversaire de l'Air du temps avec une formation plus modeste où s'illustrent notamment le batteur Yvon Plouffe, le bassiste Gilles Deslauriers, le trompettiste Ghislain Potvin, le saxophoniste Roberto Murray et le tromboniste Marc Tremblay

 **À écouter**

Luc Hamel, *Transparence*, autoproduit, 1992.

(IKS)

Voir le chapitre Montréal jazze-t-elle? (Reprise).

JARCZYK, JAN

Né en Pologne, le compositeur, pianiste et tromboniste Jan Jarczyk s'initie au jazz dès l'âge de quinze ans, sous la tutelle de Tomasz Stanko. Détenteur d'une maîtrise en composition de l'académide de musique de Cracovie, lauréat de la Compétition internationale de piano jazz de Lyon et boursier de l'Association des compositeurs polonais, Jarczyk enseigne pendant des années au Berkelee College de Boston avant de se joindre à l'équipe du département de musique de l'université McGill en 1986. Récipiendaire de nombreux autres prix européens, il travaille avec Phil Wilson, Greg Hopkins, Tim Hagans, Kenny Wheeler, Kevin Dean, Don McCaslin à Boston et à Montréal. Il se produit régulièrement sur scène, à Montréal, Toronto ou Québec et se fait entendre à la radio de CBC (*Jazzbeat*).

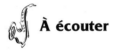 **À écouter**

Jan Jarczyk, ***Things to Look for***, Lost Chart, 1995.

JAZZ PHARMACY

Voir le chapitre Montréal jazze-t-elle? (Reprise).

JOLICOEUR, IVANHOE

Né en 1957, Ivanhoe Jolicoeur fréquente la Conservatoire de musique de Montréal de 1973 à 1976, puis le Collège de musique Saint-Laurent à partir de 1978. Il obtient son Baccalauréat en interprétation jazz de l'université Concordia en 1987, mais gagne sa vie comme musicien pigiste. Depuis 1976, il a été membre de deux formations lauréates du grand prix du Concours du Festival international de jazz de Montréal : le groupe Quartz en 1983, puis le Normand Guilbeault Quintette en 1994. Habitué du Festival, où il participe à près d'une trentaine de concerts, Jolicoeur se produit également ailleurs au Canada, de même qu'à Buffalo en 1994 et à Marciac en 1995. Sur le réseau FM de Radio-Canada, on l'entend régulièrement entre 1989 et 1992. Membre du Dixieband et du groupe BOZAR, il collabore aussi avec le chanteur folk-rock Steve Faulkner (1987) et avec le saxophoniste d'avant-garde Jean Derome.

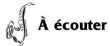 **À écouter**

Bozar, ***Exposition***, autoproduit, 1995.

Jean Derome, ***Hommage à Georges Perec***, Ambiances Magnétiques, 1997.

Normand Guilbeault Ensemble,
Basso Continuo, Justin Time, 1995.

Normand Guilbeault Ensemble, ***Hommage à Mingus***, Radio-Canada, 1996.

JONES, OLIVER

Né en 1934, Oliver Jones donne son premier concert à cinq ans et joue dans les clubs avant même d'en avoir dix. Malgré des années d'apprentissage auprès de Daisy Peterson Sweeney, la sœur de son mentor Oscar, Jones ne s'illustre sur la scène jazz qu'au cours des années 1980. Avec son premier album, *Live at Biddle's*, il inaugure en 1983 le label montréalais Justin Time. Fidèle à ses producteurs, il enregistre un album par année pour eux et célèbre le quinzième anniversaire de la firme avec un quinzième CD au titre on ne peut plus approprié, *Just In Time*. Sur ces albums, on le retrouve fréquemment aux côtés de certains des plus grands jazzmen encore en activité, notamment le bassiste Ray Brown, le batteur Ed Thigpen (tous deux anciens comparses d'Oscar Peterson) ou encore le légendaire trompettiste Clark Terry.

Oliver Jones, Justin Time Records

Pianiste prolixe, à l'imagination fertile et à la technique solide, il est unanimement reconnu comme le seul rival sérieux de son mentor Oscar Peterson au Temple de la renommée du jazz canadien. D'ailleurs en 1993, il devient – après Peterson lui-même – le deuxième lauréat du prix Oscar-Peterson décerné par le Festival international de jazz de Montréal à un artiste canadien s'étant distingué de manière exeptionnelle. Il reçoit également le

167

Prix Martin-Luther-King pour sa contribution au rayonnement de la communauté afro-canadienne, la médaille de l'Ordre du Québec et celle du Canada. À l'invitation du gouvernement fédéral, il se produit lors des Jeux olympiques de Barcelone en 1992, puis tourne en Chine en 1994, au sein d'un trio composé du bassiste Dave Young et du batteur Barry Elmes.

Enfant chéri du Festival international de jazz de Montréal, il s'y produit d'année en année, soit lors du concert d'ouverture ou du gala de clôture. On se rappelle notamment cette soirée inoubliable de 1993 où, avec la complicité d'un combo "all-star", il accompagne Ginette Reno dans un concert de standards jazz et blues fort éloignés de la guimauve fondue qui trop souvent entache le répertoire de la diva pop québécoise.

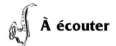 **À écouter**

Oliver Jones, *Live at Biddle's*, Justin Time, 1983.

Oliver Jones & Charlie Biddle, *Éponyme*, Justin Time, 1983.

Oliver Jones, *The Many Moods of Oliver Jones*, Justin Time, 1984.

Oliver Jones, *Lights of Burgundy*, Justin Time, 1985.

Oliver Jones, *Requestfully Yours*, Justin Time, 1986.

Oliver Jones, *Speak Low, Swing Hard*, Justin Time, 1987.

Oliver Jones, *Cooking at Sweet Basil*, Justin Time, 1988.

Oliver Jones, *Just Friends*, Justin Time, 1989
(avec Clark Terry; Juno du meilleur album jazz).

Oliver Jones, *Northern Summit*, Justin Time, 1990.

Oliver Jones, *A Class Act*, Justin Time, 1991 (avec Ed Thigpen).

Oliver Jones, *Just 88*, Justin Time, 1993 (Félix du meilleur album jazz).

Oliver Jones, *Yuletide Swing*, Justin Time, 1994
(Félix du meilleur album jazz).

Oliver Jones, *From Lush to Lively*, Justin Time, 1995.

Oliver Jones, *Have Fingers, Will Travel*, Justin Time, 1997
(avec Ray Brown).

Oliver Jones, *Just in Time*, Justin Time, 1998.

Charlie Biddle, *In Good Company*, Justin Time, 1996.

Ranee Lee, *Deep Song*, Justin Time, 1989.

LEE, RANEE

Native de Brooklyn, New York, Ranee Lee commence sa carrière professionnelle en tant que danseuse. Après avoir joué de la
batterie et du saxophone ténor au sein de divers groupes, elle
s'installe à Montréal à la fin des années soixante-dix et se concentre sur le chant et le théâtre. Récipiendaire d'un prix Dora-Mavor-
Moore en tant que comédienne, Ranee interprète Billie Holiday
dans la pièce *Lady Day at Emerson's Bar and Grill*, qui connaîtra beaucoup de succès sur les scènes de Toronto et de Montreal et
sera adaptée pour la télévision en 1994 sous le titre *White
Gardenia*. Au grand écran, on la trouve aux côtés de Billy Dee
Williams dans le film *Giant Steps*.

Au fil de sa carrière, elle se produit avec McCoy Tyner, Clark
Terry, Herb Ellis, Red Mitchell, John Bunch, Ramsey Lewis et bien
d'autres. Tant à titre d'enseignante à McGill que d'animatrice de la
série *The Performer*, diffusée sur les réseaux Black Entertainment
Television et Bravo!, Ranee Lee s'affiche comme l'une des plus
valeureuses ambassadrices du jazz canadien. En 1994, elle se voit
offrir un prix par l'International Association of Jazz Educators.
Cette même année et la suivante, elle est couronnée Meilleure
chanteuse de jazz par le magazine *Jazz Report*. Toujours en 1995,
elle enregistre en compagnie d'Oliver Jones et Milt Hinton, puis
part à la conquête du reste du Canada et des États-Unis; l'année
suivante, elle participe à une tournée des stars du jazz canadien en
Afrique du Sud.

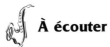 **À écouter**

Ranee Lee, Live at Le Bijou, Justin Time, 1983.

Ranee Lee, *Deep Song*, Justin Time, 1989 (avec Oliver Jones et Milt Hinton).

Ranee Lee, *The Musicals : Jazz on Broadway*, Justin Time, 1992.

Ranee Lee, *I Thought About You*, Justin Time, 1994
(Juno du meilleur album jazz).

Ranee Lee, *You Must Believe In Swing*, Justin Time, 1996
(avec Ray Brown et Ed Thigpen).

169

Ranee Lee, *Seasons of Love*, Justin Time, 1997 (avec David Murray).

LIPSKY, HELMUT

Ancien élève du violoniste classique Itzhak Perlman et d'Ivan Galamian, le violoniste et compositeur Helmut Lipsky a signé des

trames sonores pour le cinéma, la télévision, la radio et des expositions multimédias. À titre d'interprète, il se produit régulièrement aux festivals de jazz de Toronto, de Montréal et de Montreux et ouvre notamment des spectacles de Stéphane Grappelli et de Dave Brubeck. En dehors de la sphère du jazz, il accompagne sur scène ou sur disque le chanteur Gilles Vigneault, le violoncelliste David Darling et le harpiste Andreas Vollenweider. En trio avec le bassiste Michel Donato et le pianiste James Gelfand, il enregistre en 1996 l'album

Helmut Lipsky, **Moontide**, World Chart, 1999

Tricycle. Son plus récent CD, *Moontide*, auquel collabore le bassiste Sylvain Gagnon, la chanteuse Karen Young et le trompettiste Ron DiLauro, tente la synthèse de plusieurs genres musicaux : jazz, classique, tango, rock, musiques latino-américaine, tzigane et contemporaine.

 À écouter

Helmut Lipsky, James Gelfand & Michel Donato, *Tricycle*, Lost Chart, 1996.
Helmut Lipsky, *Moontide*, World Chart, 1999.

LONGSWORTH, ERIC

Si le grand public le connaît surtout pour son travail auprès de Jim Corcoran, Kevin Parent et Sylvie Tremblay, ce virtuose du violencelle électrique s'est néanmoins illustré au sein des groupes Icarus et Contrevent. Son premier CD, *I Hear You*, révèle un compositeur éclectique, dont la musique oscille entre le blues, le jazz, le folkore, le funk, classique et expérimental. Comble de l'audace, il a choisi de faire le grand saut sans filet : en solo. Par bonheur pour lui et nous, il s'en tire avec toutes ses plumes! En prime, on nous offre aussi la bande sonore qu'a signée Longsworth pour le film *Lodela* de Philippe Baylaucq.

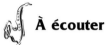 **À écouter**

Eric Longsworth, *I Hear You suivi de Lodela*, Fonovox, 1997.

MAHAR, BILL

Originaire d'Halifax, le trompettiste Bill Mahar détient un baccalauréat de l'université McGill, où il enseigne aujourd'hui. Coleader du groupe Streetnix et, avec son épouse Jennifer Bell, de l'Altsys Jazz Orchestra, il s'illustre au sein du Grand Orchestre de Vig Vogel, du Banff Jazz Orchestra, mais plus particulièrement au sein du Bernard Primeau Jazz Ensemble pour lequel il signe des orchestrations tout à fait remarquables (*Œuvres de Félix, Virage*). Au fil des ans, avec l'une ou l'autre de ses formations, il côtoie également sur scène ou sur disque des musiciens tels que Kenny Wheeler, Hugh Fraser, Dave Holland, Slide Hampton, Muhal Richard Abrams et Maynard Ferguson, George Russell, Fraser MacPherson, Randy Brecker, Vic Vogel et Oliver Jones, Dizzy Gillespie, Mike Murley, Seamus Blake et Ray Anderson.

Professeur de trompette à la faculté de musique de McGill et directeur du big band de l'université, Mahar est également un compositeur et un arrangeur de tout premier plan, dont les œuvres ont été jouées par le Banff Jazz Orchestra, le McGill Alumni Jazz Band, le Bernard Primeau Jazz Ensemble, ainsi que par Streetnix et l'Altsys Jazz Orchestra

 **À écouter**

Altsys Jazz Orchestra, *Uncorked,* indépendant, 1996.

Bernard Primeau Jazz Ensemble, *Œuvres de Félix Leclerc*, Swing'in Time, 1996
(Félix du meilleur album jazz)

Bernard Primeau Jazz Ensemble, *Virage*, Swing'in Time, 1997
(avec la participation de Ray Anderson).

Streetnix, *Ugly Bags of Mostly Water*, indépendant, 1996.

MANIGAT, ÉVAL

Voir le chapitre Visages du jazz.

MARCAURELLE, FRANÇOIS

Fondateur du groupe Tasman (1978-1984), le pianiste, claviériste et compositeur François Marcaurelle fait figure de phare dans le milieu du jazz-fusion montréalais. Et pour cause! Depuis ses débuts, Marcaurelle a su s'entourer des meilleurs accompagnateurs en ville : Sylvain Bolduc, Jim Hillman, Muhammad Abdul al Khabhyyr, Bernard Primeau, Jean-Pierre Zanella, pour n'en nommer que quelques-uns. Vétéran du Festival de jazz international de Montréal, il présente régulièrement ses compositions à l'antenne des réseaux anglophone et francophone de Radio-Canada.

À la tête de son trio (avec le guitariste Sylvain Provost et le bassiste Normand Guilbeault) ou de son sextette (avec Provost, le saxophoniste Richard Beaudet, le tromboniste David Grott, le bassiste Normand Lachapelle et le batteur Denis Lailloux), Marcaurelle produit une œuvre exigeante et sans compromis, au carrefour du jazz moderne et d'influences diverses (reggae, funk, soul, musique classique ou latino-américaine).

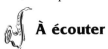 **À écouter**

François Marcaurelle, **Opus 1.7**, Amplitude, 1992.

François Marcaurelle, **Opus 2.6,** Lost Chart, 1995.

François Marcaurelle, **Opus 3.8**, Lost Chart, 1996.

François Marcaurelle, **Opus 4.7**, Lost Chart 1999.

MILLER, JOEL

Étoile montante, le saxophoniste Joel Miller découvre le jazz grâce à la discothèque de sa mère et à l'émission Jazz Soliloque, animée par le romancier Gilles Archambault sur les ondes de Radio-Canada. Encouragé par son père, le compositeur Michael Miller, ce natif de Sackville (Nouveau-Brunswick) se joint d'abord à l'orchestre de jazz de l'université de Mount Allison. Inscrit à McGill en 1988, il joue au Guiness Jazz Festival en Irlande, en tant que membre du big band de l'université. Sitôt ses études terminées "avec distinction", il s'inscrit à l'atelier de jazz très réputé de Banff en Alberta, où il se plonge dans les enseignements de Kenny Wheeler, Chucho Valdes et Pat Labarbera. Depuis 1993, Joel affine ses talents de compositeur en participant à différents projets. Avec le Sud-Américain Joé Armando, il se produit à la Galerie nationale du Canada puis au Festival international de jazz de Montréal. De retour au Festival en 1996, il présente ses compositions à l'émission *Jazz Beat* du réseau anglais de Radio-Canada et dans le cadre de la regrettée série Saison Jazz Montréal et remporte le Grand Prix du Festival de jazz en 1997.

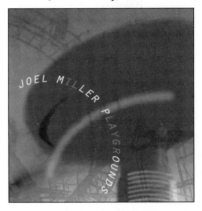

Joel Miller, ***Playgrounds***,
Justin Time, 1998

La même année, Joel endisque un premier CD de ses compositions, *Find A Way*, qui met à contribution les talentueuses sœurs Ingrid et Christine Jensen (trompettiste et saxophoniste), soutenues par un trio rythmique comprenant, outre son complice Hurley, le guitariste Éric St-Laurent, le pianiste Tilden Webb et le batteur Kevin Coady. À ce premier opus succède *Playgrounds* en 1998, une suite de compositions originales savamment orchestrées où, sur un amalgame de blues distillé, de funk et de flamme, des solistes aussi distincts que les trompettites Bill Mahar ou Joe Sullivan, ses complices Webb et Brian Hurley ainsi que bien d'autres semblent s'amuser... comme des bambins sur un terrains de jeu, justement!

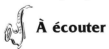 **À écouter**

Joel Miller, ***Find a Way***, Isthmus, 1997.
Joel Miller, ***Playgrounds***, Justin Time, 1998.

173

NADON, Guy

Personnage haut en couleurs, le batteur Guy Nadon, né en 1935, fait partie de la scène jazz montréalaise depuis la fin des années quarante. Amené au jazz par son admiration pour Gene Krupa, il ne s'intéresse pas moins aux batteurs dits modernes tels Louie Bellson, Max Roach et Elvin Jones. Cependant, Nadon ne restreint pas son activité au jazz et accompagne des chanteurs et chanteuses populaires. Un documentaire, tout simplement intitulé *Le Roi du drum*, lui a été consacré. Récipiendaire du prix Oscar-Peterson en 1998 pour sa contribution exceptionnelle au jazz d'ici, il est cependant peu prolifique du point de vue phonographique et n'a pour le moment publié que 2 CD, dont la captation d'un concert présenté le 20 octobre 1997 à la Maison de la culture Frontenac à la tête d'une formation composée du trompettiste Ron DiLauro, du flûtiste et saxophoniste alto Colin Biggin, du saxo ténor Yvan Belleau, du tromboniste Muhammad Abdul-Al Khabyyr, du pianiste Stephan Montanaro et du guitariste Jean Pellerin.

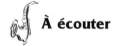 **À écouter**

Guy Nadon, *La Pollution des sons*, Indépendant, 1987.

Guy Nadon, *Le Band du Roi du drum*, DSM, 1997.

ORKESTRE DES PAS PERDUS

Brass band (orchestre de cuivres) fondé par le tromboniste Claude St-Jean, l'Orkestre des Pas Perdus se distingue de la fanfare traditionnelle par son répertoire, qui va de la musique de cirque et des compositions de Nino Rota à des pièces de Frank Zappa, en passant par le jazz, le rhythm and blues et le funk. Issu du milieu de la musique actuelle et du rock expérimental (Pouet Pouet Band, Montréal Transport Limité et Traffic d'influence, Les Projectionnistes, Diesel, Marie et ses quatre maris, Miriodor), St-Jean a recruté le trompettiste Ivanhoe Jolicoeur, le saxophoniste alto Jean-Denis Levasseur, le saxophoniste ténor Paul Richer, le sousaphoniste Jean Sabourin et le batteur Rémi Leclerc. "C'est un trip de batterie avec des instruments à vent, ce sont des choses simples qui inspirent", de dire le leader pour décrire la musique de sa fanfare alternative. L'Orkestre des Pas Perdus se produit régulièrement au Quai des Brumes, antre de prédilection des artisans de la musique actuelle québécoise, de même que lors de manifestations diverses organisées par François Gourd, au Festival international de jazz de Montréal et au Festival de musique actuelle de Victoriaville.

 **À écouter**

L'Orkestre des Pas Perdus, **T'auras pas ta pomme**,
Ambiances Magnétiques, 1996.

L'Orkestre des Pas Perdus, **Maison Douce Maison**,
Ambiances Magnétiques, 1998.

PAPASOFF, CHARLES

Né de parents bulgare et suisse, Charles Papasoff s'affiche non seulement comme l'un des saxophonistes les plus époustouflants de la scène montréalaise mais également en tant que compositeur de tout premier plan. Pupille du saxophoniste baryton Pepper Adams, il se classe dans le peloton de tête au palmarès des TDWR (*Talents Deserving Wider Recognition* – talents à découvrir) de la prestigieuse revue américaine *Down Beat* de 1982 à 1984. Sur la scène internationale, il participe à de nombreux événements, notamment au Festival de jazz de Caracas en 1990 ainsi qu'à des tournées du Grand Orchestre de Lausanne en 1993. En 1994, le Festival international de jazz de Montréal souligne son talent exceptionnel en lui attribuant un prix spécial.

En plus de diriger l'International Baritone Conspiracy (un sextette de saxophonistes barytons) et le trio qui porte son nom, Papasoff s'illustre auprès de grands noms d'ici et d'ailleurs, dont Oliver Jones, Karen Young, Branford Marsalis, Steve Lacy, Julius Hemphill, Craig Harris et Hamiet Bluiett. Compositeur pour le cinéma et pour le théâtre, il a signé la superbe musique de **Tristan Iseult** pour Les Ballets jazz de Montréal.

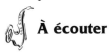 **À écouter**

Papasoff Trio, **Painless**, Nisapa, 1997.   **175**

Karen Young, **Nice Work if You Can Get It**, URSH, 1997.

Harold Faustin Sextet, **Live**, DSM, 1999.

PETERSON, OSCAR

Né à Montréal en 1925, Oscar Peterson est sans contredit le musicien de jazz canadien à s'être le plus illustré sur la scène internationale. De vocation précoce, il commence à étudier le piano classique et la trompette à l'âge de cinq ans, mais abandonne le

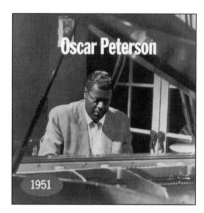

Oscar Peterson, *1951*, Justin Time, 1995

cuivre deux ans après pour se concentrer sur le clavier. Gagnant d'un concours amateur alors qu'il est adolescent, il devient le pianiste vedette du réputé Johnny Holmes Orchestra avant même d'avoir atteint la vingtaine. À vingt-deux ans, il forme son premier trio, fortement influencé par celui de Nat King Cole. Peterson et ses comparses se produisent pour la radio en direct du Alberta Lounge où, dès 1949, Peterson attirera l'attention de l'imprésario américain Norman Granz qui devient aussitôt le gérant et le mentor du jeune pianiste. Granz organise le premier concert de Peterson à Carnegie Hall et persuade Peterson de se joindre aux légendaires tournées *Jazz at the Philharmonic*.

Disciple avoué de Nat King Cole (à qui il dédie un album-hommage en 1965) mais également de Art Tatum et d'Errol Garner, Peterson devient grâce à Granz le pianiste accompagnateur le plus prolixe de l'histoire du jazz; en effet, sur les labels Clef, Mercury, Norgran et Verve, le Montréalais joue aux côtés des plus grandes stars : Fred Astaire, Louis Armstrong, Count Basie, Roy Eldridge, Ella Fitzgerald, Coleman Hawkins, Stan Getz, Dizzy Gillespie, Stéphane Grappelli, Billie Holiday, Charlie Parker, Clark Terry et tant d'autres. À partir de 1953, à la tête de son nouveau trio formé du bassiste Ray Brown et du guitariste Ray Ellis, Peterson produit une série d'albums qui lui vaut un succès critique et populaire sans précédent. Après le départ d'Ellis en 1959, le batteur Ed Thigpen se joindra au groupe, lequel continue de tourner et d'enregistrer jusqu'en 1965. Par la suite, Peterson s'illustre en solo pour la firme allemande MPS et collabore avec le bassiste

danois Neils-Henning Ørsted Pederson et le guitariste américain
Joe Pass.

Récipiendaire de sept prix Grammy, décoré de l'Ordre du
Canada, intronisé au Hall of Fame du prestigieux magazine américain *Down Beat*, Oscar Peterson, véritable légende en son propre
temps, a donné son nom au prix d'excellence décerné annuellement depuis 1992 à un musicien canadien au Festival international
de jazz de Montréal. Ses ennuis de santé l'ayant depuis le début de
la décennie obligé à restreindre ses apparitions en public, le
pianiste montréalais ne se produit plus aussi souvent que sa réputation le lui permettrait... ou que les amateurs le souhaiteraient!
Mais il continue d'endisquer sporadiquement, aux côtés des jeunes
loups du jazz actuel tels Ralph Moore et Roy Hargrove ou d'un virtuose de la musique classique tel Itzak Perlman. En 1988, le journaliste de jazz Gene Lees lui consacre une fascinante biographie,
Oscar Peterson : The Will to Swing, devenue livre de chevet
pour ses légions de fans.

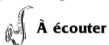 **À écouter**

Oscar Peterson Trio, **Portrait of Sinatra**, Verve, 1959.

Oscar Peterson Trio, **We Get Request**, Verve, 1962.

Oscar Peterson Trio, **Night Train**, Verve, 1963.

Oscar Peterson Trio, **Affinity**, Verve, 1963.

Oscar Peterson Trio, **Trio +1**, Verve, 1964 (avec Clark Terry).

Oscar Peterson Trio, **The Canadian Suite**, Verve, 1965.

Oscar Peterson Trio, **With Respect to Nat**, Verve, 1965.

Oscar Peterson & Roy Eldridge, **Éponyme**, Pablo, 1974.

Oscar Peterson & Clark Terry, **Éponyme**, Pablo, 1975.

Oscar Peterson, **Exclusively for my Friends**, 4 CD, MPS-Polygram, 1992.

Oscar Peterson & Itzak Perlman, **Side by Side**, Telarc, 1994.

Oscar Peterson, **Meets Roy Hargrove and Ralph Moore**, Telarc, 1996.

Louis Armstrong & Oscar Peterson, **Louis Meets Oscar**, Verve, 1957.

Billie Holiday, **Recital (Billie Holiday Story, vol. 3)**, Verve, 1954.

Charlie Parker, **Jam Session**, Verve, 1952.

PRIMEAU, BERNARD

Voir le chapitre Visages du jazz.

PROPHÈTE, EDDY

Voir le chapitre Visages du jazz.

RIEU, YANNICK

Originaire de France et Saguenéen d'adoption, le saxophoniste Yannick Rieu s'illustre d'abord au sein de la formation de Bernard Primeau. Classé parmi les vingt meilleurs saxophonistes au monde par la revue *Down Beat* en 1988, Rieu écume au fil des années quatre-vingt les bars de la métropole en compagnie du bassiste Normand Guilbeault, compagnon d'écurie chez Primeau, et du batteur Michel Ratté durant des années. Ce combo s'inspire visiblement des trios sans piano de Sonny Rollins, l'un des mentors de Rieu, mais le saxophoniste se réclame d'influences nombreuses et diverses qui vont de Miles Davis à Glenn Gould. En 1990, il endisque un premier album qui lui permet de s'affirmer comme une figure de proue du jazz québécois. Fin 1991, il tourne pendant quelques mois en Europe, puis revient à Montréal où il se produit à la tête de formations diverses (quartette, octette à deux contrebasses) et bénéficie à l'occasion d'orchestrations créées expressément pour lui par Vic Vogel. En 1993, en compagnie de son bassiste Frédéric Alarie et du batteur Paul Léger, il enregistre **Sweet Geom** dans le cadre du Festival de musique actuelle de Victoriaville.

Expatrié à Paris depuis quelques années, il s'est fait malheureusement rare sur les scènes montréalaises, malheureusement pour nous s'entend. Saxophoniste au jeu qui tend volontiers vers le paroxysme, il apparaît en cela comme un fidèle disciple de John Coltrane. Mais alors que chez certains de ses collègues saxophonistes le legs coltranien ressemble à un fardeau, chez Rieu il s'agit plutôt d'une influence lointaine qu'une maturité étonnante a permis de transcender pour en arriver à un discours éminemment personnel.

 **À écouter**

ROYAL JELLY BAND

Voir le chapitre Montréal jazze-t-elle? (Reprise).

SULLIVAN, JOE

Compositeur, arrangeur et trompettiste d'origine ontarienne, Joe Sullivan étudie au Berklee College of Music et au New England Conservatory sous la direction de Jimmy Giuffre et de George Russell avant de s'installer à Montréal, où il enseigne. Lauréat du prix Socan décerné à l'auteur de la meilleure œuvre originale au Festival international de jazz de Montréal, Sullivan joue à l'occasion avec le big band de Vic Vogel.

Joe Sullivan, *A Song for Jersey*, Blue Loon, 1994

Sur disque, on l'entend aux côtés des saxophonistes Joel Miller et Richard Paris.

Chez le trompettiste à la fois volubile et mélodique, on sent l'influence du grand Woody Shaw, avec un inévitable zeste de Miles Davis. Chez le compositeur, on apprécie cette capacité d'esquisser des thèmes riches sur les plans mélodique et harmonique et suffisamment "ouverts" pour laisser une grande liberté d'improvisation aux solistes – à la manière des morceaux que signa autrefois Wayne Shorter sur ses propres albums ou sur ceux du Second Quintette Classique de Miles. À cet égard, les compositions de Sullivan sur son deuxième album, *Rumours from the Soul*, sont

179

assez exemplaire. Elles témoignent d'une facilité à combiner des orchestrations complexes, axées sur le contrepoint, et des passages qui flirtent avec le free jazz. Ce disque remarquable bénéficie de la présence de solistes impeccables, dont le remarquable André Leroux au saxophone ténor, Jean Fréchette au saxophone baryton et George Mitchell à la contrebasse. Mais en définitive, Sullivan demeure ici l'étoile du jour, pour son sens de la sobriété et la pertinence de son choix de notes.

 **À écouter**

Joel Miller, ***Playgrounds***, Justin Time, 1998.

Joe Sullivan, ***A Song for Jersey***, Blue Loon, 1994.

Joe Sullivan Sextet, ***Rumours from the Soul***, Nu-Jazz, 1996.

Richard Parris Quintet, ***Body And Soul***, DSM, 1997.

Nelson Symonds Quartet, ***Getting Personal***, Justin Time, 1991

SYMONDS, NELSON

Depuis plus de quarante ans, Nelson Symonds est un incontournable de la scène jazz montréalaise. Né en Nouvelle-Écosse en 1933, il s'intéresse dès l'âge de neuf ans au banjo puis passe à la guitare acoustique deux ans plus tard. Autodidacte, il perfectionne son jeu entre le travail sur la ferme parentale qu'il quittera en 1950, pour gagner Sudbury où vit son oncle John, garagiste et saxophoniste. Le jour, Nelson donne un coup de main à son oncle au garage; la nuit et les week-ends, les deux se donnent la réplique dans les bars locaux. En 1955, les musiciens d'un cirque intinérant de passage à Sudbury les remarquent et les invitent à faire une tournée à travers le Canada et les États-Unis. Au bout de trois ans, Nelson échoue à Montréal dont il fera sa base d'opération. En 1960, il joue au Basin Street Club au sein des Canadian All-Stars et y rencontre le multi-saxophoniste Roland Rashaan Kirk. Deux ans après, Brother Jack

180

McDuff le convoque en audition, mais il doit décliner l'emploi, faute d'un permis de travail valide, et se voit remplacer par un jeune, George Beson.

Quoiqu'il ait attendre l'âge de cinquante-huit ans avant d'enregistrer pour la première fois son nom, il compte parmi ses admirateurs de nombreux jazzmen américains, dont Miles Davis qui ne manque jamais une occasion de venir l'entendre. Mieux vaut tard que jamais, il endisque en 1991 pour la firme Justin Time un album en partie constitué de ses compositions originales, au sein d'un quartette composé du pianiste Jean Beaudet, du bassiste Normand Guilbeault et du batteur Wali Muhammad. Depuis, Symonds se produit aux côtés du saxophoniste alto Dave Turner. La cinéaste Mary Ellen David lui a consacré un documentaire intitulé tout simplement *Nelson Symonds, Guitarist*.

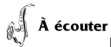 **À écouter**

Nelson Symonds Quartet, *Getting Personal*, Justin Time, 1991.

Dave Turner & Nelson Symonds, *Thank You for Your Hospitality*, DSM, 1995.

Dave Turner & Nelson Symonds, *The Pulse Brothers*, DSM, 1997.

TURNER, DAVE

Vétéran du big band de Vic Vogel bénéficiant d'une expérience de plus de vingt ans sur la scène jazz, Dave Turner expérimente avec plusieurs instruments avant de se fixer sur le saxophone au cours des années soixante-dix. Sa sonorité pleine et volontiers jubilatoire le situe dans la lignée de "Cannonball" Adderley, dont il se distingue néanmoins par son penchant fort audible pour les rythmes latins. Cette prédilection pour la musique tropicale contribue pour beaucoup d'ailleurs au charme du sextette qu'il dirige pendant un moment avec le trompettiste Ron DiLauro.

En 1989, il enregistre pour la firme Justin Time à la tête d'un quartette composé du pianiste américain Ronnie Matthews, du bassiste Dave Young et du batteur Terry Clarke *For the Kindness of Strangers*, favorablement accueilli par la critique, qui lui vaut

181

d'ailleurs un prix Juno. Présent bon an mal an au Festival international de jazz de Montréal, il collabore sur scène et sur disque avec le guitariste Nelson Symonds. En 1998, il lance sur l'étiquette Justin Time un superbe album en collaboration avec le bugliste torontois Guido Basso, *Midnight Martini*. Pour 1999, on attend un nouvel album, provisoirement intitulé *The Year of the Tiger*, dont la sortie est prévue pour le mois d'août chez DSM.

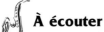 **À écouter**

Dave Turner, *For the Kindness of Strangers*, Justin Time, 1987
(Juno du meilleur album jazz).

Dave Turner, *Café Alto*, DSM, 1995.

Dave Turner & Nelson Symonds, *Thank You for Your Hospitality*,
DSM, 1995.

Dave Turner & Nelson Symonds, *The Pulse Brothers*, DSM, 1997.

Dave Turner & Guido Basso, *Midnight Martini*, Justin Time, 1998.

Dinah Vero World Quintet, *Savann'*,
autoproduit, 1996

VERO, DINAH

Née en Martinique en 1967 au sein d'une famille de musiciens, Dinah Vero commence ses études de musique classique à Paris à cinq ans. À quatorze ans, elle poursuit sa formation au Conservatoire de Montréal où elle étudie le piano, l'harmonie, le contrepoint et la fugue. Au début des années 90, elle forme le Dinah Vero World Quintet dont la musique, éclectique à souhait, témoigne de l'intérêt que porte la compositrice et pianiste à la musique sud-américaine, au jazz et au rhythm'n blues. Une fois son

182 diplôme du Conservatoire obtenu, elle se voit décerner une bourse du gouvernement du Québec et part approfondir ses connaissances à la New School de New York, où elle fait une forte impression sur les professeurs, dont le trompettiste Cecil Bridgewater et les pianistes Junior Mance et Jaki Byard.

 **À écouter**

Dinah Vero World Quintet, *Savann'*, 1996.

VOGEL, VIC

Véritable institution, au même titre que Charlie Biddle ou Oscar Peterson, le Montréalais d'origine hongroise Victor Stefan Vogel, né en 1935, s'initie seul au piano dès l'âge de cinq ans. À peine est-il adolescent qu'on l'entend en vedette à l'antenne des radios du pays. Dès l'âge de seize ans, il joue dans les bars afin d'amasser suffisamment d'argent pour se payer un grand Steinway usagé. Après plusieurs mois de pratique, il décide d'entreprendre l'apprentissage sérieux de son instrument et sollicite Paul de Marky, qui fut le professeur d'Oscar Peterson. Sa santé ne lui permettant pas de suivre cet élève déjà fort avancé, il recommande au garçon son collègue Michel Hirvy, lequel lui enseigne les rudiments de la composition et de l'orchestration.

Au fil des ans, Vogel accompagne indifféremment les artistes de variétés québécois, de même que les stars du jazz international de passage à Montréal (Dizzy Gillespie, Maynard Ferguson, Gerry Mulligan, Slide Hampton, "Cannonball" Adderley, Chucho Valdez, Mel Torme). En 1973, il compose une comédie, *La course au mariage*, avec Georges Guétary et Suzanne Lapointe. À la tête de son big band, il endisque des albums qui connaîtront succès critique et populaire, dont un album avec le groupe rock Offenbach. En 1976, il collabore avec le compositeur André Mathieu à la musique officielle de la cérémonie d'ouverture des Jeux olympiques.

Incontournable attraction du jazz montréalais, le big band de Vic Vogel a vu se succéder en ses rangs la crème de la crème des musiciens locaux : les trompettistes Charles Ellison, Ron DiLauro; les saxophonistes Dave Turner; le batteur Bernard Primeau. En 1993, il enregistre un premier album solo où il joue principalement des morceaux de son propre cru.

183

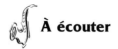 **À écouter**

Vic Vogel, *Piano Solo*, BYC, 1993.

Vic Vogel Big Band, *Éponyme*, Spectra, 1982.

Vic Vogel & the Awesome Big Band, *Éponyme*, VV, 1987.

Vic Vogel Big Band, *Live*, VV, 1996.

André Mathieu, *Jeux de la XXIe Olympiade*, Polydor, 1976.

Offenbach, *Offenbach en fusion*, Spectra, 1979.

WALSH, Tom

Voir le chapitre Montréal jazze-t-elle? (Reprise).

YOUNG, Karen

Considérée depuis longtemps comme l'une des plus grandes chanteuses de jazz au Canada, Karen Young refuse cependant d'être confinée à ce seul genre. Voix du be-bop québécois durant les années soixante-dix, au temps du Bug Alley Band, elle se concentre ensuite sur l'apprentissage des standards. En plus de prêter sa voix aux chefs de file de la musique actuelle, elle aborde successivement le jazz latin, les "musiques du monde" (africaine, bulgare, haïtienne) et celles du Moyen Âge et de la Renaissance. En 1987, elle forme avec le bassiste Michel Donato un duo qui remporte un immense succès populaire et critique, dont le premier album mérite d'ailleurs un prix Félix. En 1990, désireuse de se concentrer davantage sur sa carrière de chanteuse et d'élargir encore son univers musical, elle se sépare de Donato. En 1991, elle tourne à travers le Québec et l'année suivante enregistre et réalise elle-même son premier album solo, où elle pige dans le répertoire de Richard Desjardins. En décembre 1992, elle occupe le Grand-Café pendant deux semaines à guichet fermé. En juin de l'année suivante, elle présente à Montréal puis à Québec cinq spectacles **184** différents en cinq soirs, abordant chaque fois un nouveau genre musical – toujours à guichet fermé. En 1994, elle présente une quarantaine de représentations d'un nouveau spectacle qui donnera naissance à l'album *Good News On The Crumbling Walls*.

Associée en 1995 à la troupe Theatre 1774, elle écrit la musique d'une pièce et monte même sur les planches en tant qu'actrice. En 1996, elle collabore avec Michel Faubert au spectacle *Le mariage anglais* présenté dans le cadre de La Grande Rencontre, festival de musique traditionnelle québécoise. Mais surtout elle revient au jazz par une présence au Festival international de jazz de Montréal (la première en six ans) et le lancement d'un nouvel album avec Michel Donato *The Second Time Around*. D'autre part, elle crée avec le groupe de musique ancienne La Nef le spectacle pour instruments anciens et chorale, *Le Cantique des Cantiques*, production de Radio-Canada, dont elle a écrit les paroles et la musique.

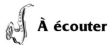 **À écouter**

Karen Young, *Éponyme*, URSH, 1992.

Karen Young, *Good News on the Crumbling Walls*, URSH, 1994.

Karen Young, *Nice Work if You Can Get It*, URSH, 1997.

Éval Manigat & Tchaka, *Éponyme*, Tchaka Prod., 1995
(Juno du meilleur album world).

Karen Young & Michel Donato, *Young-Donato*, Justin Time, 1985.

Karen Young & Michel Donato, *Contredanse*, Justin Time, 1988.

Karen Young & Michel Donato, *En vol,* Justin Time, 1990.

Karen Young & Michel Donato, *Second Time Around*, URSH, 1996.

ZANELLA, JEAN-PIERRE

Saxophoniste, compositeur et arrangeur, Jean-Pierre Zanella est l'un des musiciens de jazz et de studio les plus actifs de la scène musicale québécoise. Diplômé en jazz de la Eastman School of Music de New York, il participe régulièrement à des festivals de jazz au Canada et en Europe. Auteur de l'orchestration de "Summertime" qui sert de thème à la huitième édition du Festival international de jazz de Montréal, Zanella compose des indicatifs musicaux pour Radio-Canada et des trames sonores pour l'ONF —

notamment, celle du film *La pousuite du bonheur* de Micheline Lanctôt (1987). En plus de côtoyer les grands noms du jazz et de la musique populaire sur scène (Bob Brookmeyer, Chuck Israels, Al Cohn, Paul Anka, Michel Legrand, Anthony Braxton, Dionne Warwick) et sur disque (Pat Labarbera, Mike Murley, Don Alias, John Abercrombie et des compatriotes montréalais tels Jan Jarczyk, James Gelfand, François Marcaurelle), il enseigne au Cégep de Saint-Laurent.

Membre du Denny Christianson Big Band, Zanella se produit à la télévision québécoise, au sein des Téteux (l'orchestre de l'émission de variétés *Beau et Chaud*). Féru de musique brésilienne, le saxophoniste signe deux albums qui traduisent sans équivoque cette passion – *Caminho* et *Mystik Infancy* – dont le plus récent résulte de la collaboration entre Zanella et un groupe incluant le guitariste brésilien Victor Biglione et une quinzaine de musiciens. Dédié aux enfants des bidonvilles du Brésil, le morceau "Trombadinha", véritable pièce de résistance, est traduit en images par un vidéoclip tourné sur place et diffusé régulièrement à Musimax.

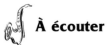 **À écouter**

Jean-Pierre Zanella, *Caminho*, Amplitude, 1993.

Jean-Pierre Zanella, *Mystic Infancy*, Lost Chart, 1996.

Michel Donato Quintet, *Homage To Jacques Languirand*, DSM, 1998.

Sylvain Gagnon, *Crépuscule*, Amplitude, 1991.

Sylvain Gagnon, *Readers of the Lost Chart*, Lost Chart, 1994.

Jan Jarczyk, *Things to Look for*, Lost Chart, 1995.

CLASSIQUES D'HIER ET D'AUJOURD'HUI
QU'IL FAUT ABSOLUMENT POSSÉDER

Vous savez comment c'est... J'ai débuté avec l'intention de choisir dans ma discothèques mes cinq albums préférés. Mais j'ai beau vouloir jouer les stricts, les purs et durs, je me rends compte que le nombre est beaucoup trop restrictif, que je n'arrive pas à réduire la liste à dix albums fétiches, même pas à quinze. Rendu à vingt-cinq, il en manque encore quelques-uns qui mériteraient aussi de faire les finales... Alors, on se résigne à cinquante-deux albums, pas un de plus cette fois, pleinement conscient que, au nombre de disques enregistrés en cent ans d'histoire de musique jazz, il est inimaginable d'oser pouvoir certifier quels sont ceux qui méritent le titre d'incontournables.

Les maniaques de jazz sont les gens les plus opiniâtres du monde. Et certains ne manqueront pas de contester cette liste. Pourquoi tel artiste et pas tel autre ? Comment justifier l'absence de tel disque et la présence de tel autre, infiniment supérieur ? Pour prévenir les coups, je ne prendrai aucun risque et ferai mon mea culpa par anticipation. Il s'agit d'une liste de classiques et non pas d'une liste des classiques, nuance : ainsi la liste est éminemment subjective, à l'image du reste de ce bouquin. Voyons-la comme un instantané de mes goûts personnels, rien de plus, où figurent des disques archi-connus et d'autres un peu moins. Je me suis tout de même restreint à un seul disque par artiste, même dans le cas de Miles, dont je suis un fanatique bon pour la camisole de force. Simplement afin d'éviter les doublons, j'ai à dessein exclus de ce palmarès les artistes locaux, dont j'ai de toute manière abondamment discuté au chapitre précédent; on comprendra qu'il ne s'agit nullement d'un jugement de valeur, mais d'un choix dicté par les contraintes d'espace...

Cinquante-deux albums d'hier et d'aujourd'hui, donc, classés par ordre alphabétique dans une vaine tentative de masquer mes préférences néanmoins évidentes pour un certain type de jazz. Cinquante-deux disques; un par semaine pendant un an, ça fait une année bien remplie, non ? C'est peu, certes, mais ça suffira tout de même pour vous donner une idée de ce qu'on peut écouter, les soirs de scotch...

187

Julian "Cannonball" Adderley, *Somethin' Else*, Blue Note, 1958

Tout juste quelques mois après avoir donné à Louis Malle la sublime trame sonore d'*Ascenseur pour l'échafaud* (Fontana, 1959) et un an avant *Kind of Blue* (Columbia, 1959), Miles Davis en grande forme fait à son saxophoniste de l'époque un honneur peu usuel en acceptant de participer en tant que sideman à cette séance pour la firme Blue Note. Mais *leader* un jour, *leader* toujours…, serait-on tenté de dire à l'écoute de ce classique, tellement la personnalité du trompettiste domine (ne l'entend-on pas s'adresser de sa voix rauque au producteur Alfred Lion à la fin du langoureux "One for Daddy-O"?). Ce qui ne veut pas dire que l'altiste soit en reste, ainsi qu'en témoignent ses jubilatoires interventions sur la pièce éponyme et sur ce "Love for Sale" aux accents latins. Plus qu'une simple jam-session en studio, comme la plupart des séances de l'époque, *Somethin' Else* a toutes les allures d'un album réfléchi et senti. Les soufflants rivalisent d'inventivité, admirablement soutenus par un trio rythmique indéfectible : Hank Jones, l'élégance faite pianiste; Sam Jones, bassiste impeccable quoique négligé par l'histoire; enfin, Art Blakey, le batteur, qui sur les ballades fait preuve d'une sobriété qu'on ne lui connaissait guère. Et puis, il est impossible de ne pas s'imaginer que Miles songeait à Juliette Gréco, son grand amour impossible, au moment d'attaquer cette superbe relecture d' "Autumn Leaves" ("Les feuilles mortes"), déchirante de mélancolie, à classer sans hésiter parmi ses plus émouvantes performances. *Somethin' else*, en effet!

Louis Armstrong, *The Hot Five and Hot Seven* (4 volumes), Columbia, 1924-1928

Quand bien même on lui rendrait mille hommages par an, on ne sera jamais quitte avec Louis Armstrong. Parce que Roi des Rois du jazz, le trompettiste-chanteur de New Orleans demeure, trente ans après sa mort et soixante ans après ses contributions les plus marquantes, la figure la plus influente de la musique populaire occidentale de ce siècle. "Impossible de jouer sur cet instrument quelque chose que Pops n'ait pas déjà joué", disait Miles Davis, qu'on pourrait difficilement traiter d'émule d'Armstrong.

Sur ces faces de soixante-dix-huit tours enregistrées au début du siècle, on trouve le jeune Louis, affranchi de son mentor King Oliver, à la tête de ses premiers combos affinés. Morceau après morceau, solo après solo, le trompettiste affine ici ce style inimitable qui imposera au monde entier le jazz, cette musique folklorique de l'arrière-pays louisianais. Bien sûr, tout ici n'est pas génial et l'on voit poindre sur certaines pièces l'amuseur public dans le rôle dans lequel il se confinera dès le milieu de sa carrière, cela dit sans mépris aucun. Néanmoins, n'eût-il enregistré que cette poignée de chansons paillardes ou mélancoliques qu'Armstrong aurait néanmoins mérité de voir son nom apparaître dans les livres d'histoire de la musique.

À noter que ces enregistrements étant désormais tombés dans le domaine public, ils existent sous diverses éditions chez plusieurs firmes. Je recommande celles de Columbia simplement parce qu'elles me semblent plus faciles à trouver.

Chet Baker, *The Best of Chet Baker Sings,* Pacific Jazz, 1953-1956

Avec sa gueule d'ange et son destin d'artiste maudit, Chet Baker incarnait l'archétype romantique du jazzman, enfin tel que nous l'a traditionnellement proposé Hollywood. À la trompette, le lumineux lyrisme de son jeu évoquait Bix Beiderbecke, premier grand jazzman blanc de l'histoire, une filiation que Baker a toujours refusée, préférant en début de carrière se réclamer de Miles Davis, initiateur du mouvement cool. Sa manière de chanter, tout en pudeur et en retenue, le place d'emblée dans le sillage de Billie Holiday. Mais comparaison n'étant pas raison, il faut n'entendre en Chet Baker que Chet Baker et personne d'autre : c'est-à-dire un trompettiste à l'imagination mélodique fascinante et un *crooner* qui refuse les maniérismes en vogue à l'époque et chante d'une voix prépubère, comme un ado timoré qui s'essaie à l'art du flirt. Voilà d'ailleurs le double visage sous lequel nous le présente cette compilation de chansons choisies des premières séances californiennes sous son leadership, aux côtés du gotha du cool-jazz : son partenaire et alter ego du moment, le pianiste Russ Freeman; l'altiste Art Pepper et bien d'autres. "I Remember You", chante-t-il. Nous aussi, Chet. Nous ne t'oublierons jamais.

189

Patricia Barber, *Modern Cool*, Premonition, 1998

Une découverte tardive! Et diable que je m'en veux de ne pas avoir prêté attention plus tôt au travail de cette merveilleuse chanteuse et pianiste, à qui on ne saurait rien reprocher en dehors

de sa production discographique trop peu fréquente : quatre albums en dix ans, c'est peu. Barber a intitulé "Post-modern Blues" l'une des chansons de son superbe quatrième album... et ce n'est sans doute pas un hasard! Dans la foulée de son précédent opus, le génial *Cafe Blue*, Barber poursuit sa démarche originale, quelque part à mi-chemin entre Cassandra Wilson et K.D. lang. Des relectures inspirées de standards ("You and the Night and the Music") ou de chansons populaires ("She's a Lady" de Paul Anka ou un renversant "Light My Fire" emprunté aux Doors), compositions *vraiment* originales ("Put off Your Faces Love" ou "Let It Rain" aux accents de gospel), un band du tonnerre incluant le trompettiste étoile Dave Douglas, le guitariste John McLean, le bassiste Michel Annopol et le batteur Mark Walker. Franchement, *who could ask for anything more?*

Art Blakey & the Jazz Messengers, *A Night in Tunisia*, Blue Note, 1960

Pendant près de quarante ans, les Messengers du batteur Art Blakey ont fait office d'université du hard bop, sur les bancs de laquelle sont passés un nombre impressionnant des plus importants solistes de l'histoire du jazz moderne. Parmi les multiples éditions de cette formation, je voue une affection particulière à celle de la fin des années cinquante – composée du fringant Lee Morgan à la trompette, du saxophoniste Wayne Shorter à la direction musicale, de Bobby Timmons au piano et de Jymie Merritt à la basse. Et parmi ses nombreux albums enregistrés en studio ou en public, ma préférence va à celui-ci, ne serait-ce que pour cette version endiablée de la pièce éponyme, où Morgan et Shorter ne cessent de se relancer sur un finale jubilatoire. Un ami néophyte en jazz et néanmoins enthousiaste l'a décrit en ces termes : "Des punks, hostie! On jurerait des musiciens punks!" L'aspect délinquant et tonitruant mis à part, on admirera aussi la beauté des thèmes signés Shorter ou Morgan, tous exposés avec une fougue réjouissante. Et tant qu'à se flatter les tympans, je signale aux amateurs que c'est presque criminel de se procurer cet album sans son compagnon, *Like Someone in Love*, dont les pièces ont été enregistrées lors de deux mêmes séances qui ont produit *A Night in Tunisia*. En matière de jazz qui déménage, on n'a guère fait mieux depuis!

Clifford Brown & Max Roach, *Study in Brown*, Mercury, 1955

S'il faut en croire la légende, après avoir côtoyé Clifford Brown pour la première fois pendant une jam-session, Charlie Parker aurait attiré le jeune trompettiste à part pour le secouer par les épaules en lui disant, enthousiasmé : "Je n'en crois pas mes oreilles! J'entends ce que tu joues, mais je n'en crois pas mes oreilles!" Et pour cause! En l'espace d'une très brève carrière – à peine quatre années ponctuées par deux accidents d'automobile, dont le second lui coûtera la vie, ainsi qu'à son pianiste Richie Powell, frère de Bud – Brownie participe à deux nombreuses séances qui témoignent de son absolue maîtrise du be-bop et du blues.

Après un passage obligé parmi les Messengers de Blakey, Brownie accompagne merveilleusement des chanteuses (Dinah Washington, Helen Merrill, Sarah Vaughan) mais s'illustre surtout au sein du groupe qu'il codirige avec le batteur Max Roach, l'une des trois formations majeures de la période hard bop. Au-delà de la force de frappe époustouflante du quintette, *Study in Brown* impressionne par la beauté et le dynamisme des arrangements qui tirent avantageusement profit de la virtuosité des leaders et de leurs acolytes, sur les tempos moyens ("Land's End") comme sur les morceaux enlevés (Charlie Parker n'aurait certes pas renié ce "Cherokee"). Et que dire de ce "Take the A Train" hallucinant, où Roach simule à la batterie les bruits de la locomotive – une relecture du classique ellingtonien qui a visiblement inspiré à Wynton Marsalis son "Big Train", interminable suite ferroviaire, aussi puérile que démodée.

191

Nat King *Cole, Just One of Those Things and More*, Capitol, 1957

Même si d'un point de vue strictement objectif je préfère le Nat King Cole pianiste de jazz, modèle d'Oscar Peterson et de Ray Charles première manière, je dois confesser mon faible pour le Nat King Cole *crooner* dont la riche voix de baryton, subtil mélange de sirop de canne et d'eau de vie, a hanté mon enfance. Séduit par les sirènes d'Hollywood, Nat Cole durant sa carrière a enregistré plus que sa part de mièvreries et de quétaineries. Superbement épaulé par le *big band* de son arrangeur fétiche Billy May, il enfile avec panache cette suite de standards mélancoliques, marqués au sceau des thèmes de la rupture, des amours ratées et des bals sans lendemain. À n'en point douter, il fut l'un des plus grands interprètes de l'histoire de la chanson américaine, à mon avis infiniment supérieur au très maniéré Frank Sinatra et à ses émules. Certes, ce n'est pas sans une certaine affectation, typique des chanteurs de charme de l'époque, que le roi Nat prend ici ses poses d'amoureux éconduit, de mari abandonné – à cet égard, la photographie de la pochette est d'un kitsch sublime... Que ceux qui peuvent l'écouter entonner "Once in a While", "These Foolish Things Remind Me of You" et "Who's Sorry Now?" en restant de glace soient condamnés à se taper l'intégrale de Céline Dion jusqu'à la fin des temps... Guimauve, je vous en montrerai, moi, de la guimauve!

John Coltrane, *A Love Supreme*, Impulse!, 1964

"L'ennui avec Trane, disait un jour Branford Marsalis, ce n'est pas tant qu'il soit allé aussi loin, mais plutôt qu'il nous ait laissés si loin en arrière!" Trente ans après sa mort, l'insurpassable génie du sax reste aussi déconcertant et ses avancées toujours aussi hallucinantes. Sur ces rééditions de luxe, on le retrouve en compagnie de son quartette classique – le pianiste McCoy Tyner, le bassiste Reggie Workman (parfois remplacé par Jimmy Garrison), et le tonitruant Elvin Jones à la batterie. Fort de leur complicité indé-

fectible, ces aventuriers du vertige ont su pousser le jazz au-delà de
ses limites. Choisir un disque de ce groupe n'est pas une tâche
aisée, tant la production de ces quatre mousquetaires est
cohérente, intense et essentielle. Pourtant, dans la pléthore de
chefs-d'œuvre enregistrés en quelques
années seulement (*With Duke*
Ellington, Ballads, les captations live au
Village Vanguard et au Birdland, et j'en
passe), *A Love Supreme* demeure un
monument difficile à égaler. Prière
hypnotisante où Coltrane récapitule,
synthétise et relance tout ce qu'il avait
été jusque-là, ce disque d'une spiritualité
manifeste choque et saisit tout à la fois. Il

y a toujours deux périodes dans la vie d'un amateur de jazz :
l'avant et l'après J.C. En effet, dès la première écoute, Coltrane
assaille nos certitudes, notre façon d'entendre la musique. Voilà
d'ailleurs ce qui nous le rend *indispensable.*

Chick Corea, *Remembering Bud Powell,* Stretch / Concord, 1996

Attention : haute tension. Même si j'avoue ne pas éprouver
d'affection particulière pour Chick Corea, je me devais de retenir
au moins un disque de ce virtuose, qui compte parmi les pianistes
modernes les plus influents. Alors, je choisis celui-ci, qui restitue
et amplifie le haut voltage généré par cette grande étoile tout au
long de la mémorable tournée qui le mena d'ailleurs à la Place des
Arts de Montréal durant l'édition 1996 du Festival de jazz. En
compagnie de jeunes loups tels que le trompettiste Wallace Roney,
le très populaire saxo ténor Joshua Redman et le saxo alto Kenny
Garrett, du bassiste Christian McBride ainsi que du vétéran batteur
Roy Haynes (ex-comparse de Powell), le pianiste explore les
infinies richesses harmoniques du répertoire d'un génie du be-
bop, son idole Bud Powell, frère d'âme et d'infortune du grand
Thelonious Monk. On retient particulièrement leur version électrisante du classique "Tempus Fugit", avec son thème en forme de
course à obstacles. Ça déménage en grande !

193

Olu Dara, *Into the World. From Natchez to New York*, Atlantic, 1998

Peut-être inspiré par la chanteuse Cassandra Wilson, qu'il accompagne sporadiquement sur scène comme sur disque, Olu Dara, le légendaire cornettiste (et guitariste et chanteur) de la *loft generation* des années soixante-dix a attendu l'âge vénérable de cinquante-sept ans avant de signer son premier album. On ne peut plus éloigné de l'hermétisme d'une certaine avant-garde, **Into the World** revisite avec infiniment d'à-propos les divers avatars de la musique noire : entraînante "Your Lips", langoureuse "Harlem Country Girl", sulfureuse "Rain Shower". De l'Afrique mère aux berges du Mississippi, en pas-sant par la Caraïbe, de la samba au blues du delta, en passant par le rap (avec Nas, fils d'Olu Dara), quelle délicieuse *jambalaya* sonore! En vérité, l'un des albums de jazz majeurs de cette fin de siècle.

Miles Davis, *Kind of Blue*, Columbia, 1959

Je ne me souviens plus du nom du critique qui écrivit à pro-pos de **Kind of Blue** que cet album "est au jazz enregistré ce que la Joconde est à l'art pictural : un monument de perfection." Qu'importe! La formule est si juste, si bien tournée que je me morfonds de n'en être pas l'auteur. En deux séances au printemps

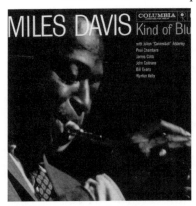

de 1959, Miles réunit pour une dernière fois autour de lui son équipe de rêve – les saxophonistes John Coltrane et Julian "Cannonball" Adderley, les pianistes Bill Evans et Wynton Kelly, le bassiste Paul Chambers et le batteur Jimmy Cobb. À ces fidèles compagnons il propose, au lieu du programme de standards mille fois rabâchés, de simples esquisses de compositions, des canevas imaginés en partie avec le concours d'Evans. Et aussi une idée inédite : mettre en application les théories sur l'impro-visation modale développées par George Russell et qu'ils avaient tâtées sur le précédent opus, *Milestones* (Columbia, 1958). À l'in-star de Russell, Davis y voit une astucieuse solution à l'impasse harmonique dans laquelle le jazz moderne était en voie de

194

s'engouffrer. Mais au-delà de ces considérations révolutionnaires sur le plan de la méthode, c'est la lumineuse sobriété du résultat qui éblouit encore, quarante ans plus tard. De "So What" à "Flamenco Sketches", cinq morceaux quasiment composés en temps réel, tous captés en une seule prise complète (à l'exception du dernier dont il existe une alternate take) : un tour de force magistral pour lequel aucun superlatif n'est de trop!

Ma définition de l'état de grâce? Un éclairage savamment tamisé, un somptueux repas abondamment arrosé, la compagnie de l'être aimé… et *Kind of Blue*, en mode de lecture continue. Il y a des miracles, comme ça, qui donnent presque envie de recouvrer la foi en Dieu!

Eric Dolphy, *Out to Lunch*, Blue Note, 1965

Figure tragique comme l'histoire du jazz n'en compte hélas que trop, le saxophoniste, flûtiste et clarinettiste est mort prématurément d'une crise cardiaque alors qu'il était encore dans la fleur de l'âge – tout juste trente-six ans! Triste consolation, il nous a tout de même légué un testament phonographique des plus riches et des plus variés, aux côtés de la crème de la crème du jazz de son époque : Charles Mingus, Ornette Coleman, Oliver Nelson et bien sûr John Coltrane, qui avait trouvé en lui une sorte de frère spirituel. À la tête de ses propres combos, il a signé quelques disques majeurs, dont ses enregistrements en concert au Five Spot en compagnie d'un autre Icare de l'avant-garde, le trompettiste Booker Little. Mais le joyau de son œuvre demeure cet *Out to Lunch*, disque emblématique de cette mu-sique qui trace une voie médiane entre le convenu et l'inouï, enregistré six mois avant son décès. Ensemble, Dolphy et ses complices – le trompettiste Freddie Hubbard, le vibraphoniste Bobby Hutcherson, le bassiste Richard Davis et le batteur *in excelsis* Tony Williams – s'aventurent en dehors des sentiers battus par ce hard bop qui commence à s'essouffler, avec pour seules boussoles ces partitions insolites et leur propre vérité intime de musiciens. Le résultat, merveilleux d'étrangeté, situé à mi-chemin de Monk et Mingus et des compositeurs de musique actuelle, fera école…

195

CLASSIQUES D'HIER ET D'AUJOURD'HUI

Kenny Dorham & Jackie McLean, *Matador / Inta Somethin'*, Blue Note, 1962 / 1961

Trop longtemps relégués à des seconds rôles, le trompettiste Kenny Dorham et le saxophoniste alto Jackie McLean, vétérans de la scène be-bop, fondent ensemble un quintette typique, mais proposent cependant une musique qui, sans renier les acquis du bop, demeure résolument tournée vers le futur. Ce CD réunit les deux albums enregistrés par eux au cours de leur collaboration. Fraîchement revenu d'un séjour en Amérique du Sud, Dorham est encore tout imprégné de cette musique latine qui le fascine depuis déjà un bail (on se rappelle son disque *Afro-Cuban* daté de 1955); il brille particulièrement sur la première version de son célèbre thème "Una Mas" et s'aventure, sans filet, à une relecture étrange d'une pièce du compositeur classique brésilien Villa-Lobos qui évoque le *Sketches of Spain* du tandem Miles Davis / Gil Evans. Fortement impressionné par l'excentrique altiste libertaire Ornette Coleman qui vient de faire son entrée sur la scène jazz, McLean s'affranchit enfin de l'influence de Charlie Parker et s'envole de ses propres ailes, tant comme compositeur que comme soliste. Après leur rupture, Dorham et McLean signeront des disques plus importants, j'en conviens. Néanmoins, cette brève et combien intense collaboration m'apparaît avec le recul avoir été des plus bénéfiques pour l'un comme pour l'autre.

Duke Ellington & Count Basie, *First Time! The Count Meets the Duke*, Columbia, 1961

Comment choisir un disque, un seul, dans les surabondantes discographies de ces deux pianistes et chefs d'orchestre extrêmement prolixes, les deux plus illustres représentants de la royauté Swing? Je me défile, on s'en rend compte, en sélectionnant leur collaboration inespérée du début des années soixante. Certes, ni le Duc ni le Comte ne sont au plus haut de leur forme, et pourtant il se dégage de la rencontre au sommet de leurs deux formations une telle joie de vivre qu'on en vient à se demander si vraiment leur musique n'était pas une sorte d'élixir de jeunesse. Mais par quel miracle de subtilité orchestrale tous ces solistes de haut vol se côtoient-ils dans les studios de la Columbia sans jamais que les passages à l'unisson ne sombrent dans la cacophonie? On applaudit ces versions enlevées de "Take the A Train", "Jumpin' at the Woodside", "Until I Met You" et surtout ce "Segue in C" digne d'anthologie. Puis on reprend le disque depuis le début…

Bill Evans, *Everybody Digs Bill Evans,* Riverside, 1958

Tout le monde aime Bill Evans! Voilà ce que du moins claironnent haut et fort les louanges qui ornent la pochette de cet album, le deuxième du pianiste, paraphées par des membres de l'élite du jazz de l'époque, dont "Cannonball" Adderley et Miles Davis, qu'Evans a côtoyés au sein du combo de Miles. "Tant qu'à y être, vous auriez dû demander un éloge à ma mère", ironisera le timide Evans, un brin embarrassé par de tels dithyrambes pourtant nullement excessifs. Si tout le monde en effet aime Bill Evans, c'est parce que ce disciple de Bud Powell et de Lennie Tristano a su intégrer les leçons de ses mentors d'obédience be-bop à un jeu pianistique lyrique et romantique, empreint de l'influence de compositeurs classiques tels Debussy, Ravel et surtout Chopin. Au moment d'enregistrer cet album, Evans n'a pas encore fondé le premier de ses groupes qui révolutionnerait l' "art du trio" (pour citer un titre d'un de ses plus brillants émules contemporains, Brad Meldhau). Il s'en remet cependant à la complicité du batteur Philly Joe Jones et du bassiste Sam Jones (aucun lien de parenté) pour cette séance pleine de vigueur, dont on retient l'intemporelle "Piece Peace", sorte de manifeste evansien qui préfigure la non-moins intemporelle "Flamenco Sketches" enregistrée au sein du sextette de Miles sur *Kind of Blue*.

Art Farmer & Benny Golson's Jazztet *Meet the Jazztet,* 1960

Issus respectivement des combos d'Horace Silver et d'Art Blakey, le trompettiste Art Farmer et le saxophoniste Benny Golson codirigèrent de 1959 à 1962 ce Jazztet, assurément l'une des formations de hard bop les plus remarquables après les groupes susmentionnés et celui du regretté Clifford Brown. Complétée par le tromboniste Curtis Fuller, le bassiste Addison Farmer (jumeau du leader), le batteur Lex Humpries et, enfin, un jeune McCoy Tyner (dont le talent de pianiste finira d'éclore dans quelque temps

197

aux côtés de Coltrane), cette première édition du Jazztet se distingue des autres groupes de hard bop notamment par la finesse de ses arrangements, signés par Golson, et par l'inventivité mélodique des solistes. Au programme majoritairement constitué de standards s'ajoute la version originale du classique de Golson, "Killer Joe", avec la narration d'introduction rarement utilisée depuis. Un pur bonheur!

Ella Fitzgerald, *The Intimate Ella*, Verve, 1962

Même trois ans après, comme il est difficile d'accepter que la voix d'ange de la Première Dame de la chanson se soit éteinte à tout jamais... Certains l'aiment à la tête des big bands parfois

bavards, sirupeux (ou les deux) d'arrangeurs hollywoodiens tels Marty Paich ou Nelson Riddle; d'autres, donnant la réplique à un Louis Armstrong plein de bonhommie; d'autres encore, en petit combo, accompagnée par des virtuoses tels Joe Pass ou Oscar Peterson. Pour ma part, j'ai toujours préféré cette Ella intime, en duo avec le pianiste Paul Smith. Peu d'albums de jazz ou autres me semblent posséder autant de charge émotive que cette suite de chansons mélancoliques, sublimement sussurées par une Ella au sommet de son art : "My Melancholy Baby", "I Hadn't Anyone Till You", "Make it One for My Baby", et j'en passe. Évidemment, si vous n'avez jamais eu les bleus ("If You've Never Been Blue"), vous n'avez pas la moindre idée de ce dont je parle. Mais si oui, vous savez comme France Gall qu'Ella, elle l'a!

Stan Getz & João Gilberto, *Getz / Gilberto*, Verve, 1964

Pour être plus justes, il aurait fallu intituler cet album *Getz / Gilberto / Jobim*. Car pour toute discrète qu'elle fût, la participation du pianiste Antonio Carlos Jobim, père de la bossa-nova et auteur de la plupart des airs au programme, n'est pas du tout étrangère à la réussite de cet énième album de jazz samba signé Getz. Certains nationalistes brésiliens n'ont pas hésité à vilipender les Gilberto, Jobim et autres sous prétexte qu'ils avaient trahi la samba, voire le Brésil, en permettant aux Américains de la dénaturer. Pourtant, si l'on considère que la bossa-nova est née du mariage entre la samba traditionnelle et le cool jazz du début des années cinquante, ne doit-on pas au contraire reconnaître que le jazz n'a pris à la samba que ce qu'elle lui avait elle-même emprunté?

Cela dit, il est clair qu'en s'acoquinant avec les Brésiliens, le saxophoniste cool avait trouvé un filon des plus rentables. D'ailleurs, cet album fut lors de sa sortie le premier disque à détrôner les Beatles du sommet des palmarès étasuniens! Mais en définitive, la vraie star de cette séance fut sans contredit Astrud Gilberto... qui y participa sans même l'avoir prévu! Qu'à cela ne tienne! Épouse du guitariste-chanteur João Gilberto requise en studio pour servir d'interprète à son mari qui ne parle pas un traître mot d'anglais, cette "fille d'Ipanema" au registre vocal plutôt restreint deviendra à sa grande surprise LA voix de la bossa-nova, préfigurant d'une certaine manière le style de la chanteuse pop britannico-nigérienne Sade.

Dizzy Gillespie, *Gillespiana / Carnegie Hall Concert*, Verve, 1960

En dépit de sa contribution à la révolution be-bop et de ses subséquentes expériences afro-cubaines, Dizzy Gillespie est en un sens toujours demeuré un enfant du swing. Plutôt que de renoncer à son amour pour la grande formation, cet ancien membre de l'orchestre de Cab Calloway a plutôt cherché des moyens d'adapter le big band aux nouveaux styles de jazz, comme en témoigne ce CD qui réunit deux albums enregistrés en studio puis en concert à Carnegie Hall, à la tête d'un grand orchestre. Au programme, des classiques du be-bop superbement réarrangés par le génial pianiste argentin Lalo Schiffrin, qui fera fortune à Hollywood en signant de nombreuses trames sonores, dont l'inoubliable thème de la série télé *Mission : Impossible*. Rares sont les arrangeurs modernes ayant su concevoir des écrins sonores aussi parfaitement adaptés pour un soliste; en ce sens, Schiffrin signe ici une réussite comparable aux chefs-d'œuvre conçus par Gil Evans pour Miles Davis. Quant à Dizzy, il reste égal à lui-même, à la fois cabotin et sublime, virtuose et clownesque. La joie de vivre faite homme et, en ce sens, un digne successeur de Louis Armstrong.

Herbie Hancock, *Gershwin's World*, Verve, 1998

À l'occasion du centenaire de George Gershwin, les hommages pleuvent. Pas du genre à rater une bonne affaire, Herbie Hancock nous convie à un tour du jardin Gershwin des plus inusités. En compagnie de prestigieux invités tels la chanteuse folk Joni Mitchell, la soprano Kathleen Battle et le multi-instrumentiste Stevie Wonder, les saxophonistes Wayne Shorter, Kenny Garrett et James Carter, le pianiste Chick Corea et le trompettiste Eddie Henderson (plus *miles*-ien que jamais!), le caméléon Hancock déconstruit des compos de Gershwin et de ses contemporains ou mentors (W. C. Handy, Maurice Ravel, Duke Ellington, James P. Johnson) et jette une lumière nouvelle sur cette œuvre qu'on n'est pas prêt d'épuiser. Des percussions africaines de l'ouverture au soul, du blues aux chansonnettes de Broadway en passant par la musique de chambre ou le concerto pour piano et orchestre, l'ancien jeune prodige – qui interprétait Mozart à onze ans avant d'accompagner Miles puis de donner ses lettres de noblesse au funk – evisite les diverses étapes de sa propre carrière, signant du même coup son premier vrai grand album des années quatre-vingt-dix. Il était moins une!

Joe Henderson, *Page One*, Blue Note, 1963

Longtemps, bien longtemps avant la série d'albums-concepts enregistrés durant les années quatre-vingt-dix en hommage à Billy Strayhorn, Miles Davis, Antonio Carlos Jobim et George Gershwin, le saxophoniste ténor Joe Henderson émergea de la scène jazz de Detroit pour devenir le protégé du trompettiste Kenny Dorham. Ensemble durant une couple d'années, ils enregistrèrent pour Blue Note, sous le nom de l'un ou de l'autre, des disques extraordinaires, à égale distance de l'orthodoxie hard bop, de la tendance afro-cubaine et de la voie libertaire : *Our Thing, Trompetta Toccata, In 'n Out, Una Mas* et évidemment cette bien-nommée première page, où Henderson se révèle non seulement comme l'un des saxophonistes post-coltraniens les plus intéressants, mais également comme un auteur de thèmes accrocheurs, notamment cet inoubliable "Recorda Me" (c'est le cas de le dire!) qui révèle déjà une prédilection pour la musique de Jobim. Nullement en reste, Dorham apportera lui aussi à la séance une partition promise à la gloire, celle du très chantant "Blue Bossa".

Andrew Hill, *Point of Departure*, Blue Note, 1964

En dehors du fait qu'il ait été enregistré dans les studios de Rudy Van Gelder exactement deux ans jour pour jour avant ma naissance, ce deuxième album du pianiste d'origine haïtienne s'inscrit dans la lignée des disques d'Eric Dolphy, de Kenny Dorham et de Joe Henderson mentionnés précédemment. Et pour cause! Ces musiciens étaient tous présents auprès de Hill au point de départ de cette virée dans l'après-bop et l'avant-garde. Compositeur injustement mésestimé, Hill réussit à incorporer des éléments rythmiques et mélodiques hérités de la musique caribéenne dans ses oeuvres extrêmement sophistiquées qui empruntent aussi à la musique classique contemporaine et à Thelonious Monk. Ajoutez à cela le jeu de batterie imprévisible et toujours exceptionnel du jeune Tony Williams et vous comprendrez pourquoi cet album n'a rien perdu de sa force d'impact, même après trente-cinq ans!

Billie Holiday, *Lady in Satin*, Columbia, 1958

Même au bout du rouleau, la voix complètement éraillée par les abus d'alcool, la mémoire défaillante, le diction incertaine, même soutenue par un accompagnement de violons souvent à la limite de la mièvrerie, Billie Holiday demeure éminemment émouvante, ainsi qu'en témoigne cet album enregistré quelques mois avant sa mort. Pas très jazz, m'objecteront certains puristes, à cheval sur des grands principes et des définitions théoriques qui n'ont rien à voir avec la musique. *It ain't what you do but the way that you do it*, leur répondrai-je en citant le célèbre refrain de Louis Armstrong; car

201

même si elle avait entonné sa liste d'épicerie, Billie nous aurait sans doute remué. Chantre des chagrins d'amour, des rendez-vous manqués et des nuits solitaires, reine du pathos et du mélodrame, Lady Day a certes endisqué de nombreux albums plus swinguants que celui-ci, notamment aux côtés de son alter ego le saxophoniste Lester Young, des albums où sa voix avait plus d'assurance qu'ici. Néanmoins, juste pour la vérité de son art, de sa voix de blessures ici privée de tout artifice esthétisant, *Lady in Satin* m'apparaît à la fois comme son disque le plus insupportable et le plus beau.

Shirley Horn, *I Remember Miles*, Verve, 1998

Peu avant sa mort, Miles accompagna Shirley Horn sur l'émouvante pièce éponyme de son album *You Won't Forget Me*. Prophétie? On le dirait bien, à en juger par l'avalanche d'hommages dédiés à lui. Au-delà du côté vampirique, certains de ces disques valent le détour, par exemple celui-ci où la chanteuse-pianiste honore celui qui parraina ses débuts en repre-nant quelques-unes de ses ballades fétiches, soutenue par ses partenaires usuels — son bassiste Charles Ables et son batteur Steve Williams — et de quelques invités tels le bassiste Ron Carter et le batteur Al Foster, ex-compagnons d'armes du disparu, ainsi que par le fougueux trompettiste Roy Hargrove, émouvant de justesse sur ces pièces langoureuses. Murmure du vent d'automne, la voix de Horn évoque l'ensorcelante trompette du Sombre Mage qui aurait eu 73 ans en mai 1998.

Keith Jarrett, *The Köln Concert*, ECM, 1974

Jazz ou classique? Lassé de la jungle sonore du Miles électrique, à laquelle il collabora un temps derrière son clavier électrique, Keith Jarrett est retourné à son premier amour, le piano acoustique, et endisque pour la firme allemande ECM une série de concerts solos presque entièrement improvisés (selon les préceptes du jazz modal proposés dans *Kind of Blue*) dont celui-ci est sans contredit le plus accompli et le plus célèbre. Au sommet de son art, ce disciple de Bill Evans transcende les limites de la forme qu'il s'est imposée par un recours à toutes ses connaissances musicales (Jarrett a reçu une formation multiple de pianiste, claveciniste, organiste, guitariste, percussionniste et saxophoniste!) de même qu'à sa prodigieuse et apparemment inépuisable imagination mélodique. On est certes assez loin de l'orthodoxie du piano jazz et bien plus près d'un impressionnisme de bon aloi qui fleure l'Europe – et pourtant, le dynamisme de la rythmique renvoie constamment au langage du jazz. Alors, est-ce du jazz ou du classique? Mais qu'est-ce qu'on s'en fout au fond, pour autant que l'émotion soit au rendez-vous!

Diana Krall, *Love Scenes*, Impulse!, 1997

Existe-t-il encore des fans de Holly Cole, cette chanteuse de piano-bar dénuée de la moindre once de soul, qui fut un temps l'enfant chéri de notre Festival de jazz? Si oui, ils devraient prêter l'oreille au travail diablement plus intéressant de Diana Krall, la pianiste-chanteuse de Colombie-Britannique qui puise tour à tour du côté des standards immémoriaux (Gershwin, Berlin), de la bossa-nova (Bonfa) et de la pop du début des années soixante. Même si son répertoire est moins audacieux que celui d'Holly Cole (qui n'a pas hésité à s'attaquer à Tom Waits… avec les résultats désastreux que l'on sait!), Krall charme davantage en raison de sa voix embrumée et sensuelle, de son sens du rythme et de son jeu au piano tout en nuance. Appuyée par le guitariste Russell Malone et le bassiste Christian McBride, Krall livre ici un jazz cool tout à fait décent à défaut d'être génial, sur lequel plane l'ombre de l'autre Cole Trio, le vrai, celui du King Nat première manière, auquel Krall rendait justement hommage avec son disque *All for You* (Justin Time / Impulse!, 1995).

Wynton Marsalis, *Black Codes from the Underground*, Columbia, 1985

À l'époque de son émergence au début des années quatre-vingt, Wynton Marsalis a pu passer pour une sorte de sauveur envoyé sur Terre pour sauver le jazz des affres de la mode fusion. Avec le recul, on a bien compris qu'il n'en était rien. Néanmoins, en dépit de son espèce de complexe messianique et de son obsession de la pureté du jazz, Marsalis demeure un surdoué de la trompette, dont la technique exemplaire apparaît comme une synthèse flamboyante des faits saillants de l'histoire de son instru-

203

ment. Avant qu'il ne se pose comme réincarnation de Duke Ellington, avant son retour aux racines néo-orléanaises du jazz et bien avant que le chanteur pop Sting ne cause la rupture de son premier groupe en recrutant son frère et saxophoniste Branford ainsi que son pianiste Kenny Kirkland, Wynton signa ce bijou de néo-bop amphétaminisé, hautement explosif quoique un tantinet froid. *Black Codes from the Underground*, c'est bien sûr la musique du Second Quintette de Miles revisitée; mais avec un fini que n'atteignit jamais le Prince des Ténèbres en son temps. On peut reprocher à ce disque un certain académisme latent, mais on ne peut pas nier sa perfection formelle.

Medeski, Martin & Wood, *Combustication*, Blue Note, 1998

Fort de sa récente collaboration avec John Scofield (A Go-Go), le trio jazz le plus *groovy* nous offre son premier CD sur le label légendaire dont le nom évoque le nec plus ultra en la matière. Pigeant dans le funk, le soul, le hip-hop ou le jazz psychédé-lique à la Sun Ra, s'adjoignant les services du *turntablist* DJ Logic et du performer de **spoken word** Steve Cannon, nos trois lascars n'ont rien ménagé pour faire de **Combustication** l'album idéal des partys de la rentrée. Attention : inflammable et peut créer une accoutumance!

Helen Merrill, *Éponyme*, Emarcy, 1954

Dès ce premier album éponyme, Helen Merrill réussit à s'imposer comme la plus authentique des filles spirituelles de Billie Holiday, à qui elle emprunte le fameux "Don't Explain". Comme Lady Day, elle sait insuffler aux paroles des chansons qu'elle inter-prète une vérité, une tension, une urgence qui font presque croire à la confidence autobiographique. Pour ce coup d'envoi qui fait suite à quelques faces de soixante-dix-huit tours, elle a su s'en-tourer : Quincy Jones signe les orchestrations, Oscar Pettiford marque le rythme sur sa contrebasse, et surtout, Clifford Brown, ahurissant de justesse, lui donne la réplique sur ses ballades. De la première à la dernière note, on n'entend sur ce disque pas la moin-dre erreur, pas la moindre faute de goût, comme si la chanteuse et tous ses accompagnateurs avaient été, le temps de l'enregistrement, visités par une grâce céleste. Helen Merrill en convient elle-même, puisque quarante ans plus tard, en 1994, elle reprend certaines de ces pièces et d'autres morceaux expressément choisis pour l'occasion sur un disque rendant hommage à son interlocuteur, Brownie, en compagnie de quatre trompettistes parmi les plus brillants de l'heure : Lew Soloff, Tom Harrell, Roy Hargrove et Wallace Roney.

Charles Mingus, *In a Soulful Mood*, Music Club, 1960

Pourquoi cette compilation plutôt qu'un des albums en bonne et due forme du Roi Lear de la contrebasse, lequel en a tout de même produit plusieurs qui n'étaient pas piqués des vers? Parce que ces extraits du travail de Mingus pour la firme indépendante Candid nous permettent de constater à quel point il fut le premier chef d'orchestre à tenter la synthèse des différents éléments qui constituent le jazz, de la polyphonie de la tradition néo-orléanaise aux audaces métriques de l'avant-garde. Sur certaines pièces, on trouve donc ici l'ours mal léché du jazz moderne entouré d'aînés, survivants de l'époque swing (le trompettiste Roy Eldridge et le batteur Jo Jones), de contemporains beboppers (le tromboniste Jimmy Knepper et le pianiste Tommy Flanagan) et d'un éclaireur de la nouvelle voie (Eric Dolphy, toujours stupéfiant d'audace) se colleter à des orchestrations ellington-niennes signées par Mingus lui-même. Et puis, il y aussi ce superbe "Vassarlean", précédemment enregistré aux côtés de Miles sous le titre "Smooch", rendu ici dans toute sa splendeur. Un summum de sensualité, que seuls Wallace Roney et sa femme Geri Allen sauront égaler dans une reprise datée de 1993 (sur l'album *Munchin'* de Roney, chez Muse).

Grachan Moncur III, *Evolution*, Blue Note, 1963

À classer au même rayon que *Out to Lunch* d'Eric Dolphy ou que *Point of Departure* d'Andrew Hill, disques qui tentent de réinventer le hard bop à la lumière des propositions du free jazz, le premier album du tromboniste Grachan Moncur III (anciennement du Jazztet) réunit le trompettiste Lee Morgan, le saxophoniste Jackie McLean, le vibraphoniste Bobby Hutcherson, le bassiste Bob Cranshaw et le batteur Tony Williams. Non seulement un tel

205

rassemblement d'esprits novateurs et aventureux ne laisse guère de place à la complaisance, mais il oblige justement à respecter le projet énoncé par le titre. Car c'est bien de cela dont il s'agit, de l'évolution du langage jazzistique, sous le parrainage spirituel de Monk, à qui on tire un coup de chapeau avec une pièce ("Monk in Wonderland"). Amateur d'ambiances lourdes, voire tragiques, Moncur compte parmi les passeurs essentiels vers ce qu'on nomme une post-modernité du jazz.

Thelonious Monk, *Monk's Music,* Riverside, 1958

Oui, je sais : Thelonious n'aura jamais aussi bien interprété Monk qu'au sein de son quartette classique avec son alter ego Charlie Rouse, au saxophone ténor (1959-1970). Mais même en connaissance de cause, j'éprouve une affection particulière pour ce disque, ne serait-ce qu'à cause de cette rencontre, l'une des deux seules enregistrées, entre Coleman Hawkins et John Coltrane, l'Alpha et l'Omega du saxophone ténor en jazz. Le principe fondateur de la musique de Monk – *si tu n'es pas bien certain que la note que tu t'apprêtes à jouer est préférable au silence, abstiens-toi de la jouer* – trouve son illustration parfaite sur ces plages où même Coltrane, d'un naturel pourtant bavard, ne souffle pas une double croche de trop. Ajoutez à cela la présence d'Art Blakey, le batteur le mieux adapté à la musique de Monk, et vous comprendrez peut-être mon affection pour ce disque, impossible à dissocier d'un autre album où l'on retrouve la même formation, ***Thelonious with John Coltrane*** (Riverside, 1958).

Lee Morgan, *The Sidewinder,* Blue Note, 1963

Doit-on à l'utilisation courante de ses *riffs* par les échantillonneurs de l'acid-jazz et du hip-hop l'actuelle renaissance de Lee Morgan? En 1997-1998 seulement, on a lancé pas moins de six CD, dont ô miracle! un inédit (***Standards***, Blue Note). Avouez que c'est tout de même pas mal pour un jazzman assassiné il y a plus d'un quart de siècle par sa maîtresse courroucée. Modèle de fougue et d'audace, Lee Morgan fut après son mentor Clifford Brown le plus flamboyant apôtre du blues dans l'idiome hard bop; un fanfaron virtuose au phrasé énergique et au plaisir de vivre communicatif! Du statut d'émule surdoué de Brownie recruté dès l'adolescence par Gillespie, puis Art Blakey, à celui de prince du soul-jazz, il n'y avait qu'un pas… que Morgan franchit en quinze ans! Avec le "Moanin'" d'Art Blakey et le "Watermelon Man" de Herbie Hancock, "The Sidewinder" est sans doute l'un des morceaux les plus représentatifs de la période soul-jazz, un véritable hit qui se hissa au Top 100 du magazine *Billboard*, exploit peu usité pour un jazzman à l'époque. Soutenu par un jeune Joe Henderson (au sax) déjà en pleine possession de ses moyens, le charismatique Morgan affiche ici sa maîtrise absolue du

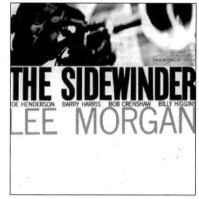

swing et du groove, laquel lui vaut d'être encore vénéré par tous ses disciples contemporains.

David Murray, *Creole*, Justin Time, 1998

Saxophoniste qui fait la jonction entre l'avant-garde des années soixante et un certain traditionalisme, David Murray est en voie de devenir le musicien de jazz le plus prolifique de tous les temps. À vrai dire, on ne compte plus le nombre de séances auxquelles il a participé, soit en tant que leader de ses combos multiples et protéiformes, soit en tant que membre des groupes World Saxophone Quartet, Fo Deuk Revue ou Clarinet Summit, ou soit en tant que *sideman*, notamment dans le Jack DeJohnette Special Edition. Génial touche à tout, Murray fait vraiment flèche de tout bois. À l'instar de nombreux et illustres prédécesseurs (Gillespie, Rollins, etc.), il est descendu en Guadeloupe, histoire de voir de quel bois les musiciens de la Caraïbe se chauffent. En compagnie du pianiste D.D. Jackson, du flûtiste James Newton et du batteur Billy Hart, il a convoqué le guitariste Gérard Lockel, le flûtiste Max Cilla et les percussionnistes Klod Kiavue, François Landreseau et Michel Cilla à cette ren-contre au sommet visant à célébrer le métissage des cultures chanté par les poètes de la créolité. Quand au son des tambours, l'avant-garde new-yorkaise tend la main au folklore des îles, l'Amérique entière peut s'abandonner aux esprits de l'Afrique immémoriale.

207

Oliver Nelson, *The Blues and the Abstract Truth*, Impulse!, 1961

Le saxophoniste alto Oliver Nelson compte parmi les plus brillants orchestrateurs de sa génération, capable d'allier dans ses arrangements innovations audacieuses et mélodies chantantes. Pour ce disque, son classique, il réunit en studio des solistes aussi impressionnants que le trompettiste Freddie Hubbard, l'omniprésent Eric Dolphy à la flûte et au saxophone alto, Bill Evans au piano, George Barrow au saxophone baryton, Paul Chambers à la basse et Roy Haynes à la batterie. Ne serait-ce que pour la somptueuse version originale de "Stolen Moments", cet album mérite de figurer dans la discothèque de tout jazzophile qui se respecte!

Charlie Parker, *The Complete Dial Masters*, 1946-1949

S'il fallait établir la liste des dix solistes les plus importants de l'histoire du jazz, Charlie Parker se classerait assurément parmi les finalistes. S'il fallait n'en retenir que cinq, il ferait néanmoins partie de la liste. Et même si on devait n'en nommer que deux, Bird serait l'un d'eux. Excessif? Peut-être, mais si peu : l'influence de Charlie Parker sur le développement du jazz moderne est à ce point considérable, omniprésente et durable qu'on a peine à croire qu'il s'est éteint il y a près d'un demi-siècle.

Comme celles gravées pour la firme Savoy, ces faces de soixante-dix-huit tours proviennent de la période la plus faste de Parker, son âge d'or en quelque sorte. Sur ses compositions schématiques – la plupart du temps de simples successions d'accords griffonnées en toute hâte sur des cartons d'allumettes par son protégé, un Miles Davis encore vert –, Bird se révèle un véritable génie doué d'une inspiration intarissable, capable d'acrobaties inimaginables et d'infinies variations sur un même thème de blues. Miles… fait ce qu'il peut, prend graduellement du poil de la bête. À ces deux soufflants se joignent le pianiste Duke Jordan (occasionnellement remplacé par Bud Powell), le bassiste Tommy Potter et le batteur Max Roach pour former le quintette classique de la période be-bop – augmenté pour certains morceaux par quelques invités spéciaux, dont le tromboniste Jay Jay Johnson. En plus des séances essentielles du quintette, cette anthologie réunit également certains enregistrements réalisés avec d'autres formations, dont l'infâme séance d'Hollywood qui se termina avec la dépression nerveuse de Parker en 1946.

Art Pepper, *Meets the Rhythm Section*, Contemporary, 1957

L'un des rares saxophonistes alto à avoir subi l'influence directe de Lester Young plutôt que celle de Charlie Parker, Art Pepper peut être considéré comme l'un des passeurs entre l'école du cool-jazz et celle du be-bop. Enregistré lors d'un passage du groupe de Miles Davis en Californie, l'album réunit en studio Pepper et la redoutable section rythmique composée du pianiste Red Garland, du bassiste Paul Chambers et du batteur Philly Joe Jones. À vrai dire, le trio avait une telle réputation en ce temps-là que le producteur Lester Koenig avait préféré cacher à son poulain et ami Pepper qu'il allait enregistrer avec eux pour ne pas l'intimider indûment. Intimidé ou pas, Pepper se montre diablement à la hauteur, tant sur les morceaux rapides que sur les ballades et les blues, qu'il maîtrise particulièrement bien. On ne sait trop ce qui a motivé cette prédilection pour le répertoire de Dizzy ("Birks Works", "Tin Tin Deo"), mais ça n'empêche pas d'applaudir le résultat.

Dianne Reeves, *I Remember*, Blue Note, 1990

Comparaison n'est pas raison, je sais, ma mère n'a jamais cessé de me le répéter. Pourtant, si on peut voir en Cassandra Wilson la Billie Holiday de notre époque, alors il faut considérer Dianne Reeves comme l'héritière contemporaine de Sarah Vaughan. Chez l'une comme chez l'autre, on entend quelque chose qui relève de la performance, dans le bon sens du terme, quelque chose de festif et d'un rien canaille qui inspire la bonne humeur. Sur cet album constitué de séances diverses enregistrées entre 1988 et 1990, Reeves est soutenue par des formations de configurations diverses sur des standards tels que "Afro-Blue", "Love for Sale", "Softly as a in a Morning Sunrise", etc., la plupart arrangés par le brillant pianiste Billy Childs. Mais la pièce de résistance est sans aucun doute ce "For All We Know" de neuf minutes, une relecture poignante d'un morceau qui en avait pourtant vu d'autres, ponctuée par un envoûtant solo du saxophoniste alto Greg Osby, qui évoque ici le grand "Cannonball" Adderley.

Django Reinhardt, At the Hot Club de France, Object Enterprises

Puisqu'ils sont depuis longtemps tombés dans le domaine public, il existe un nombre inimaginable d'éditions des enregistrements du manouche Django Reinhardt, guitariste suprême et premier jazzman européen de stature véritablement internationale, en compagnie du Quintette du Hot Club de France dont fait partie son alter ego et partenaire idéal, le violoniste Stéphane Grappelli. Peu de ces éditions possèdent une qualité de son irréprochable, les bandes maîtresses (qui datent des années trente) portent leur âge avec dignité mais sans tricherie. Mais en présence d'une telle splendeur, est-il seulement envisageable d'oser se plaindre d'un peu de statique et de distorsion, de quelques crépitements? Il y avait quelque chose de magique dans le doigté du gitan Reinhardt, ainsi que le suggérait la superbe nouvelle de mon écrivain fétiche Harlan Ellison, tout simplement intitulée "Django" (dans le recueil *Shatterday*, 1980), qui me l'a fait découvrir.

Sonny Rollins, *Plus Four, Prestige*, 1957

Le problème quand vient le temps de choisir un album *vraiment* représentatif du Colosse du Saxophone, c'est qu'on est confronté à l'inexistence d'un tel album. Pour une raison qui défie la logique, Newk semble n'avoir jamais enregistré un seul disque qui soit vraiment à la hauteur de son talent. Alors on retiendra celui-là, simplement parce qu'il s'agit de la dernière présence en studio du regretté Brownie, le partenaire le plus adéquat que connut jamais Sonny, n'en déplaise à Miles ou Kenny Dorham. Enregistré sous la direction nominale de Rollins, cette séance constitue en fait le chant du cygne pour le Clifford Brown & Max Roach Quintet. Particulièrement en forme ce jour-là, les cinq mousquetaires créent deux compositions de Newk appelées à devenir des standards : la très bien nommée "Valse Hot" et "Pent-up House".

Aldo Romano, *Non Dimenticar*, Phonogram, 1993

Arrivé au jazz à l'époque de la tourmente du free, séduit ensuite par les sirènes du fusion, c'est néanmoins lorsqu'il plongera dans ses racines que le batteur italien Aldo Romano signera le disque que je préfère le plus parmi les siens. Est-il possible de faire swinguer des airs traditionnels aussi éloignés du jazz que "Caruso", "Volare" et autres "O, Sole Mio"? Rappelez-vous la leçon de Louis Armstrong : *it ain't what you do but the way that you do it…* En l'occurrence, la manière consiste à laisser le merveilleux trompettiste et bugliste Paolo Fresu énoncer ces thèmes archi-connus avec une délicatesse et une retenue dignes du Miles des grands jours ou encore de Chet Baker. Du jazz cool de grande classe, parfait pour les dimanches après-midi pluvieux que l'on passe sous l'édredon en charmante compagnie…

Wallace Roney, *Village*, Warner, 1997

N'en déplaise à ceux qui le prennent pour un clone de Miles, Roney compte parmi les meilleurs trompettistes du jazz actuel. Disciple de Miles – auquel il sert de doublure lors d'un concert historique de 1991, *Miles & Quincy at Montreux* (Warner, 1993) –, mais aussi de Kenny Dorham, Lee Morgan et Clifford Brown, il joue avec Art Blakey et Tony Williams, participe à de nombreuses séances avec des aînés et des contemporains, dont de trop nombreux hommages à Miles qui lui vaudront sa déplorable réputation. Sous son nom, il publie toutefois une dizaine de disques, dont *Village* est sans contredit le plus accompli.

À son groupe habituel – frérot Antoine aux divers saxophone, son épouse Geri Allen au piano, Clarence Seay à la basse et

211

Lenny White à la batterie — se joignent des invités de marque :
Chick Corea au piano et au Fender Rhodes, Michael Brecker et le
vétéran Pharoah Sanders aux saxophones ténors, Robert
Irving III, ex-accompagnateur de Miles, au synthétiseur et Steve
Berrios aux percussions. Dans une convivialité digne de ce village
métaphorique, hanté par l'esprit de Wayne Shorter, tout ce beau
monde officie une célébration de l'héritage rythmique africain. Ce
disque, le meilleur de Roney à ce jour, est hélas son dernier chez
les majors. Depuis sa parution, la Warner n'a pas cru bon de
renouveler le contrat du trompettiste, qu'on n'entend désormais
plus que sur les disques des autres, notamment sa tendre moitié
Geri Allen (***The Gathering,*** Verve, 1998).

Pharoah Sanders, *Jewels of Thought,* Impulse!, 1969

L'un des plus mystiques disciples de John Coltrane, qu'il
accompagna d'ailleurs pendant un temps, Pharoah Sanders propose à la fin des années soixante une musique plutôt psychédélique, qui flirte avec le jazz-fusion sans céder à ses facilités :
hymnes d'inspiration islamiste, hantés par les échos de l'Afrique
ancestrale. Doctor Jekill et Mister Hyde du saxophone, Sanders
passe sans avertissement de mélodies quasi bucoliques à des
envolées dans le suraigu perçant ou à des plongées dans le plus
rauque. Ces changements de registres aussi soudains qu'incongrus
ne rendent pas sa musique très charmante ni très "digestible" pour
le profane aux oreilles sensibles. En somme, il s'agit là d'expédi-
tions dépaysantes, loin du ronron de l'académisme qui règne dans
certains quartiers du jazz actuel.

Woody Shaw, *Bemsha Swing,* Blue Note, 1986

Comment expliquer l'apparence de redécouverte de ce
trompettiste injustement maintenu dans un relatif anonymat de
son vivant? Dix ans après sa mort, de nombreuses rééditions con-
firment son statut de styliste hors pair et légitiment l'admiration
que lui vouent les actuels virtuoses de la trompette. Feu Woody
Shaw a eu le malheur de faire carrière à la mauvaise époque, où le
free et le fusion éclipsaient toute contribution à l'évolution du
jazz. Trompettiste de la plénitude, il combinait la fougue de
Clifford Brown au lyrisme de Miles, préfigurant en cela un Terence

Blanchard ou un Wallace Roney. Sur ce live millésimé 1986, Shaw explore un répertoire de compos originales et de standards signés Monk ou Wayne Shorter avec un quartette composé de la pianiste virtuose Geri Allen, du bassiste Robert Hurst, et donne à entendre l'étendue de son génie mésestimé.

Archie Shepp, *Mama Too Tight*, Impulse!, 1966

Chercherait-on, avec la récente série "New Thing on Impulse!", à contredire les révisionnistes "marsalistes" qui nient l'importance historique du free jazz? Dans la foulée des rééditions d'œuvres de John Coltrane, le label emblématique du free jazz a également remis en circulation des disques de ses émules les plus talentueux, dont Dewey Redman (père de Joshua), Pharoah Sanders et bien sûr Archie Shepp. En cette année 1966, le saxophoniste, dramaturge, acteur et activiste Archie Shepp, libertaire enragé et engagé, laissait entendre que, pour tout radical qu'il fût, le mouvement free ne prêchait pas la rupture définitive avec la tradition, ainsi qu'en témoignent l'invocation récurrente des anciens (Duke Ellington, en tête) et le recours au blues des origines.

Wayne Shorter, *Night Dreamer*, Blue Note, 1965

Successeur de Coltrane auprès de Miles désigné par Trane lui-même au moment de son départ en 1960, Shorter ne se joindra pourtant au quintette du Prince des Ténèbres que quatre ans plus tard, en partie à cause de l'orgueil ridicule de Miles qui ne se laissera pas dicter son choix de coéquipier par le déserteur. Entre-temps, Shorter aura eu l'occasion de se démarquer de son modèle et mentor Coltrane et de perfectionner ses talents de compositeur au sein des Jazz Messengers, dont il est le directeur artistique. Enfin membre du Second Quintette Classique de Miles depuis la fin de 1964, Shorter signe de son nom une série d'albums remarquables aux côtés de jeunes musiciens désireux de repousser les limites du hard bop sans forcément renoncer complètement à la forme. Pour ce rêve nocturne, il sollicite le trompettiste Lee Morgan, ancien compagnon d'écurie chez Blakey, et emprunte la formidable section rythmique du quartette de Coltrane (McCoy Tyner au piano, Reggie Workman à la basse et Elvin Jones à la batterie). Le résultat est d'autant plus envoûtant que les thèmes modaux de Shorter sont exemplaires et les soli de Morgan rigoureusement swingants! Une pure merveille, à ranger tout près de *Kind of Blue*.

Horace Silver, *Song for my Father*, Blue Note, 1963-1964

Pianiste le plus représentatif de l'école hard bop, Horace Silver signe depuis quarante ans des albums d'une musique enlevée, faite de motifs empruntés au blues et au gospel, dont le seul défaut serait d'être demeurée imperméable aux innovations apportées par les successives révolutions sur la scène jazz. Cela dit, même si à la longue on finit par avoir l'impression d'écouter sans cesse le même disque, l'œuvre de Silver est tout à fait charmante... De ses nombreux albums, enregistrés pour la plupart en quintette, j'ai retenu celui-ci pour la très belle pièce éponyme, classique des classiques, manière de bossa-nova où le saxophoniste Joe Henderson expose tout son art, subtil hybride de délicatesse à la Stan Getz et de robustesse digne de John Coltrane.

Sarah Vaughan, *With Clifford Brown*, Emarcy, 1954

Décidément, l'année 1954 fut spéciale pour Clifford Brown qui s'illustre chez Emarcy aux côtés de deux sublimes chanteuses aussi différentes l'une de l'autre que la nuit et le jour : Helen Merrill et Sarah Vaughan. En plus de son trio rythmique coutumier, la Divine Muse du be-bop convoque en studio Paul Quinichette, saxophoniste chez Ellington, et Herbie Mann, flûtiste insignifiant qui sent bien l'obligation de se dépasser en la compagnie des virtuoses du calibre de ceux qui l'entourent. Sur ce disque comme sur celui de Merrill, Brownie se révèle un accompagnateur merveilleux et sensible, doté d'un sens de la répartie hallucinant; à preuve, ce duel enthousiasmant entre Vaughan et lui sur "It's Crazy". Et puis, comme pour rappeler qu'elle est bien la véritable étoile de l'album, Sarah entonne un "Embraceable You" si sincère qu'on aurait envie de la prendre au mot…

Tony Williams, *Tokyo Live*, Blue Note, 1992

Je l'ai dit et je le répète : feu Tony Williams a été et reste pour moi le plus grand batteur de l'histoire du jazz. Fin des années soixante, il incarnait à la fois une synthèse de tous ceux qui l'avaient précédé et annonçait ceux qui le suivraient. Au terme de ses cinq années auprès de Miles, il contribue à imposer le jazz-fusion en fondant le trio Lifetime avec le guitariste John McLaughlin et l'organiste Larry Young. Après quelques périodes d'errance durant les années soixante-dix, où il semble obsédé par le désir de percer le marché de la pop, Williams revient au free-bop acoustique dans les années quatre-vingt. Il fonde ce quintette inspiré de celui au sein duquel il avait fait ses premières armes : Wallace Roney à la trompette, Bill Pierce aux saxophones, Mulgrew Miller au piano et Ira Coleman à la basse. Maintenant que ses talents de compositeur sont en train de faire école, Williams joue non plus seulement de sa batterie mais également de son groupe, comme Ellington jouait de son orchestre. Le combo enregistre six albums presque entièrement constitués de compositions originales de Williams, dont ce *live* endiablé enregistré devant un public japonais des plus réceptifs, une récapitulation sublime de leur travail qui fit d'eux l'un des groupes les plus intéressants de la dernière décennie, demeuré hélas injustement méconnu.

Cassandra Wilson, *Blue Light 'Till Dawn*, Blue Note, 1993

Si je ne m'abuse, le personnage de Cassandre dans la mythologie antique était une oracle qui savait voir l'avenir… Après avoir tâté du blues et du folk, puis du rhythm and blues, puis du jazz traditionnel à la Nouvelle-Orléans, puis du jazz d'avant-garde à New York, puis du M-Base, Cassandra Wilson effectue un retour aux sources ou une synthèse harmonieuse de toute l'histoire de la musique afro-américaine. Histoire d'illustrer sur disque ce travail de réappropriation de la tradition nègre sudiste, elle propose une trilogie dont ***Blue Light 'Till Dawn*** constitue le premier volet, qui sera suivi de ***Moonlight Daughter*** (Blue Note, 1996) et de

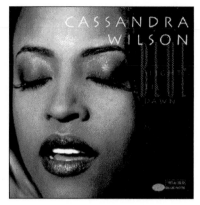

Traveling Miles (Blue Note, 1999), trois jalons essentiels du jazz de cette fin de siècle. Des blues de Robert Johnson, figure mythique du Delta, à des chansons empruntées au répertoire de la pop (Joni Mitchell, Van Morrison), des standards à ses compositions personnelles, tout ce qui passe à travers le filtre de Wilson devient du Wilson. Avec sa voix puissante, son timbre un rien voilé et sa parfaite maîtrise des variations rythmiques, et grâce à un répertoire qui peut charmer le profane, Cassandra Wilson s'est imposée comme LA chanteuse de jazz du moment, celle qui récapitule le passé pour mieux indiquer la direction de l'avenir. Comme dans la mythologie...

Larry Young, *Unity, Blue Note,* 1965

Parti du langage traditionnel des organistes de jazz – amalgame fait de blues, de gospel et de funk –, Larry Young aura tôt fait d'infléchir ces éléments de base sous l'influence des propositions du jazz modal de John Coltrane et du rock de Jimi Hendrix, notamment comme membre du Lifetime de Tony Williams et de l'orchestre protéiforme du Miles Davis électrique. En attendant, en 1965, tandis que la tourmente du free jazz fait toujours rage, Young s'engage sur la voie médiane que constitue ce free-bop florissant chez Blue Note, à l'instar d'un Andrew Hill, réaffirme la pertinence des leçons de Thelonious Monk en cette époque de profonds bouleversements. Mais l'album fera date également parce que s'impose ici le formidable trompettiste Woody Shaw, protégé du défunt Dolphy qu'on avait jusqu'alors fait l'erreur de prendre pour un clone de Freddie Hubbard. Au sein de ce quartette complété par l'indispensable Joe Henderson au saxophone et Elvin Jones à la batterie, Young affiche sa souveraine individualité et Shaw s'affirme comme un auteur de thèmes avec lequel il faudra désormais compter.

…Et pour ceux et celles qui se sentiraient d'attaque pour écouter deux disques par semaine, cinquante-deux autres titres, en vrac

Geri Allen, *Maroons*, Somethin' Else–Blue Note, 1992.

Chet Baker, *The Italian Sessions*, RCA Victor, 1962.

Jean Bardy, *A Few Notes*, Lost Chart, 1997.

Kenny Barron, *What If?*, Enja, 1986.

Cindy Blackman, *Code Red*, Muse, 1992.

Art Blakey, *At the Jazz Corner of the World*, Blue Note, 1959.

Terence Blanchard, *The Heart Speaks*, Columbia,1996.

Dave Brubeck, *Time Out*, Columbia, 1959.

Jeanie Bryson. *I Love Being Here with You*, Telarc, 1993

Donald Byrd, *A New Perspective*, Blue Note, 1963.

James Carter, *The Real Quiet Storm*, Atlantic, 1994.

John Coltrane, *Blue Train*, Blue Note, 1957.

John Coltrane, *My Favorite Things*, Atlantic, 1960.

John Coltrane, *With Duke Ellington*, Impulse!, 1962.

Miles Davis, *Round About Midnight*., Columbia, 1956.

Miles Davis, *E.S.P.*, Columbia, 1965.

Miles Davis, *Tutu*, Warner, 1986.

Kenny Dorham, *Una Mas*, Blue Note, 1963.

Bill Evans, *Escape*, Escapade, 1996.

Art Farmer, *Out of the Past*, Chess, 1960-1961.

Ella Fitzgerald, *Mack the Knife. The Complete Ella in Berlin*, Verve, 1960.

Dizzy Gillespie, *To Diz With Love.
The Diamond Jubilee Recordings. Live at the Blue Note*, Telarc, 1992.

Darryl Grant, *Black Art*, Criss Cross, 1993.

Herbie Hancock, *Empyrean Isles*, Blue Note, 1964.

Herbie Hancock, *Maiden Voyage*, Blue Note, 1965.

Wilbur Harden & John Coltrane, *Tanganyika Strut*, Savoy, 1958.

Roy Hargrove / Christian McBride / Stephen Scott, *Parker's Mood,* Verve, 1995.

Tom Harrell, *The Art of Rhythm*, RCA Victor, 1998.

CLASSIQUES D'HIER ET D'AUJOURD'HUI

Joe Henderson, ***Mode for Joe***, Blue Note, 1966.

Vincent Herring, ***Evidence***, Landmark, 1991.

Shirley Horn, ***You Won't Forget Me***, Verve, 1991.

Freddie Hubbard & Lee Morgan, ***The Night of the Cookers***, Blue Note, 1965.

Branford Marsalis, ***Music From "Mo' Better Blues"***, Columbia, 1990.

Wynton Marsalis, ***Marsalis Standard Time, vol. 1***, Columbia, 1987.

Carmen McRae, ***Carmen Sings Monk***, Novus, 1990.

Brad Mehldau, ***The Art of the Trio, vol. 3 : Songs***, Warner, 1998.

Helen Merrill, ***Brownie. Homage to Clifford Brown***,
Gitanes Jazz–Verve, 1994.

Thelonious Monk, ***The Complete Solo Sessions***, Columbia, 1964-1965.

Lee Morgan, ***Tom Cat***, Blue Note, 1964.

Gerry Mulligan, ***Re-Birth of the Cool***, GRP, 1992.

Fats Navarro & Tadd Dameron, ***The Complete Blue Note and Capitol Recordings of Fats Navarro & Tadd Dameron***,
Blue Note–Capitol, 1947-1949.

Charlie Parker, ***Original Bird. The Best of Bird on Savoy***,
Savoy, 1945-1948.

Joshua Redman, ***Moodswing***, Warner, 1994.

Dianne Reeves, ***That Day***, Blue Note, 1998.

Sonny Rollins, ***Tenor Madness***, Prestige–Fantasy, 1957.

Wallace Roney, ***Mistérios***, Warner, 1994.

Wayne Shorter, ***The All Seeing Eye***, Blue Note, 1965.

Horace Silver, ***The Cape Verdean Blues***, Blue Note, 1965.

James Spaulding, ***Brilliant Corners***, Muse, 1988.

Sun Ra, ***Space is the Place***, Impulse!, 1972.

Jubilant Sykes, ***Jubilant***, Sony Classical , 1998.

McCoy Tyner, ***Tender Moments***, Blue Note, 1967

LIRE LE JAZZ?

TROMPETTE D'OUTRE-MONDE

"Miles est un sorcier, disait Herbie Hancock de celui qui fut son employeur et mentor. Tout, de son attitude, de sa façon d'être est un peu mystérieux. Je le connais bien et pourtant une sorte de mystique musicale le nimbe. Sa musique a des airs de sorcellerie. Parfois j'ignore d'où elle sort. On dirait que ce n'est pas lui qui la joue, qu'elle vient d'*ailleurs*." À en juger d'après l'influence surnaturelle que continue d'exercer ledit Prince des Ténèbres sur la musique afro-américaine longtemps ans après avoir poussé son dernier souffle le 28 septembre 1991, on ne peut qu'abonder dans le même sens.

Mort, Miles Davis? *So what?* Ça ne l'empêche pas de faire régulièrement la manchette des magazines de jazz avec la vaste entreprise de réédition en luxueux et onéreux coffrets de son œuvre intégrale chez Columbia. Sans doute le Sorcier usait-il de dons divinatoires (E.S.P.) lorsqu'il prédit qu'au lendemain de ses obsèques le coffre-fort des archives Columbia sauterait par magie, inondant le marché d'un déluge de rééditions et d'inédits.

Mort et enterré, Miles demeure omniprésent; en témoignent deux récents ajouts à l'imposante bibliographie le concernant.

All Blues

Du be-bop au hip-hop, en passant par le cool, le rock, le funk, Miles s'est maintenu à la fine pointe de la black music. Ce n'est pas le moindre mérite de Franck Bergerot dans *Miles Davis; Introduction à l'écoute du jazz moderne* que de démontrer comment en quarante-six ans ce caméléon sut lancer ou récupérer toutes les modes, sans jamais renoncer à son style teinté de blues. À l'hagiographie Bergerot préfère l'étude approfondie de l'œuvre, trop

219

souvent occultée par le mythe. Renvoyant à l'écoute de passages choisis (minutage précis et transcription à l'appui), il procède à une analyse rigoureuse du langage de Miles – ce timbre et ce phrasé, parmi les plus imités et les plus aisément identifiables du jazz – et vérifie ce qui change ou pas d'une version à l'autre d'un même morceau, d'une phase à l'autre de la longue carrière. Dans une langue érudite mais pas hermétique, Bergerot met en relief les rapports vampiriques qui liaient le trompettiste à ses collaborateurs ou modèles et souligne le caractère théâtral, l'importance de la mise en scène et du culte de la personnalité dans l'aventure musicale davisienne.

Moins spécialisé mais aussi captivant, le *Miles Davis* de Frédéric Goaty, paru dans la collection CD-Livre dirigée par Frank Ténot (*Jazz Magazine*), fait suite au *Billie Holiday* de Christian Gauffre. Abondamment illustrés, accompagnés de sélections discographiques aussi représentatives que le permet la disponibilité d'enregistrements libres de droits, ces volumes de format compact brossent les portraits objectifs de légendes du jazz. Des premiers aux derniers *miles*, Goaty retrace l'itinéraire du Sombre Mage au fil de ses rencontres avec les musiciens phare de quatre décennies, Bird, Monk, Coltrane, Hendrix, Sly Stone, Prince, etc. En annexe, une discographie fait l'inventaire quasi exhaustif de l'œuvre protéiforme.

Malgré quelques erreurs factuelles et incohérences, l'ouvrage constitue une initiation idéale pour le profane. Le CD boni propose le concert de Miles et compagnie à l'Olympia en mars 1960, moins "Bye Bye Blackbird", faute d'espace. Ce soir-là, les soli orageux de John Coltrane avaient déclenché une véritable bataille d'Hernani dans l'assistance. Cette dernière tournée européenne avec Trane marqua la fin d'une époque. S'ensuivit pour Miles une retraite stratégique qui dura jusqu'à l'avènement en 1964 du quintette qui ramènerait le Sorcier à l'avant-scène du jazz puis, aux portes du jazz-fusion.

Franck Bergerot, *Miles Davis. Introduction à l'écoute du jazz moderne*,
Le Seuil, 1996, 193 p..

Frédéric Goaty, *Miles Davis,* Vade Retro "CD-Livre", 1995, 112 p..

IMPRESSIONS DE MONK

Toute discussion sur Thelonious Sphere Monk ne peut commencer autrement que par un aveu d'impuissance : impuissance à cataloguer, à étiqueter, à expliquer, à apprivoiser l'inquiétante étrangeté du Grand Prêtre du be-bop (appelation restrictive qui ne circonscrit d'ailleurs pas tout à fait l'homme et son œuvre). Un demi-siècle après les légendaires jam-sessions du Minton's Playhouse de Harlem, berceau du jazz moderne, Monk demeure le plus énigmatique génie de la musique afro-américaine.

D'où la difficulté de brosser un portrait qui rende justice au personnage. Quelques-uns s'étaient déjà colletés à ce travail herculéen; notamment Jacques Ponzio et François Postif dans **Blue Monk : Portrait de Thelonious** (Actes Sud, 1995), une brique qui tenait autant de la biographie journalistique que du traité de musicologie, ouvrage passionnant mais par moments un peu lourd. Fallait-il être musicien, jazzman de préférence, pour réussir à restituer à ce sphynx de la musique du XXᵉ siècle l'aura de mystère envoûtant qui le nimbait? Après lecture de la récente biographie, simplement intitulée **Monk** que vient de faire paraître Laurent De Wilde, lui-même pianiste de jazz bien en vue, on en a bien l'impression.

Round Midnight

Le hasard, qui du reste n'existe pas, ne suffit pas à expliquer pourquoi la pièce **Round Midnight**, seule chanson au sens propre du terme écrite par Monk, est devenue au fil des ans l'emblème d'une œuvre riche (au-delà de quatre-vingts compositions), comparable en importance à celle de Duke Ellington. Accessible et abscons, symétrique et obtus, ce standard, l'un des plus souvent repris du répertoire, s'impose – oh paradoxe! – à la fois comme un concentré de l'histoire du jazz moderne et une radiographie de l'esprit *monkien*. Car de toutes les heures aucune ne convient mieux à ce moine solitaire que *l'autour de minuit*, moment incertain où hier bascule dans aujourd'hui, aujourd'hui dans demain.

Laurent De Wilde s'attarde à la singularité de Monk, qui toujours fait bande à part. Issu de la tradition mais rompant d'emblée avec elle, compagnon d'armes des boppers et pourtant se récla-

221

mant d'une manière aux antipodes de leur étalage exhibitionniste de virtuosité, précurseur du free jazz mais réfractaire à la liberté sans balises, Monk est à jamais *persona non grata*, cancre exemplaire exclus de toute école, de toute caste. "La musique de Monk est inclassable, inassimilable, écrit le biographe. Non pas parce qu'elle est révolutionnaire, ce qui n'est pas une raison en soi, mais parce qu'elle est un pavé dans la mare qui, une fois jeté, coule à pic et disparaît. On le regarde sombrer, et on ne sait s'il faut suivre des yeux cette masse qui s'enfonce, ou contempler l'onde égale de ses remous."

Mais encore : dans une écriture vibrante, tantôt mélodieuse, tantôt dissonante, mais toujours swinguante, De Wilde se fait le chroniqueur de la chute de l'éternel *outsider*, peu à peu engouffré par ces ténèbres qu'il n'avait cessé de défier sur les touches de son clavier. Après les expérimentations chez Minton aux côtés de Parker, Gillespie et cie, l'insuccès populaire des premiers disques, les démêlés avec la flicaille raciste de la Big Apple, les rencontres sur disque avec ses plus prestigieux collègues, la gloire naissante, le statut de star internationale enfin conquis dans les sixties, Monk se tait soudain. Réfugié chez la baronne Pannonica de Kœnigswarter, marraine-fée des boppers, au même endroit d'où le Bird avait pris son envol vers d'autres cieux, Thelonious Sphere Monk s'enferme dans une bulle impénétrable, s'abandonnant à la schizophrénie qui toute sa vie l'avait guetté. Assisté par Nica et sa femme Nellie, son ange-gardien de toujours, il passe six ans prostré, comme coupé du monde, puis s'éteint en février 1982 d'une hémorragie cérébrale à l'âge de soixante-quatre ans. En silence.

Selon une formule consacrée et mille fois rabâchée, certaines biographies se lisent comme un roman; celle-ci s'entend plutôt comme un blues lancinant, plus noir que la nuit. Un blues signé Thelonious.

Laurent De Wilde, **Monk,** L'Arpenteur, 1996, 237 p.

COMME UNE IMPRO DE MILES

222   "J'étais un journaliste de jazz et un écrivain de faits divers, les deux me semblaient aller de pair. Je traduisais et arrangeais la réalité comme Gil Evans traduisait et arrangeait le **Concerto**

d'Aranjuez de Rodrigo. J'improvisais la relation détaillée des faits comme Miles Davis improvisait à la trompette en partant d'un morceau connu, et moi d'un fait réel. Miles se laissait aller à son inspiration, et moi à mon imagination. J'avais de ce métier une approche artistique et musicale; j'écrivais sur la musique dans *Jazz Magazine* ou écrivais ma propre musique pour *France-Soir*."

Ainsi parle Frank Merced, narrateur du premier roman d'Alain Genestar, *Le baraquement américain*; mais ainsi pourrait également parler l'auteur, qu'on sent très proche de son héros. On dit que le premier livre est toujours autobiographique et c'est peut-être le cas ici; Genestar et Merced sont tous deux originaires de Caen, ville normande meurtrie par les bombardements durant la Seconde Guerre. Ils sont également journalistes et inconditionnels de jazz. Où tracer la frontière entre fiction et réalité? Au fond, ça n'a aucune espèce d'importance, même si le roman interroge justement et avec beaucoup de pertinence le rapport problématique entre la littérature et le réel.

Gamin, Merced nage dans le bonheur de l'enfance comme "dans un élément liquide", jusqu'à la mort atroce de son père, de sa mère et de sa sœur, déchiquetés par l'explosion d'une bombe qui dormait sous le sable de la plage. Traumatisé à vie, il passe son temps à fuir pour oublier et évite tout lien trop intime, de peur que la douleur de la perte n'en profite pour l'assaillir de nouveau. D'idylles ratées en liaisons sans lendemain, son errance le mène des plages de sa Normandie natale aux rives de l'Hudson à la fin des sixties. Au fil de ses pérégrinations, Merced se lie avec une impressionnante galerie de personnages réels mais fantasmés, dont Jean Seberg (rebaptisée Joan) et Miles Davis, sans oublier Sean Connery, qui avait joué dans *Le jour le plus long*, mégaproduction hollywoodienne trop infidèle à la réalité du débarquement des alliés, selon le héros. En réaction à ce travestissement du réel sur grand écran, Frank *commet* lui aussi une relation romancée du Jour J. Mais les conseils de sa maîtresse et éditrice cupide, ainsi que les mauvaises habitudes contractées tandis qu'il collaborait aux pages des chiens écrasés de *France-Soir*, lui inspirent un récit transfiguré de ses souvenirs et de ceux de ses proches, qui finira par le dégoûter, en dépit de l'immense succès critique et financier que lui vaut son best-seller à sensations. Désabusé, Merced s'enfuira à

223

nouveau vers une réserve indienne du désert d'Arizona, où un vieux sage hopi nommé Vuh Pah lui commandera de s'affranchir de ses démons en écrivant, avec sincérité cette fois, l'histoire de sa vie.

Roman sur les hantises de la mémoire et la nécessité d'exorcisme, sur les droits et les devoirs de la littérature, *Le baraquement américain* est porté par une écriture limpide, musicale, lyrique mais sans excès, solennelle mais jamais pompeuse, qui inévitablement évoque les impros mélancoliques de Miles. D'ailleurs, la scène de la rencontre entre le Prince des Ténèbres et Merced m'apparaît d'autant plus réussie que j'en ai vécue une similaire, quoique plus exaspérante lors d'une entrevue avec le vétéran du free jazz Pharoah Sanders. Et même si Alain Genestar n'a pas su nous épargner ces poncifs typiquement français sur l'Amérique (notamment, toute cette histoire convenue de vieux sage amérindien à la Oliver Stone) et ce *happy end* cucul, il nous offre néanmoins ici un premier roman remarquable.

À propos du rapport entre vérité et mythe... Si certains jazzmen vivent des vies pareilles à de longs fleuves tranquilles, ça n'a pas été le cas de Chet Baker. Pourtant, la gueule d'ange qu'il arborait en début de carrière, sa voix d'éternel adolescent et son jeu délicat à la trompette auraient dû lui valoir le ciel sans confession.

Le Destin en a voulu autrement.

Découvert par Charlie Parker, puis confirmé par Gerry Mulligan, le James Dean du cool jazz californien a connu une existence mélodramatique, en tous points conforme à la vision hollywoodienne du jazzman maudit. Avec une admiration non feinte, le journaliste Yves Lucas retrace les hauts et les bas de son itinéraire sacrifié à la dope, de sa naissance dans son Oklahoma *redneck* à sa mort absurde à Amsterdam. Comme dans le film *Let's Get Lost* de Bruce Weber, on suit l'errance de Baker, ses histoires d'amour tragiques, son exil européen et son emprisonnement en

Italie, sa retraite forcée et son retour aussi pathétique qu'émouvant.

À l'instar des autres bouquins de cette collection, cette biographie brève et abondamment illustrée s'accompagne d'une discographie, d'une bibliographie et d'une compilation regroupant des pièces instrumentales gravées pour la firme Pacific durant les *fifties* (**The Best of Chet Baker Plays**). Combien de fois vais-je répéter tout le bien que je pense de ces CD-Livres? Aussi souvent que la qualité sera au rendez-vous, tant du point de vue de la présentation graphique que du contenu, ça ne m'embêtera pas de jouer les perroquets.

Alain Genestar, *Le baraquement américain*, Grasset, 1998, 323 p.

Yves Lucas, **Chet Baker, Vade Retro**, "CD-Livre", 1998, 112 p.

NOIRE NOIRE DEUX CROCHES NOIRE

Les étiquettes ont ceci d'agaçant qu'elles enferment les œuvres dans des cases trop étroites pour leurs propos. Prenez le roman noir : cette appellation contrôlée évoque l'image d'un privé en imper fripé, une clope au coin des lèvres, attendant sous la pluie l'indic camé qui l'aidera à retrouver sa cliente kidnappée, pulpeuse blonde au regard d'azur et dont la poitrine défie les lois de la gravité... À cause des impératifs du marketing, des œuvres valables échappent à des lecteurs pourtant ouverts d'esprit qui nourrissent des préjugés tenaces à l'égard de tel ou tel genre.

Tout ça pour dire que le sceau "Soul fiction" apposé par les directeurs des éditions de l'Olivier sur leur collection de littérature nègre m'embête un brin. Voudrait-on m'expliquer ce que des critères épidermiques ont à voir avec la classification d'œuvres romanesques? Cela dit, n'étant moi-même pas à une contradiction près, je commettrai ici un crime analogue en mettant en parallèle des ouvrages qui ont pour point commun d'avoir été écrits... par des Noirs!

Les lecteurs francophones et pas nécessairement *négrophiles* connaissent sans doute peu Ishmael Reed. Romancier, essayiste, poète et dramaturge, il compte parmi les écrivains majeurs de la littérature afro-américaine. La publication récente dans "Soul fiction" de son classique **Mumbo Jumbo**, paru en 1972, devrait

225

contribuer à remédier à cette situation. Œuvre-phare du post-modernisme louangée par James Baldwin, ce livre carnavalesque, à mi-chemin entre le roman-farce et la satire, n'adopte la forme du *thriller* que pour mieux la subvertir. Je ne tenterai même pas d'en résumer l'intrigue trop délirante : qu'il vous suffise de savoir que le récit loufoque au coton traite notamment de la progression aux États-Unis d'une étrange maladie qui pousse les gens à faire des choses "stupides et sensuelles", maladie qui aurait vu le jour à la Nouvelle-Orléans et dont deux manifestations seraient… le jazz et le vodou!

L'humour vitriolique d'Ishmael Reed assaille les conventions de la littérature occidentale, les stéréotypes et idées reçues sur les rapports entre Noirs et Blancs… avec la force de frappe d'un militant des Black Panthers! Près de nous, seul Dany Laferrière me semble avoir repris à son compte, en français et avec un bonheur qui varie selon les bouquins, les innovations de Reed. En relisant *Mumbo Jumbo*, j'ai vu la preuve de cette "américanité" dont se réclame Dany, ainsi qu'elle s'exprime dans ***Comment faire l'amour avec un Nègre sans se fatiguer*** ou ***Cette grenade dans la main du jeune Nègre est-elle une arme ou un fruit?***

En un mot : décapant!

Ismael Reed, ***Mumbo Jumbo***, L'Olivier, "Soul Fiction", 1998, 304 p.

JAZZ ALBUMS

Entre les pans d'une superbe jaquette avec au recto un portrait du saxophoniste Courtney Pine et au verso une photo du *band* de King Oliver, ce luxueux volume retrace la genèse et l'évolution du jazz, de son berceau africain à la Louisiane, où il fit ses premiers pas, jusqu'à sa conquête du globe. Cette édition mise à jour d'un bouquin paru en 1979 donne à voir les grands créateurs du jazz, de Buddy Bolden à Ornette Coleman. En onze chapitres axés sur divers aspects de cette "musique de sauvages", Rodney Dale propose un survol des périodes et tendances, sur un ton plutôt didactique. L'auteur semble s'être donné pour mission de faire découvrir le jazz au profane, de rendre accessible cette musique jadis "populaire" et aujourd'hui taxée d' "élitiste".

226

Cela dit, pour le prosélyte, ce panorama a le défaut de ses qualités, dans la mesure où on ne lira ici rien de neuf ou de profond. Outre l'écriture convenue, on déplore aussi la structure déficiente de l'essai, le graphisme vieillot, l'ordre de présentation et la classification aléatoires des musiciens et enfin l'énumération expéditive des jazzmen actuels. L'abondante iconographie (incluant certaines photos assez rares) sauve presque la mise, mais on préférera à ce livre l'indispensable *Grand Livre du jazz* de Joaquim Berendt (Du Rocher), non moins didactique certes mais mieux articulé.

Et comme ni l'un ni l'autre ne lui suffiront, le jazzophile boulimique pourra toujours se jeter sur **The Ghosts of Harlem**, le magnifique album signé Hank O'Neal.

Producteur de disques et auteur d'un précédent ouvrage sur la vie de Charlie Parker, O'Neal s'est inquiété de savoir comment la scène musicale vibrante du quartier "hot" de New York a pu s'éteindre aussi aisément entre le début des années soixante et la fin des années soixante-dix. Pour mieux comprendre cet exode graduel des jazzmen loin des rues et des clubs qui les avaient traditionnellement accueillis depuis l'Entre-deux-guerres, il a recueilli les témoignages et esquissé les portraits d'une quarantaine d'acteurs de ce haut lieu du jazz, de Cab Calloway à Dizzy Gillespie, en passant par Milt Hinton, Illinois Jacquet, Clark Terry et j'en passe. Leurs confidences et réminiscences, où la nostalgie n'interdit pas la joie de vivre, sont réunies dans ce luxueux bouquin au graphisme agréable, illustré par de nombreuses photographies. Voyage dans la mémoire du jazz, ce beau livre n'est certes pas à la portée de toutes les bourses, mais les vrais mordus de jazz connaissent sûrement quelqu'un qui les aime suffisamment pour le leur offrir en cadeau, non?

Enfin, impossible de passer sous silence le *Jazz* de John Fordham, disponible dans la langue de Molière depuis quelques années. À l'époque de sa parution originale en anglais, parce qu'on m'avait dit qu'il s'agissait du meilleur livre d'introduction au jazz jamais publié, je m'en méfiais. Pourtant, le bouquin avait tout pour inspirer la confiance : couverture rigide, papier glacée, belles photos et, en bonus, l'imprimatur d'un des derniers géants, Newk, le Colosse du Saxo lui-même. Après lecture, il me faut humblement reconnaître que ses champions n'en exagéraient en rien les mérites, loin de là!

Rédigé dans un style limpide et agréable, l'ouvrage se divise en cinq sections, lesquelles abordent tour à tour les différents aspects du jazz : la première retrace l'évolution de cette musique, depuis le New Orleans jusqu'à l'acid-jazz; la seconde présente l' "anatomie" des principaux instruments; viennent ensuite les portraits des vingt musiciens les plus marquants; puis l'auteur traite des diverses "techniques" du jazz et conclut avec une sélection de disques classiques sinon incontournables des différentes périodes.

Soit. Quelques coquilles et erreurs factuelles ne suffisent pas à tempérer mon enthousiasme. Je m'incline humblement : s'il ne faut posséder qu'un seul livre sur le jazz, c'est celui-ci et aucun autre.

(Mais vous pouvez garder le mien aussi…)

Rodney Dale, *Le monde du jazz*, Bordas, 1994. 192 p.

Hank O'Neal, *The Ghosts of Harlem.*
L'histoire du quartier mythique du jazz, Filipacchi, 1998. 429 p.

John Fordham, *Jazz* (avec une préface de Sonny Rollins),
Hurtubise HMH, 1995. 216 p.

LES MEURTRIERS ONT-ILS AUSSI LES BLUES?

Depuis *Ascenseur pour l'échafaud* et *Peter Gunn*, le jazz et les histoires d'assassinat semblent avoir fait un mariage de raison qui est tout sauf blanc. À croire que la note bleue ne puisse servir de bande-son qu'à de lugubres intrigues où de pulpeuses rousses au regard trouble mais volontaire projettent en compagnie de leurs veules amants la mort violente à souhait de leurs maris gênants… et riches comme Crésus ! Clichés de films noirs mis à part, il est vrai que le climat parfois inquiétant des mélodies de Miles, Mingus ou Monk convient mieux à ces contes amoraux pour adultes pervers… qu'une bluette de Céline Dion, mettons !

Certes, il est plus difficile de coupler une "trame sonore" à un livre qu'à un film, voilà pourquoi je n'hésite pas à ajouter le premier roman de Dallas Murphy à ma liste des polars qui réussissent l'exploit de faire swinguer meurtres, extorsions et autres exactions au son de notre bon vieux jazz. Maître d'un chien star de la pub qui lui assure un revenu fort respectacle, Arthur Deemer, le héros de Murphy, s'escrime à oublier sa rupture d'avec la photographe Billie Burke en écoutant du jazz à longueur de journée. Un soir, les flics lui apprennent que son ex-maîtresse a été assassinée et qu'il compte parmi les principaux suspects. À son corps défendant, Deemer se retrouve mêlé à une sordide affaire de chantage impliquant des photos compromettantes prises par Billie, des caïds de la pègre et d'anciens héros de l'aviation militaire américaine… Sur des tempi swinguants, tantôt *bluesy*, tantôt dignes des envolées endiablées des *beboppers*, le dramaturge new-yorkais a élaboré un récit complexe et astucieux, dont la lecture nous laisse pantois et un peu jaloux d'une telle maestria.

Un excellent suspense, avec humour fin à la clef, à lire au son de quelques bons vieux albums d'Ellington, de Monk, de Miles ou de Coltrane, à vous de choisir!

…et puisque j'ai évoqué ma liste de polars jazzés, en voici en vrac quelques extraits :

L'ange du jazz de Paul Pines (Du Rocher), où le propriétaire cocaïnomane d'une des dernières boîtes de jazz new-yorkaises dignes du nom, le Blue Angel, se voit mêlé malgré lui à une affaire de trafic louche qui a coûté la vie à son associé.

Le diable en robe bleue de Walter Mosley (Gallimard, Série noire) porté à l'écran avec Denzel Washington dans le rôle principal, celui du pauvre Easy Rawlins, lancé dans le L.A. de l'après-guerre à la recherche d'une mystérieuse vamp qui sème derrière ses pas une traînée de macchabées.

Notes de sang, de François Joly (Gallimard, Série noire), qui raconte les retrouvailles pour le moins explosives d'anciens copains, en plein festival de Jazz à Vienne en Isère : au son de la trompette triomphante de Dizzy Gillespie, une sombre histoire de terrorisme par l'auteur de *Be-bop à Lola*.

Solea de Jean-Claude Izzo (Gallimard, Série noire), où un policier marseillais à la retraite est sommé par des hommes de main de la mafia de retrouver une de ses anciennes flammes qui en sait trop, sous peine de voir ses proches butés l'un après l'autre.

Les treize morts d'Albert Ayler (Gallimard, Série noire), un collectif où treize stars du polar actuel essaient d'imaginer les circonstances de la mort mystérieuse d'Albert Ayler, figure phare du free jazz des *sixties*, dont on a repêché le cadavre dérivant dans l'Hudson en 1970.

La vie d'artiste de Marc Villard (Rivages) où un saxo de jazz paumé au max, réfugié en province pour oublier la mort de sa dulcinée, est poursuivi par l'amant et meurtrier de celle-ci à cause d'une histoire de came… Du même auteur, également passionnant : *Cœur sombre* (Rivages).

Dallas Murphy, ***Lover Man***, Seuil, "Policiers", 1994. 295 p.

Paul Pines, ***L'ange du jazz***, Du Rocher "Coup de cœur", 1998. 293 p.

Walter Mosley, ***Le diable en robe bleue***, Gallimard, "Série noire", 1991. 288 p.

François Joly, ***Notes de sang***, Gallimard, "Série noire", 1997. 224 p.

Jean-Claude Izzo, ***Solea***, Gallimard, "Série noire", 1998. 256 p.

Les treize morts d'Albert Ayler, Gallimard, "Série noire", 1997. 288 p.

Marc Villard, ***La vie d'artiste***, Rivages, 1997. 160 p.

Brèves

Un guide du jazz

Voici un bouquin fort sympatique! Publié dans la collection des Guides culturels Syros visant à présenter "de façon claire et compétente (sans trahison ni simplifications abusives)… les évolutions historiques et esthétiques des modes de communications qui nous gouvernent ou nous passionnent", ce *Guide du jazz* en est à sa cinquième édition – la deuxième à être coéditée au Québec par Triptyque. Plus modeste que le *Grand Livre du jazz*

230

de J.-E. Berendt (Du Rocher, 1986), le livre de Jean Wagner constitue néanmoins un ouvrage de référence et d'initiation de lecture agréable.

Poète, romancier, essayiste, journaliste, Jean Wagner a publié des articles dans *Jazz Magazine* et signe une chronique hebdomadaire sur le jazz dans *Télérama*. Plutôt que de se livrer à un exposé aride et ésotérique sur les caractéristiques de ce langage musical, l'auteur prend soin de demeurer accessible, s'adressant autant au profane qu'au jazzophile dans une écriture simple et vivante.

Ardent champion, Wagner s'évertue à prouver la légitimité artistique de cette "musique de nègres" à ses détracteurs, ce qui donne parfois lieu à des hyperboles incongrues et douteuses. Refusant de se cacher derrière une impartialité académique, l'auteur ne musèle ni son admiration pour certains artistes ni son mépris pour certains autres (notamment, les musiciens de jazz-fusion). Des goûts et des couleurs, on ne discute pas… N'empêche, son plaidoyer pour la réhabilitation du mouvement cool des fifties (auquel il associe abusivement la carrière de Miles Davis de ses débuts jusqu'au virage rock) ne m'a pas du tout convaincu, pas plus que sa condamnation sans appel des jazzmen des deux dernières décennies, Wynton Marsalis en tête.

Jean Wagner, Le Guide du jazz, Triptyque / Syros Alternatives, 1992, 246 p.

Divertimento

D'abord, une petite anecdote : c'est à Suzanne Giguère de Radio-Canada que je dois la découverte d'Alessandro Baricco. Au Salon du livre de l'Outaouais, il y a deux ans, elle avait convié la coqueluche des lettres italiennes à se joindre à elle et moi pour une discussion radiophonique portant sur l'importance de la musique dans son superbe roman **Les châteaux de la colère** (Prix Médicis étranger 1995) et dans mon **Zombi Blues**. Son attachée de presse ayant pris la mauvaise sortie sur l'autoroute, Baricco n'est hélas pas arrivé à l'heure; qu'à cela ne tienne, ce rendez-vous raté a pourtant permis ma rencontre avec ce fils spirituel de Calvino.

Histoire de faire mentir l'adage voulant que nul ne soit prophète en son pays, Baricco jouit chez lui d'une popularité d'ordinaire réservée aux stars du cinéma ou de la musique pop. Révélé

231

chez nous par le Médicis, il doit toutefois à son roman **Soie** l'affection du lectorat québécois qui, voilà de quoi rassurer les plus pessimistes, ne se nourrit pas uniquement d'harlequinades à la Alexandre Jardin, Amen!

Dans ce petit *divertimento* écrit pour la scène, le narrateur, trompettiste de jazz, raconte (ainsi que le laisse entendre le titre) les tribulations d'un pianiste nommé Danny Boodmann T.D. Lemon Novecento, qui a pour particularité de n'avoir jamais mis les pieds hors du paquebot *Virginian* à bord duquel il a vu le jour. Virtuose du clavier capable d'en montrer à Jelly Roll Morton, "le Père du Jazz" lui-même, Novecento est un personnage plus grand que nature, ainsi que semble les aimer Baricco. Avec son écriture baroque et jubilatoire qu'on a appris à goûter, qui oscille entre un registre grandiloquent et un lyrisme plus sobre, le romancier nous embarque dans son histoire rocambolesque, comme toujours hantée par le spectre de la fatalité. On vogue suffisamment loin du *Titanic* pour que l'image de Céline Dion beuglant la pérennité de son amour ne vienne pas gâcher notre plaisir, et assez proche d'Ionesco et de Fellini pour s'esclaffer à maintes reprises.

Je me délecte par anticipation à l'idée de voir un soir des rideaux de scène montréalais s'ouvrir sur le pont du *Virginian*. Confié à un comédien de talent, ce texte pourrait faire une superbe soirée au théâtre, du même calibre que **La céleste bicyclette** de Roch Carrier interprétée par Albert Millaire.

Alessandro Baricco, **Novecento : pianiste**,
Mille et une nuits, 1996. 80 p.

La bohème

Disons-le d'emblée : la parution inespérée dans la langue de Molière du Sax, classique méconnu de la littérature *beat*, tombait pile en 1998, année où les écrivains de la *beat generation* ont été particulièrement à l'honneur.

Du romancier John Clellon Holmes, compagnon de virées des Kerouac, Ginsberg et cie, je ne savais pas grand-chose, sinon qu'on lui doit le vocable beat et que ce bouquin, originalement intitulé **The Horn**, est considéré par une certaine critique comme un jalon fondamental de l'évolution de la représentation du jazz et de ses artisans en littérature. *Roman jazz*, alors? Pas tout à fait, si l'on en croit le saxophoniste de free jazz Archie Shepp, qui n'hésite pas à contester la notion même de *fiction jazz* dans son éclairante préface. Du même souffle, Shepp souligne avec admiration la qual-ité fonda-mentale du Sax, qui réussit là où avaient échoué les films *Bird* de Clint Eastwood et *Round Midnight* de Bertrand Tavernier : le livre de Holmes parvient à évoquer de manière crédible la figure tragique du jazzman noir sans tomber dans le mélodrame, en le situant comme membre d'une communauté avec laquelle il entretient des rapports essentiels pour le développe-ment de son art.

Cela dit, même s'il s'inspire de la vie de personnages aisé-ment identifiables (Lester Young, Billie Holiday, Charlie Parker), *Le Sax* reste d'abord et avant tout une fiction et non un traité de sociomusicologie. À ce titre, il n'est d'ailleurs pas exempt de défauts, dont cette surenchère lyrique typique des écrivains *beat*. Toutefois, avec sa construction imitée du chaos organisé des *cutting-sessions* de Kansas City à la belle époque, *Le Sax* constitue un bel hommage littéraire au jazz, "Ancien Testament en devenir de la race noire" et contribution majeure des États-Unis au patrimoine culturel mondial.

John Clellon Holmes, *Le Sax*, Balland, "Nouvelles Angleterres", 1998. 315 p.

Jazz et littérature

Les rapports entre l'intelligentsia littéraire et le jazz – "cette musique de sauvage", dixit François Mauriac – n'ont pas toujours été des plus cordiaux, tel que le démontre Lucien Malson dans son "Ouverture pour une jam-session" qui fait office de prélude au numéro 820-821 de la revue *Europe*. Ce n'est heureusement plus le cas depuis belle lurette! Sous une couverture ornée d'une photo de Mingus (Nîmes, 1977), ce volume préparé par Philipe Fréchet réunit des articles et des réflexions fort érudites signées notam-ment par le toujours pertinent Jacques Réda, ainsi que par Enzo Cormann, Alain Gerber et Kathleen Gyssel; des notes d'écoute inédites de Robert Desnos, ainsi que des œuvres de création de Claude Tarnaud, Kazuko Shiraishi et autres poètes jazzophiles.

233

Je m'en voudrais de ne pas souligner plus particulièrement les articles remarquables de Fréchet ("Le tour du jazz en

LIRE LE JAZZ?

Cortázar"), de Florence Martin ("Toni Morrison fait du jazz"), de Camille-Pierre Laurent ("Dieu est-il un gros pianiste obscène?") et, surtout, de Xavier Daverat ("Œdipe South") qui analyse ce qui distingue ou rapproche Cassandra Wilson et Wynton Marsalis dans leur démarche respective de réappropriation de la tradition typiquement sudiste du blues et du jazz.

Europe, nº 820-821, "*Jazz & Littérature*", août-septembre 1997, 256 p.

QUELQUES REPÈRES BIBLIOGRAPHIQUES

Ouvrages généraux

Bergerot, Franck & Merlin, Arnaud, *L'épopée du jazz* :
  1. *Du blues au bop*, Gallimard, "Découvertes", 1991, 160 p.
  2. *Au-delà du bop*, Gallimard, "Découvertes", 1991, 160 p.
Carles, Philippe et al., *Dictionnaire du jazz*, Robert Laffont, "Bouquins", 1994, 1385 p.
Carles, Philipe et Comolli, J. L., *Free jazz. Black Power*, 10/18, 1972, 439 p.
Carver, Reginald et Bernstein, *Lenny, Jazz Profiles. The Spirit of the Nineties*, Billboard Books, 1998, 304 p.
Chilton, John, *Jazz*, Hodder & Stoughton, 1979, 186 p.
Feather, Leonard, *From Satchmo to Miles*, Da Capo, 1980, 258 p.
Feather, Leonard, *Inside Jazz,* Da Capo, 1980, 103 p.
Feather, Leonard, *The Encyclopedia of Jazz,* Da Capo, 1980, 527 p.
Feather, Leonard, *The Jazz Years. Earwitness to an Era,* Da Capo, 1980, 310 p.
Feather, Leonard, *The Passion for Jazz*, Da Capo, 1980, 219 p.
Hodeir, André, *Les mondes du jazz*, 10/18, 1970, 383 p.
Hodeir, André, *Jazzistiques, Parenthèses, Epistrophy*, 1984, 208 p.
Hucher, Philippe. *Le jazz,* Flammarion, "Dominos", 1996, 128 p.
Jones, LeRoi, *Le peuple du blues. La musique noire dans l'Amérique blanche*, Gallimard, "Folio", 1997, 335 p.
Kœchlin, Philippe, *Le jazz,* Hachette, "Qui, Quand, Quoi", 1995, 80 p.
Litwell, John, *The Freedom Principle. Jazz After 1958,* Da Capo, 1980, 324 p.
Malson, Lucien, *Histoire du jazz et de la musique afro-américaine,* Le Seuil, "Solfèges", 1994, 286 p.
Newton, Francis, *Une sociologie du jazz*, Flammarion, 1966, 298 p.
Réda, Jacques, *L'improviste. Une lecture du jazz*, Gallimard, "Folio", 1990, 375 p.
Williams, Martin, *Jazz Masters in Transition 1957-1969,* Da Capo, 1980. 288 p.
Wynn, Ron, dir.], *All Music Guide to Jazz*, Miller Freeman, 1994, 752 p.

BIOGRAPHIES, AUTOBIOGRAPHIES

Bergerot, Franck, *Miles Davis. Introduction à l'écoute du jazz moderne*, Le Seuil, 1996, 193 p.
Britt, Stan, *Dexter Gordon. A Musical Biography*, Da Capo, 1980, 103 p.
Carner, Gary, *The Miles Davis Companion. Four Decades of Commentary*, Schirmer, 1996, 274 p.
Davis, Miles et Troupe, *Quincy, Miles, l'autobiographie,* 1989. p.
De Wilde, Laurent, *Monk, L'Arpenteur*, Paris, 1996, 237 p.
Haskins, Jim, *Ella Fitzgerald. Une vie à travers le jazz*, Filipacchi, 1992, 245 p.

235

QUELQUES REPÈRES BIBLIOGRAPHIQUES

Lees, Gene, *Oscar Peterson : The Will to Swing,* p.INCOMPLET

Lock, Graham, *Forces in Motion. The Music and Thoughts of Anthony Braxton*, Da Capo, 1980, 412 p.

Lucas, Yves, *Chet Baker, Vade Retro,* "CD-Livre", 1998, 112 p.

Ponzio, Jacques et Postif, François, *Blue Monk. Portrait de Thelonious,* Actes Sud, 1995, 409 p.

ARTICLES DE JOURNAUX CITÉS

Abel, Marie-Christine, "Jazz Off-Festival: les 355 jours de cats montréalais", Le Devoir, 8 juin 1985, p. 21.

Anonyme, [Après le succès éclatant du Festival international de jazz de Montréal] "Les patrons songent déjà à l'an prochain", Le Devoir, 12 juillet 1983, p. 3.

Archambault, Gilles, " Non, le Festival n'est pas mort! ", Le Devoir, 25 juin 1987, p. C3.

Baillargeon, Stéphane, [Festival international de jazz de Montréal] "Montréal, Cannes, Rio: le Festival de Jazz voit gros: Oscar Peterson en vedette au gala d'ouverture", Le Devoir, 12 avril 1995, p. B8.

Beaulieu, Pierre, "Les difficultés du jazz identiques à celles de la chanson", La Presse, 19 mai 1979, p. D5.

Beaulieu, Pierre, "Trente groupes et 100 musiciens de jazz à Montréal", La Presse, 6 juin 1981, p. C6.

Blais, Marie-Christine, "[Journée internationale de la femme] "Le jazz au féminin pluriel: Instrumentistes et chanteuses participent ce soir à la Nuit des femmes", La Presse, 8 mars 1995, p. E1.

Blais, Marie-Christine, [Women in jazz] "Le jazz conjugué au féminin", La Presse, 2 mars 1997, p. B5.

Brunet, Alain, "Alain Caron: Adieux Uzeb, et en avant la musique", La Presse, 12 juin 1993, p. E3.

Brunet, Alain, "Cassandra Wilson rebondit: la voix la plus influente du jazz actuel a aprris à vivre avec le succès", La Presse, 11 mai 1996, p. D13.

Brunet, Alain, "François Bourassa: ni statique, ni planant", La Presse, 17 novembre 1993, p. A16.

Brunet, Alain, "Jazz sur le vif en folie: une semaine de fou pour les fous du jazz", La Presse, 29 octobre 1994, p. E9.

Brunet, Alain, "Jeri Brown marque des points: la chanteuse revient à Montréal où sa carrière a pris son envol", La Presse, 1er février 1997, p. D8.

Brunet, Alain, "Jeri Brown: L'événement jazz du week-end", La Presse, 16 mars 1995, p. D11.

Brunet, Alain, "La jazzwoman est heureuse: Lorraine Desmarais découvre les bienfaits de la maturité 11 ans après avoir remporté le concours du Festival international de jazz de Montréal", La Presse, 9 décembre 1995, p. D12.

Brunet, Alain, "La Saison Jazz Montréal: surtout la musique improvisée au Canada", La Presse, 6 septembre 1995, p. E1.

Brunet, Alain, "La virtuosité ne se résume pas à la vitesse: le bassiste Alain Caron a appris à se fier davantage à ses tripes", La Presse, 9 septembre 1995, p. D8.

Brunet, Alain, "Le Altsys Jazz Orchestra: une hybdridation des deux solitudes", La Presse, 26 janvier 1997, p. B8.

Brunet, Alain, "Lost Chart entend devenir le label de jazz au Canda", La Presse 3 juillet 1996, p. B4.

Brunet, Alain, "Marcaurelle a suivi les grands de sa génération", La Presse, 29 mai 1993, p. E16.

Brunet, Alain, "Michel Cusson [Omertè] au Gesù", La Presse, 26 mars 1996, p. B8.

Brunet, Alain, "Michel Cusson lance Wild Unit 2", La Presse, 29 octobre 1994, p. E8.

Brunet, Alain, "Papasoff: gueule de star, tripes du yable!", La Presse, 29 juin 1996, p. D7.

Brunet, Alain, "Sans borne pour Mingus: un hommage de l'Ensemble Normand Guilbeault à la Maison de la culture Frontenac", La Presse, 2 avril 1996, p. B8.

Brunet, Alain, "Vic en solo: un pianiste très personnel", La Presse, 29 mai 1993, p. E16.

Brunet, Alain, " À la mémoire de l'Uzeb Club ", La Presse, 7 décembre 1989, p. D3.

Brunet, Alain, " Bernard Primeau : Tout en battant! ", La Presse, 19 mars 1993, p. E8.

Brunet, Alain, " Bruire : puzzle à dix-huit morceaux ", La Presse, 9 avril 1989, p. D2.

Brunet, Alain, " Desmarais et Brackeen : complicité ", La Presse, 12 juillet 1992, p. C5.

Brunet, Alain, " Deux jazzwomen dans la nuit : Joanne Brackeen; Lorraine Desmarais ", La Presse, 10 juillet 1992, p. C2.

Brunet, Alain, " Endetté, le Soleil Levant ferme ses portes ", La Presse, 30 juillet 1991, p. C3.

Brunet, Alain, " Entouré de ses amis, Oliver Jones reçoit le Prix Oscar-Peterson ", La Presse, 3 juillet 1990, p. C1.

Brunet, Alain, " François Bourassa : Ni statique, ni planant ", La Presse, 17 novembre 1993, p. A16.

Brunet, Alain, " Harold Faustin : du jazz prêt à exploser ", La Presse, 23 mars 1992, p. B4.

Brunet, Alain, " Jones + Jones = Jones ", La Presse, 19 janvier 1989, p. A7.

Brunet, Alain, " Karen Young : une nouvelle cure ", La Presse, 8 décembre 1992, p. B4.

Brunet, Alain, " Karen Young-Michel Donato : retraite anticipée ", La Presse, 12 décembre 1990, p. E1.

QUELQUES REPÈRES BIBLIOGRAPHIQUES

Brunet, Alain, " La personnalité de la semaine : Oscar Peterson ", La Presse, 16 juillet 1989, p. B3.

Brunet, Alain, " Le Wild Unit de Michel Cusson : Tu veux jouer, man? Joue! ", La Presse, 14 mars 1992, p. E8.

Brunet, Alain, " Michel Donato et Karen Young, un duo qui vise la réputation internationale ", La Presse, 4 septembre 1988, p. E2.

Brunet, Alain, " Miles Davis magnétise encore l'auditoire ", La Presse, 18 février 1990, p. D1.

Brunet, Alain, " Oliver Jones : un triomphe à la Havane ", La Presse, 23 février 1988, p. E1.

Brunet, Alain, " Quand le jazz montréalais hiverne dans les studios ", La Presse, 12 janvier 1991, p. D10.

Brunet, Alain, " Surprenant, ce festival qu'on avait prévu plutôt sage ", La Presse, 11 juillet 1988, p. A10.

Brunet, Alain, "Tout baigne dans l'huile pour Oliver Jones ", La Presse, 16 mars 1991, p. D13.

Brunet, Alain, " Une Lorraine Desmarais plus électrique ", La Presse, 16 avril 1989, p. D2.

Brunet, Alain, "Pas de meilleur tremplin pour les musiciens d'ici", La Presse, 30 juin 1984, p. B8.

Bury, Jean-Paul, " Uzeb : soirée de délire à Paris ", La Presse, 4 décembre 1988, p. D1.

Bury, Jean-Paul, " Uzeb : une valeur sûre en France ", La Presse, 13 février 1990, p. D16.

Cauchon, Paul, " François Bourassa, calme et passionné ", Le Devoir, 24 août 1985, p. 33.

Cauchon, Paul, " Le Festival de jazz revient avec la même formule ", Le Devoir, 1er mai 1985, p. 3.

Cauchon, Paul, " Quand Metheny séduit : 100 000 spectateurs à 100 000 watts ", Le Devoir, 5 juillet 1989, p. 1.

Cauchon, Paul, " Uzeb : partis pour la gloire ", Le Devoir, 12 avril 1986, p. 21.

Cauchon, Paul, "François Bourassa, calme et passionné", Le Devoir, 24 août 1985, p. 33.

Clément, Éric, " Le Luc Hamel Quartet : Pour les purs et durs et les autres ", La Presse, 8 juillet 1992, p. B6.

Cloutier, Mario, "Alain Caron au Gesù", Le Devoir, 13 septembre 1995, p. B12.

Colpron, Suzanne, "Le jazz nourrit mal son homme: sauf quelques rares exceptions, les musiciens vivent difficilement de leur art à Montréal", La Presse, 9 juillet 1995, p. A1.

Côté, Claude, "Les vingt ans de L'Air du temps", Voir, 10 septembre 1998, archives web.

Côté, Claude, [Luc Hamel] "L'ère du tant", Voir, semaine du 17 au 23 septembre 1997, archives web.

Côté, Claude, [Normand Guilbeault] "La cuvée du patriote", Voir, semaine du 7 au 13 mai 1998, archives web.

Dagenais, Angèle, " Le Festival de jazz encore en péril? ", Le Devoir, 12 février 1987, p. 9.

Dagenais, Angèle, " Le sort du Festival de Jazz : Pas de panique, mais de l'inconnu ", Le Devoir, 13 février 1987, p. 8.

De Repentigny, Alain, " Le trio Uzeb part en tournée, après les nuits bruyantes concoctées à l'Air du temps ", La Presse, 17 septembre 1988, p. E8.

De Repentigny, Alain, " Ray Charles ouvrira le 10e Festival de jazz, Oscar Peterson le clôturera ", La Presse, 4 mai 1989, p. B4.

De Repentigny, Alain, " Uzeb : un spectacle à ne pas manquer ", La Presse, 22 septembre 1988, p. E1.

Desrosiers, Éric, "Saison Jazz Montréal: du jazz toute l'année", La Presse, 20 août 1993, p. C1.

Dostie, Bruno, " Alain Simard et André Ménard : Dégagés du Festival de jazz mais toujours sur la brèche ", La Presse, 7 juillet 1990, p. D12.

Dostie, Bruno, " Rue Saint-Denis, c'est le creux de la vague : pour se consoler de la baisse des ventes, on met la faute sur le temps maussade ", La Presse, 6 juillet 1990, p. C2.

Dostie, Bruno, "Doudou Boicel ramène les beaux jours du jazz ", La Presse, 30 juin 1978, p. C10.

Drouin, Serge, "Sylvain Gagnon, contrebassiste et globe-trotter", Le Journal de Montréal, 11 mai 1996, p. C5.

Drouin, Serge, "Un virage pour le jazzman Bernard Primeau", Le Journal de Montréal, 2 août 1997, p. We34.

Ferland, Guy, " Le 11e Festival international de Jazz de Montréal : une nouvelle scène sur René-Lévesque; La rue Saint-Denis n'est plus dans le coup ", Le Devoir, 11 avril 1990, p. 16.

Gauthier, Patrick, [Montréal, capitale du jazz] "Bernard Primeau explore mais sait où il s'en va", Le Journal de Montréal, 30 juin 1997, p. 39.

Goulet, Paul-Henri, "Loi antitabac: André Ménard inquiet", Le Journal de Montréal, 4 mars 1997, p. 55.

Guilbert, Manon, "Carmelle Pilon a bien établi le jazz à Montréal", Le Journal de Montréal, 1er avril 1996, p. 43.

Guilbert, Manon, "Cassandra Wilson sur la scène de l'Olympia avec les chanson de son tout nouveau (sic) album", Le Journal de Montréal, 8 mai 1996, p. 63.

Guilbert, Manon, "Le prix Oscar-Peterson à Vic Vogel", Le Journal de Montréal, 12 juillet 1992, p. 7

Guilbert, Manon, "Lorraine Desmarais fait ce dont elle a envie", Le Journal de Montréal, 30 novembre 1995, p.56.

Guilbert, Manon, "Mariage du cirque et du jazz: La grande soirée populaire du Festival du jazz consacrée à la musique du Cirque du Soleil", Le Journal de Montréal, 12 avril 1995, p. 55.

QUELQUES REPÈRES BIBLIOGRAPHIQUES

Guilbert, Manon, [Festival international de jazz de Montréal] "Même s'il n'a jamais fréquenté les festivals: Al Jarreau chantera ici pour la première fois"et autres textes, Le Journal de Montréal, 3 juillet 1995, p. 10-11.

Guilbert, Manon, "Ce soir sur la scène Alcan : Uzeb prépare un gros party", Le Journal de Montréal, 7 juillet 1992, p. 47.

Guilbert, Manon, "Michel Cusson et son Wild Unit", Le Journal de Montréal, 12 juillet 1992, p. 7.

Guilbert, Manon, "Miles Davis au Spectrum : un nouveau chapitre à sa légende", Le Journal de Montréal, 18 février 1990, p. 2.

Guilbert, Manon, "Uzeb : c'est vraiment parti pour eux", Le Journal de Montréal, 12 décembre 1990, p. 67.

Guilbert, Manon, "Uzeb : cinq albums plus tard", Le Journal de Montréal, 27 janvier 1990, p. We7.

Lachance, Lise, "Women in jazz: un show de jazz de filles pour la Journée internationale de la femme", Le Journal de Montréal, 3 mars 1997, p. 46.

Lacroix, Liliane, "Qui a tort? Qui a raison? Le S.O.S. du Festival de jazz de Montréal", La Presse, 19 juillet 1986, p. E11.

LaFerrière, Michèle, "La bas(s)e d'une vie: Alain Caron fête le trentenaire de sa carrière de jazzman", Le Soleil, 11 octobre 1997, p. B10.

Lapointe, Josée,"Bilan du Festival de jazz de Montréal: prêt pour le vingtième anniversaire", Le Soleil, 13 juillet 1998, p. C5.

Larue-Langlois, Jacques, [Vic Vogel et Karen Young soulèvent l'enthousiasme] "Le jazz est à la fête au Bateau Ivre", Le Devoir, 9 mars 1984, p. 13.

Larue-Langlois, Jacques, "Émergeant de l'éclectisme ambiant, Wynton Marsalis remporte la palme", Le Devoir, 8 juillet 1982, p. 6.

Larue-Langlois, Jacques, "La fête de "jazz en fusion"", Le Devoir, 18 septembre 1982, p. 30.

Larue-Langlois, Jacques, "Un festival réussi, clôturé avec brio par le grand Miles", Le Devoir, 13 juillet 1982, p. 7.

Larue-Langlois, Jacques, "Un petit festival de jazz à Montréal du 11 au 20 septembre", Le Devoir, 25 août 1981, p. 8.

Laurence, Jean-Christophe, "Bernard Primeau: du Black Bottom à la Place des Arts", La Presse, 16 octobre 1997, p. D7.

Laurence, Jean-Christophe, "Guy Nadon: déjà 50 ans de carrière; et le batteur n'a aucune intention de prendre sa retraite", La Presse, 20 octobre 1997, p. C10.

Laurence, Jean-Christophe, "La Saison Jazz Montréal: plus ambitieuse que jamais", La Presse, 30 juillet 1997, p. B3.

Laurence, Jean-Christophe, "Lacy: heureusement qu'il y a la musique!", La Presse, 18 novembre 1997, p. E1.

Lavoie, Denis, [21 groupes en une semaine] "Le jazz s'enracine rue Saint-Denis", La Presse, 11 septembre 1982, p. C20.

Lavoie, Denis, [Uzeb] "Maintenant on sait mieux qui on est", La Presse, 26 novembre 1983, p. E10.

Lavoie, Denis, [Vic Vogel] "Un big band pour faire danser", La Presse, 5 mars 1983, p. E8.

Lavoie, Denis, "Jean Vanasse et le prestigieux Vitous : un duo exceptionnel", La Presse, 12 avril 1986, p. E6.

Lavoie, Denis, "L'Orchestre Sympathique prouve que le jazz québécois est exportable", La Presse, 19 décembre 1981, p. D15.

Lavoie, Denis, "L'Orchestre Sympathique s'impose en Europe", La Presse, 24 décembre 1983, p. E5.

Lavoie, Denis, "Le jazz en ville", La Presse, 30 juin 1984, p. B1.

Lavoie, Denis, "Le rendez-vous de quelques grands noms du jazz", La Presse, 21 juillet 1979, p. B4.

Maroist, Guylaine, [Alain Caron le Band: La légende de la pluie] "Deux partitions séduisantes", Le Devoir, 8 mars 1993, p. B8.

Maroist, Guylaine, [Festival international de jazz de Montréal] "Le festival ne fait pas que des heureux", Le Devoir, 8 juillet 1993, p. B8.

Marsolais, Patrick , [Kevin Dean] "Relations Est-Ouest", Voir, semaine du 12 au 18 novembre 1992, archives web.

Marsolais, Patrick [Yannick Rieu] "À couper le souffle", Voir, semaine du 8 au 14 décembre 1994, archives web.

Marsolais, Patrick, "Harold Faustin: L'oiseau rare", Voir, 1er avril 1993, archives web.

Marsolais, Patrick, [Les clubs de jazz à Montréal] "Tour de ville", Voir, semaine du 24 au 30 septembre 1992, archives web.

Marsolais, Patrick, [Michel Donato] "La grande école du jazz", Voir, semaine du 23 au 29 juin 1994, archives web.

Nadeau, Pierre. O., "Fort de son expérience avec Omertà: Michel Cusson veut écrire davantage pour la publicité, la télé et le cinéma", Le Journal de Montréal, 30 mai 1996, p. 53.

Petrowski, Nathalie, [Au Festival international de jazz de Montréal] "Faux démarrage avec Ray Charles", Le Devoir, 4 juillet 1980, p. 11.

Petrowski, Nathalie, [L'Événement Cadence] "Quand le jeune jazz se réveille", Le Devoir, 12 novembre 1979, p. 15.

Petrowski, Nathalie, [L'OSM, Peterson et Ponty] "Jazz et Java au Forum", Le Devoir, 9 juillet 1984, p. 1.

Petrowski, Nathalie, [Le Festijazz à la PdA] "Une réussite avec restrictions", Le Devoir, 24 juillet 1978, p. 12.

Petrowski, Nathalie, [Le Soleil Levant, l'unique boîte de jazz à Montréal] "D'une salle de répétition à un programme international", Le Devoir, 27 janvier 1978, p. 22.

Petrowski, Nathalie, "Appelez ça le jazz québécois", Le Devoir, 24 décembre 1981, p. 13.

Petrowski, Nathalie, "Doudou Boicel : un premier festival de jazz à Montréal", Le Devoir, 27 mai 1978, p. 39.

241

QUELQUES REPÈRES BIBLIOGRAPHIQUES

Petrowski, Nathalie, "Doudou Boicel : un premier festival de jazz à Montréal", Le Devoir, 27 mai 1978, p. 39.

Petrowski, Nathalie, "Jazz en liberté à Montréal", Le Devoir, 27 juin 1981, p. 17.

Petrowski, Nathalie, "Jazz et Java au Forum", Le Devoir, 9 juillet 1984, p. 1.

Petrowski, Nathalie, "Le jazz mort ou vif?", Le Devoir, 13 février 1984, p. 9.

Petrowski, Nathalie, "Maneige se surpasse", Le Devoir, 1er avril 1980, p. 16.

Petrowski, Nathalie, "Montréal sera le théâtre de 2 festivals de jazz en juillet", Le Devoir, 13 juin 1980, p. 12.

Petrowski, Nathalie, "Un hommage à Charlie Parker qui n'a pas tenu ses promesses", Le Devoir, 26 novembre 1980, p. 21.

Petrowski, Nathalie, "Le deuxième Festival international de jazz de Montréal se porte bien", Le Devoir, 6 juillet 1981, p. 9.

Petrowski, Nathalie, "Quand le BS devient créateur: Saint-Jak et Vendette", Le Devoir, 25 mai 1985, p. 28.

Roberge, Françoy, [Brillant éventail des tendances actuelles de la musique improvisée], Le Devoir, 30 octobre 1980, p. 18.

Roberge, Françoy, "Fin brillante au Festival de musique improvisée", Le Devoir, 10 novembre 1981, p. 10.

Roberge, Françoy, "Le Festijazz du Soleil Levant: les plus grands du blues américain", Le Devoir, 30 juillet 1979, p. 12.

Roy, Mario, [Jazz à Montréal] "Et les 355 autres jours de l'année, alors?…", La Presse, 30 juin 1989, p. D3.

Roy, Mario, "Oscar Peterson premier lauréat du Prix Oscar-Peterson", La Presse, 9 juillet 1989, p. D4.

Roy, Mario, "Plus de 650 000 personnes ont participé au neuvième Festival de jazz; Le président Simard critique les marchands de la rue Saint-Denis", La Presse, 11 juillet 1988, p. A1.

Roy, Mario, "Uzeb : prophète en son pays", La Presse, 6 juillet 1989, p. E1.

Sarfati, Sonia, "Carmelle Pilon: la tête au jazz, les pieds sur terre", La Presse, 10 janvier 1998, p. D7.

Sarfati, Sonia, "Dinah Vero: Classique et jazzée", La Presse, 15 janvier 1998, p. D2.

Sarfati, Sonia, "Saison Jazz Montréal ferme boutique", La Presse, 30 septembre 1998, p. E1.

Sébastien, Jean, "Uzeb enregistre dans un club : pour retrouver l'atmosphère des vrais jours", Le Devoir, 26 septembre 1989, p. 13.

Simard, Mireille, "L'engouement se poursuit", Le Devoir, 4 juillet 1984, p. 1.

Simard, Mireille, "La pluie en vedette au Festival de jazz", Le Devoir, 25 juin 1985, p. 7.

Simard, Mireille, "La résistance s'organise", Le Devoir, 4 juillet 1984, p. 1.

Simard, Mireille, "L'engouement se poursuit…", Le Devoir, 6 juillet 1984, p. 1.

Soulié, Jean-Paul, "La personnalité de la semaine: Guy Nadon", La Presse, 12 juillet 1998, p. A10.

Sylvain, Jean-Paul, "Avec le trio François Bourassa et Emilia Longo: un Noël à l'italienne au cabaret du Casino", Le Journal de Montréal, 10 décembre 1998, p. 62.

Sylvain, Jean-Paul, "Le phénoménal Guy Nadon: Après 50 ans à la batterie, il rédige sa biographie", Le Journal de Montréal, 28 décembre 1998, p. 43.

Sylvain, Jean-Paul, "Ranee Lee: la fille de Harlem devenue reine du jazz à Montréal", Le Journal de Montréal, 15 février 1993, p. We2.

Sylvain, Jean-Paul, "Ranee Lee : la fille de Ha

Tittley, Nicolas, [Jean Derome et les Dangereux Zhoms] "Bête de scène", Voir, semaine du 2 au 8 octobre 1997, archives web.

Truffaut, Serge "Le jazz montré du doigt: la 5e édition de Saison Jazz est remplie de promesses", Le Devoir, 30 juillet 1997, p. B8.

Truffaut, Serge, "Festival international de jazz de Montréal: René Dupéré à l'honneur", Le Devoir, 12 avril 1995, p. B8.

Truffaut, Serge, "Pour la cause: Jeri Brown chante ce soir dans le cadre d'un concert-bénéfice au Gesù", Le Devoir, 5 février 1997, p. B8.

Truffaut, Serge, [Nil Petter Molvaer] "Nuit noire, note bleue: Le groove de la mélancolie", Le Devoir, 6 juillet 1997, p. B8.

Truffaut, Serge, [Vic Vogel] "Mettre sa vie entre chaque note", Le Devoir, 29 mai 1993, p. C7.

Truffaut, Serge, "Le jazz vit en harmonie avec Montréal", Le Devoir, 1er avril 1989, p. C1.

Truffaut, Serge, "Olivier et Hank Jones et duo : Deux spectacles plutôt qu'un", Le Devoir, 21 janvier 1989, p. 9.

Truffaut, Serge, "Oscar Peterson : un styliste unique et incontournable", Le Devoir, 8 juillet 1989, p. C1.

Truffaut, Serge, "Uzeb : un gros chaud en perspective", Le Devoir, 27 mai 1992, p. B3.

Truffaut, Serge, "Le jazz vit en harmonie avec Montréal", Le Devoir, 8 avril 1989, p. C2.

Truffaut, Serge; Myles, Brian, "Les états du jazz"et autres textes, Le Devoir, 13 juillet 1998, p. A1; B8.

Viau, René, "Jazz et photos chez Optica", Le Devoir, 9 mai 1979, p. 15.

CRÉDITS PHOTOGRAPHIQUES

Charlie Biddle (photo de Jonathan Wenk, gracieuseté des Disques Justin Time)

Oliver Jones (photo de Michael Slobodian, gracieuseté des Disques Justin Time)

Doudou Boicel (photo de Jonathan Wenk, gracieuseté des Disques Justin Time)

Sylvain Gagnon (gracieuseté des Disques Lost Chart)

Ron Di Lauro (photo de peter McInnis)

243

Wray Downes (par Michael Slobodian, gracieuseté des Disques Justin Time)

QUELQUES REPÈRES BIBLIOGRAPHIQUES

Ensemble Normand Guilbeault (par Léopold Brunet, gracieuseté des Disques Justin Time)

Ranee Lee (par Michael Slobodian, gracieuseté des Disques Justin Time)

Les illustrations des diverses pochettes de disques ici reproduites sont la propriété exclusive de leurs labels respectifs : Amplitude, Atlantic, Avant-garde. Blue Note, Capitol, Columbia, Justin Time, Lost Chart, McGill, Scherzo, Tchaka / Festival, Verve, Warner.

REMERCIEMENTS

Certains passages de cet ouvrage ont paru précédemment, sous une forme sensiblement différente, dans les pages de certains journaux, nommément le quotidien *La Presse,* l'hebdo culturel *Ici,* le mensuel *Lectures* ou encore le trimestriel *Le libraire*. Je tiens donc à remercier les membres de la rédaction de ces périodiques avec qui j'ai eu le plaisir de travailler : Alain De Repentigny, Daniel Lemire, Alain Brunet, Mario Roy, Karen Ricard, Sylvain Rompré, Nora Ben Saâdoune, André Lemelin et Denis Lebrun.

Dans un même ordre d'idées, j'aimerais saluer ces personnes chères à mon cœur qui ont, parfois à leur insu, contribué à la réalisation de ce livre, notamment Irène F. Péan, Marie-Josée Péan, Reynald Péan, Jean Proulx, Richard Cantin, Antòn Rozankovic et les potes de Lili's Tigers, Mathieu Bélanger, Brother Vince Potel, Christiane Raby, la gang du Quartier Latin Pub, Aline Madelénat, Tchisséka Lobelt de Promo-Livres (Guyane), Louis Côté de l'Air du temps, Sylvain Gagnon et toute l'équipe des Disques Lost Chart, l'équipe promotionnnelle des Disques Justin Time, sans oublier Robert Beauchamp et le personnel de la Librairie du Québec à Paris.

D'autre part, il me reste encore à remercier mon éditeur Pierre Turgeon, ses collaborateurs Emmanuel Aquin, François Turgeon, Michèle Thibault, Jean-Denis Rouette, Mélika Abdelmoumen et toute l'équipe de Trait d'union.

Enfin, la dernière mais non la moindre, qu'il me soit permis d'exprimer mon infinie gratitude envers Nathalie Olivier, amie et complice de toujours, sans la précieuse collaboration de qui ce livre n'aurait pas été la moitié de ce qu'il est. Pour le plaisir de redécouvrir une discothèque, mille fois merci, Thalie.

TABLE DES MATIÈRES